C000231441

CEUX QUI SAURONT

87, quai Panhard-et-Levassor – 75647 Paris Cedex 13
ISBN : 978-2-0812-5639-2

PIERRE BORDAGE

CEUX QUI SAURONT

Flammarion

Connaissez-vous l'uchronie ?

Uchronie est un mot barbare qui effarouche tous ceux qui n'en possèdent pas la définition. On reconnaît bien la racine « chronos », le temps, mais ce « U » ? Il signifie « non », « ce qui n'existe pas ». Comme Utopie, lieu qui est nulle part, l'uchronie est un temps imaginaire, une autre Histoire que celle que nous connaissons.

Le passé est une somme infinie de faits et de gestes, susceptibles de n'avoir jamais existé. La grande question qui régit la science-fiction prend alors toute son ampleur : ET SI ? **Les auteurs uchroniques deviennent les Maîtres du Temps, ceux qui réécrivent l'Histoire dans une nouvelle version, toute personnelle.**

L'uchronie rapprochera les amateurs de l'histoire passée de ceux de l'histoire future.

Bon voyage en Uchronie !

Alain Grousset

PRÉAMBULE

« Tu es sûre que tu n'as pas été suivie ? »

Hors d'haleine, Magda hocha la tête. Les yeux de l'homme qui s'était tout à coup dressé devant elle brillaient dans la fente de sa cagoule comme deux ampoules électriques. Elle entrevit la crosse d'une arme dans l'entrebâillement de son imperméable noir. Des ténèbres insondables recouvraient la ville, des grondements lointains traversaient le silence. Le vent et la pluie de l'automne restaient imprégnés de la tiédeur de l'été.

Magda s'était mise en route à minuit, comme stipulé dans le mot glissé sous sa porte par une main discrète. Elle avait traversé une partie de la ville endormie, se cachant dans les cours intérieures chaque fois qu'elle entendait un bruit suspect. Un fort sentiment d'inquiétude l'avait étreinte tout au long du chemin. Comment le réseau avait-il su qu'elle désirait rejoindre les rangs des pères Noël du savoir ? Elle n'en avait parlé à personne d'autre que Lorraine, sa consœur à l'internat de jeunes filles de Meudon.

« Je ne crois pas.

– Faut en être sûre ! » gronda l'homme.

Elle craignit un instant qu'il ne tire son arme et ne la couche en joue.

« J'en suis certaine. »

Elle s'était sans cesse retournée pour s'assurer que personne ne lui avait emboîté le pas. Elle avait discerné des silhouettes furtives dans les replis de la nuit, de pauvres bougres qui dormaient sur les trottoirs, mais elle n'avait croisé aucune patrouille de gendarmes royaux.

« Le mot de passe, demanda l'homme.

– Jules Ferry.

– C'est bon. »

Il s'écarta pour l'inviter à entrer. Elle franchit une première porte, traversa un vestibule éclairé par la flamme dansante d'une lampe à huile, tomba, devant la porte suivante, sur une deuxième sentinelle qui lui réclama également le mot de passe, parcourut un couloir étroit et bas plongé dans l'obscurité, arriva enfin dans une petite salle éclairée par une multitude de bougies. Une quinzaine de personnes s'y pressaient, noyées dans la fumée épaisse et âcre des cigarettes et des pipes.

Un homme se détacha du groupe et se dirigea vers Magda, la main tendue.

« Bienvenue parmi nous.

– Bonsoir. Je suis...

– Olympe. Comme Olympe de Gouges. C'est ainsi que nous vous appellerons ici. Personne ne doit connaître votre vrai nom.

– Comment m'avez-vous... »

Son vis-à-vis l'interrompit d'un geste de la main.

« Vous êtes la dernière, nous sommes désormais au complet. »

Le cœur battant, Magda serra la main de l'homme ; il avait une trentaine d'années, une belle allure, un visage doux, les cheveux mi-longs et une moustache conquérante. Il l'enveloppa d'un regard pénétrant. Les autres la dévisageaient en silence. Elle ne décelait aucune hostilité dans les yeux qui flottaient comme des étoiles sur le fond de pénombre, seulement une curiosité mêlée d'appréhension. Elle tremblait comme un oisillon tombé du nid. Olympe : elle aimait en tout cas son nouveau nom de clandestine.

L'homme moustachu lâcha enfin la main de Magda, revint à sa place et écarta les bras.

« Bonsoir à tous, déclara-t-il d'une voix forte. Vous qui avez reçu un magnifique cadeau lors de votre enfance, soyez remerciés d'avoir rejoint le réseau secret des pères Noël du savoir. Vous ne porterez pas de jouets ni d'oranges dans vos hottes, mais vos connaissances, et c'est le plus beau, le plus merveilleux des cadeaux. Nous pensons, et vous aussi sans doute, qu'un royaume digne de ce nom, une nation moderne, ne se construit pas en laissant l'écrasante majorité de sa population dans l'ignorance. Nous avons l'espoir et la volonté de provoquer le changement, et le savoir est l'indispensable condition à l'avènement d'une ère nouvelle. »

Il marqua un court temps de pause. Magda regrettait la chaleur bienfaisante de sa main. Le groupe comptait trois autres femmes, deux âgées d'environ quarante ans et la dernière d'une soixantaine d'années. Les hommes, eux, s'échelonnaient entre vingt et soixante-dix ans. La fumée de cigarettes et des pipes irritait la gorge et les narines de Magda.

« Le royaume de France est prêt pour le changement, reprit l'homme moustachu. Les écoles nocturnes se multiplient malgré la répression féroce dont est victime notre réseau. Privé pendant plus d'un siècle du droit élémentaire au savoir, le peuple a soif d'apprendre. Aussi, il nous faut recruter pour pouvoir répondre à la demande. Nous sommes donc très heureux de vous accueillir parmi nous. »

Il se tut une deuxième fois et laissa errer son regard sur les membres de l'assemblée. Magda se demanda d'où jaillissait la tristesse qui s'écoulait de ses yeux et de sa bouche – et qui contredisait ses propos. S'il faisait partie des privilégiés, comme elle, comme tous ceux qui s'étaient rassemblés dans cette pièce, il aurait dû exulter, brûler d'un feu clair et joyeux. Elle avait eu la « chance » de naître orpheline et d'être recueillie par des sœurs qui l'avaient remarquée pour sa vivacité d'esprit. Elle avait fait partie de ces enfants formés pour transmettre les rudiments du savoir aux filles et fils des grandes familles du royaume. À la fin de sa scolarité, on l'avait envoyée comme préceptrice dans une pension pour jeunes filles de Meudon. Elle souffrait de dispenser des cours à des élèves qui la méprisaient et ne s'intéressaient à rien d'autre qu'à leur futur mariage ou aux potins de la cour de Versailles. Sa chevelure noire et indomptable lui avait valu le surnom de « yack ». Elle avait vérifié sur le R2I, le réseau informatique de la pension, à quoi ressemblait un yack. Elle n'avait pu s'empêcher de sourire lorsqu'un troupeau de ruminants d'un lointain empire d'Asie était apparu sur l'écran.

« Notre dessein est de réaliser le grand rêve de Jules Ferry, fusillé avec tous ceux du gouvernement Gambetta alors qu'il s'apprêtait à décréter l'école obligatoire et laïque pour tous les enfants de la République. Le réseau vous affectera à chacun une classe populaire clandestine. Vous n'ignorez pas le risque encouru : la peine de mort si vous êtes pris en flagrant délit d'enseignement interdit. Plus de mille d'entre nous ont perdu la vie depuis la fondation du réseau, en 1942. Vous pouvez encore renoncer. Il vous suffit de repartir maintenant de cette pièce après avoir juré de garder le silence sur notre organisation. Certains d'entre vous sont pères ou mères de famille : il ne vous sera adressé aucun reproche. Que ceux qui ne souhaitent pas s'engager plus loin s'en aillent maintenant. »

Personne ne bougea dans l'assemblée. Les pipes et les cigarettes rougeoyèrent dans la semi-obscurité.

« Bien. Puisque vous acceptez tous de... »

Un sifflement prolongé interrompit l'homme moustachu, qui lança un regard anxieux en direction de la porte. Magda retint son souffle. Un deuxième sifflement retentit.

« Une alerte ! souffla l'homme moustachu. Nous avons été trahis. Il nous faut nous disperser. Vite ! Nous vous contacterons bientôt pour une prochaine assemblée. »

Ayant prononcé ces mots, il tira un pistolet de la poche de sa veste et se dirigea à grandes foulées vers la sortie de la pièce. Les autres lui emboîtèrent le pas. Tétanisée, Magda fut la dernière à réagir. Des bruits perforaient le silence de la nuit et dominaient le froissement des chaussures sur les dalles du sol ; grondements de moteurs, claquements, hurlements stridents.

Lorsque Magda se résolut enfin à bouger, il n'y avait plus personne autour d'elle. Elle s'élança dans le couloir plongé dans l'obscurité en luttant contre l'impression de tomber dans un gouffre sans fond. Plus personne non plus dans le vestibule. Les membres de l'assemblée s'étaient déjà égaillés dans la ville. Des crépitements répondaient aux glapissements et aux gémissements. Magda comprit que les soldats ou les gendarmes tiraient sur les fuyards. Son ventre et sa gorge se nouèrent. Elle était prise au piège. Une formidable envie de vivre la secoua. Pendant dix-huit ans, elle n'avait rien connu d'autre que les cours dans les salles humides de l'orphelinat, les privations, les vexations, les corvées, les interminables nuits dans le dortoir glacé. Elle n'avait intégré la pension de Meudon que six mois plus tôt ; elle avait enfin eu une chambre pour elle seule ; elle avait pu s'adonner sans restriction au plaisir de la lecture après le repas du soir ; elle s'était acheté une robe neuve avec sa maigre paie ; elle venait tout juste de reprendre goût à l'existence ; elle avait encore tant de choses à découvrir, tant de mondes à explorer.

Elle resta dans le vestibule, paralysée par la frayeur. Le fracas des armes, les vociférations des hommes de troupe, les ordres gutturaux des officiers se rapprochaient. Si elle franchissait la porte, elle était perdue. Comme les petits animaux qui se réfugient dans un trou quand ils se sentent menacés, elle eut le réflexe de retourner dans la pièce où s'était tenue la réunion. Elle s'assit contre un mur et se recroquevilla sur elle-même, la tête posée sur les genoux, les mains plaquées sur les tempes et les oreilles. Des larmes roulaient sur ses joues. Traumatisé par les révolutions de 1789, par la Commune de Paris et les différentes révoltes qui s'étaient succédé au long du XXe siècle, le royaume continuait de s'acharner sur les missionnaires du savoir.

Combien de temps resta-t-elle ainsi, prostrée, dans l'odeur de fumée froide et la pénombre effleurée par les flammes mourantes des bougies ?

Une sensation de présence l'entraîna à relever la tête. Un homme se tenait devant elle. Uniforme et casque blanc et doré. Il braquait sur elle son fusil d'assaut. Elle ferma les yeux, dans l'attente du tir fatal, résignée, délivrée de ses peurs tout à coup.

« Alors, Thomas, y a du monde là-dedans ? »

La voix grave provenait du couloir. Le gendarme royal garda son fusil pointé sur Magda. Il était sans doute du même âge qu'elle, une vingtaine d'années, peut-être un peu moins. Il ouvrait de grands yeux ronds et clairs, l'enfance enrobait encore son visage délicat.

« Tout va bien, Thomas ?

– Oui, chef ! »

Il fixa Magda un long moment avant d'ajouter :

« Ya personne, ici, chef !

– Tu es sûr ?

– Sûr et certain, chef.

– Rapplique alors ! Le travail est fini. On rentre à la caserne. »

Le canon du fusil du gendarme se releva.

« Bien, chef ! »

Il se pencha sur Magda pour ajouter, à voix basse :

« Restez ici sans bouger jusqu'à ce que nous soyons partis. Compris ? »

Elle leva sur lui un regard éperdu et hocha la tête. Elle aurait voulu lui demander pourquoi il l'épargnait, mais elle n'était pas capable d'articuler la moindre syllabe. Et puis, il n'avait sans doute pas la réponse à cette question. Il lui accorda un dernier regard et, visiblement à regret, il pivota sur lui-même et sortit de la pièce.

L'aube peinait à crever la grisaille diffuse.

Aucun uniforme en vue, aucune autre trace de la bataille de la nuit que les taches de sang diluées par la pluie.

Magda s'éloigna d'un pas lourd, brisée par la fatigue et le chagrin. Elle n'avait pas dormi de la nuit. En elle s'était enracinée la volonté de se mettre à la disposition du réseau clandestin, de dispenser son savoir aux enfants de ce peuple dont elle était issue. Paris se réveillait dans une rumeur encore sourde. Un bus à gaz passa à vive allure devant elle en soulevant une haute gerbe d'eau.

CHAPITRE 1

Le train filait à vive allure dans la campagne en crachant son panache de fumée blanche. Perchés sur le toit du wagon, les saisonniers contemplaient en silence les champs et les forêts qui s'étendaient à perte de vue de part et d'autre de la voie ferrée.

Le vent frais et humide de ce début d'automne transperçait les vêtements de laine de Jean, coincé entre ces deux rocs imposants qu'étaient son père et oncle Michel. C'était la première fois qu'il prenait le train et il n'avait pas assez de ses yeux pour tout voir. La famille avait décidé que le temps était venu pour lui de partir avec les hommes. Le travail dans les usines, les ports, les ateliers ou les mines ne suffisait plus à subvenir aux besoins quotidiens. Les ouvriers essayaient de trouver de l'embauche dans les immenses domaines agricoles de l'Ouest. La paie n'était pas folichonne, mais, comme disait oncle Michel, il valait mieux un petit peu de pas beaucoup que rien de rien, et puis, au moins, on ne resterait pas dans les minuscules maisons des banlieues ouvrières à se taper la tête contre les murs.

« Tiens, P'tit Roi... »

Jean saisit le morceau de pain que lui tendait son oncle et l'avala en deux bouchées. Il n'aimait pas son surnom, P'tit Roi, d'abord parce qu'il avait brusquement poussé cette année et qu'il était maintenant presque aussi grand que son père, ensuite parce que ce n'était pas sa faute s'il portait le même prénom que le roi de France. Sa mère disait en riant que ses cheveux noirs et ondulés formaient une belle couronne autour de sa tête. Elle allait jusqu'à lui inventer des ressemblances avec le souverain Jean IV, qui, pourtant, appartenait à un autre monde, à une autre espèce.

« Bois donc un coup, mon gars... »

Oncle Michel lui présentait une bouteille de verre dont il avait retiré le bouchon de liège. Jean porta le goulot à ses lèvres et but une gorgée. L'amertume du vin rouge lui irrita la gorge et lui tira des larmes. Il en fut déçu, lui qui avait toujours rêvé de goûter au breuvage jusqu'alors réservé aux hommes. Oncle Michel éclata de rire.

« Tu verras, tu t'y feras.

– On arrive ! »

La voix puissante avait dominé le sifflement prolongé du train qui entrait dans un gros bourg aux toits d'ardoise grise. Jean avisa le panneau de la gare et cria, dans un réflexe :

« On est déjà à Ancenis ? »

Son oncle lui lança un regard soupçonneux.

« Comment tu sais ça, toi ? T'es jamais venu dans le coin... »

Jean se mordit les lèvres. Il s'était montré imprudent. La maîtresse lui avait pourtant recommandé de ne jamais rien dévoiler de leurs activités nocturnes. C'était leur secret, un secret partagé par les mères et les sœurs, un secret d'où étaient exclus les hommes, qui, après avoir vu mourir leurs pères, leurs grands frères et leurs oncles lors de l'insurrection de 1982, vivaient dans la hantise permanente de la répression.

« Euh, je vous ai entendus parler, papa et toi, et je savais qu'on devait descendre à Ancenis. Et aussi que le domaine s'appelle la Roussière. »

Oncle Michel hocha la tête.

« Yen a, dans cette caboche ! Mais, même si t'es plus futé que nous autres, n'oublie jamais d'où tu viens, P'tit Roi... »

Une sourde inquiétude imprégnait la voix grave d'oncle Michel. Le train s'immobilisa à l'issue d'un interminable frissonnement. Les saisonniers attendirent que les occupants des wagons de première et de deuxième classe soient descendus pour sauter à leur tour sur le quai sans lâcher leurs valises ou leurs baluchons. Jean portait un lourd sac de toile bourré des vêtements et des chaussures que sa mère avait récupérés du grand-père décédé cinq ans plus tôt, et qui, dans les grands domaines agricoles de l'Ouest, lui serviraient de tenues de travail. Les saisonniers traversèrent le hall de la gare en jetant un regard furtif sur la salle d'attente où patientaient de riches familles assises sur de confortables fauteuils. Deux gendarmes en uniforme blanc frappé de la fleur de lys en gardaient l'entrée. Au moindre geste considéré comme suspect, ils n'hésiteraient pas à se servir de leur fusil d'assaut. Depuis l'insurrection de 1982 et ses répliques décroissantes, les gardiens de l'ordre devaient tirer sans sommation sur les fauteurs de troubles.

« Garde la tête baissée, fils », murmura son père derrière lui.

Il avait raconté comment deux de ses amis avaient trouvé la mort pour avoir simplement parlé fort un soir qu'ils avaient trop bu ; Jean avait cru voir passer le feu de la colère dans les yeux clairs de son père, une colère vite étouffée par le désespoir.

Au sortir de la gare, les régisseurs, reconnaissables à leurs casquettes, hurlaient les noms des domaines pour permettre aux saisonniers de se repérer. Une vingtaine de camions stationnaient sur la grande place hérissée de marronniers aux feuilles jaunies.

« La Roussière ! La Roussière ! »

Jean, son père et son oncle grossirent le petit groupe qui se formait autour d'un jeune homme aux joues pleines et rougies par la fraîcheur matinale. Des boucles blondes dépassaient de sa casquette brune à carreaux et donnaient à son visage un air d'angelot irascible. Tandis que s'ébranlaient les premiers camions, il commença l'appel des saisonniers recrutés par le domaine de la Roussière, cochant avec un crayon les noms sur une liste. Le cœur de Jean battit à tout rompre lorsque vint son tour de répondre présent. Il fut envahi d'une tristesse diffuse, comme s'il quittait à l'instant le cocon douillet et rassurant de l'enfance. Il lui était certes arrivé de se coucher avec la faim au ventre, il portait des vêtements mille fois ravaudés et des chaussures qui avaient servi à plusieurs générations, il avait dû partager sa chambre avec ses trois jeunes sœurs, il ne prenait une douche tiède que tous les quatre ou cinq jours, mais jamais, jamais il n'avait manqué d'amour. Il n'y avait pas d'autre garçon de son âge dans le groupe. Le régisseur posa sur lui un regard indéfinissable, désagréable en tout cas. Les trente-deux saisonniers (Jean les avait comptés ; compter lui procurait une véritable jubilation) grimpèrent à l'arrière du camion et s'assirent sur les bancs métalliques scellés au plancher tandis que le régisseur s'installait à l'avant à côté du chauffeur.

Il se mit à pleuvoir lorsque le véhicule sortit d'Ancenis et s'engagea sur la route d'Angers. Comme le chauffeur n'avait pas jugé nécessaire de fixer la bâche, la trentaine de passagers furent rapidement trempée jusqu'aux os.

« Ça commence bien ! » maugréa oncle Michel.

Il s'assura aussitôt que personne n'avait relevé ses paroles. La dénonciation pour propos et comportement séditieux étant généreusement récompensée, il valait mieux garder pour soi ses pensées.

Le domaine de la Roussière se divisait en deux parties, une forêt touffue et un verger de plusieurs dizaines d'hectares. Il avait cessé de pleuvoir et les trouées de ciel bleu s'agrandissaient entre les nuages déchirés. Jean décolla de son torse ses vêtements détrempés. Il entrevit plusieurs véhicules dans la cour intérieure de la maison de maître, un manoir flanqué de deux tourelles et de dépendances couvertes d'ardoises. Il rêvait de posséder l'une de ces automobiles à pétrole qui permettaient de se rendre à grande vitesse dans n'importe quel endroit du royaume. Mais leur prix très élevé interdisait à tout ouvrier, artisan ou commerçant d'en acquérir une. Et puis, en admettant qu'ils aient pu se l'offrir, ils n'auraient pas su la conduire. Comme les générations qui l'avaient précédé, Jean devrait pour se déplacer monter dans – ou sur – l'un de ces trains à vapeur sillonnant inlassablement les campagnes de France. Il ne connaîtrait jamais non plus la joie de voler à bord des avions rugissants qui abandonnaient des sillons blancs et rectilignes dans le ciel. Quelle vue on devait avoir de là-haut ! Parfois il enrageait de ne pas être né dans le bon camp. C'était injuste pour ses parents, mais il ne s'imaginait pas consumer sa vie dans une usine, une mine, un commerce ou un domaine agricole. Il voulait parcourir le vaste monde, explorer les royaumes lointains affichés sur les cartes du grenier où Magda, la maîtresse, leur faisait classe deux nuits par semaine.

Les roues crantées du camion crissèrent sur les cailloux blancs de la cour. Les saisonniers restèrent assis sur les bancs jusqu'à ce que le régisseur les invite à descendre. Ils se déployèrent dans l'allée principale. Leur gaucherie, leur humilité firent monter le feu de la honte aux joues et au front de Jean. Leur comportement le ramenait cruellement à la réalité de sa condition : il appartenait à la multitude laborieuse que la caste possédante appelait avec mépris les cous noirs. L'école clandestine l'avait invité à lever la tête, il lui fallait maintenant réapprendre à la baisser. Les paroles d'oncle Michel résonnèrent en lui : *N'oublie jamais d'où tu viens, P'tit Roi...* Magda, la maîtresse, avait planté en lui des désirs impossibles à combler ; il lui en voulait, il en voulait à sa mère et à ses sœurs, il en voulait à la terre entière.

Vêtu d'un costume gris, auréolé d'un nuage de cheveux blancs, le maître du domaine descendit l'escalier du perron et se dirigea vers les saisonniers. Il marchait à pas lents, empêtré dans son embonpoint, tiré en avant par son ventre gonflé comme une voile. Il conversa un petit moment à voix basse avec le régisseur avant de promener lentement ses yeux globuleux et gris sur les hommes alignés.

« Je suis le comte de la Roussière et je vous souhaite la bienvenue dans ce domaine, déclara-t-il d'une voix étrangement douce. Je suppose que, si vous êtes ici, vous avez accepté les conditions offertes par mon recruteur. Dix francs royaux par jour, le gîte et le couvert, repos le dimanche, je ne crois pas que vous trouviez mieux ailleurs. Vous pourrez vous servir du lavoir, pour vous et vos vêtements. La cueillette durera environ un mois. À la moindre incartade, au moindre geste incorrect, à la moindre parole inconvenante, vous serez renvoyés sans toucher le moindre centime, est-ce bien compris ? »

Les saisonniers acquiescèrent les uns d'un hochement de tête, les autres d'un grognement, quelques-uns se fendirent d'un « Bien, monsieur ».

« Le travail commence demain matin à sept heures. Joseph, le régisseur, va vous montrer vos quartiers. »

Le comte pivota sur lui-même et s'éloigna en direction du manoir. Les cailloux gémissaient à chacun de ses pas. Il passa entre deux automobiles et gravit avec difficulté les premières marches de l'escalier. Jean croisa le regard de la jeune fille qui attendait le vieil homme en haut du perron. Sa beauté le fascina, ses cheveux d'un blond doré, sa peau d'une blancheur de drap neuf, ses yeux d'un bleu de ciel matinal, sa robe mauve également, ornée de dentelles et de rubans qui voletaient au vent... Il croisa son regard, et, au lieu de baisser la tête, il continua de la fixer avec insolence, sans se rendre compte qu'il risquait d'être renvoyé avant même d'avoir commencé à travailler. Quel âge pouvait-elle avoir ? Quatorze ans ? Davantage ? Il lui sembla qu'elle lui adressa un léger sourire avant de prendre le bras du maître du domaine et de l'accompagner vers la porte.

« Suivez-moi », grogna le régisseur.

Ils traversèrent une vaste dépendance et débouchèrent, de l'autre côté, sur une deuxième cour moins bien entretenue que la première. La pluie avait transformé en ruisseaux boueux les allées de terre. Le régisseur les conduisit dans un bâtiment tout en longueur meublé d'une cinquantaine de lits métalliques superposés. Le vent s'insinuait par les jours des fenêtres et des portes vermoulues. Une odeur de moisissures montait des murs et du sol de pierre maculés de taches verdâtres. Cela rappela à

Jean l'atmosphère oppressante des caves où il avait joué, enfant, avec ses camarades.

« J'espère que vous avez prévu des draps, reprit le régisseur. Le recruteur a dû vous dire qu'on fournissait seulement les couvertures. »

Au regard qu'échangèrent son père et son oncle, Jean devina qu'on ne leur avait donné aucune précision de ce genre, mais les saisonniers avaient compris depuis longtemps qu'il ne fallait surtout pas se fier à la parole des recruteurs, qu'ils appelaient entre eux les « baratineurs » ou les « maquignons ». Ils avaient donc tous prévu des draps, et Jean trouva dans son sac deux amples pièces de tissu rapiécées et si souvent lavées qu'elles en étaient devenues grises. Il s'en dégageait une odeur de savon qui le transporta instantanément dans la maison familiale. Sa mère, intraitable sur la propreté, passait des heures et des heures à frotter et rincer le linge dans le bac en fer de la cuisine. Il choisit le lit haut le plus éloigné de la porte principale ; à son grand soulagement, personne ne vint s'installer sur le lit du bas.

Jean tira de la poche de sa veste son petit carnet à spirale et le crayon de bois fixé à la couverture rigide par un élastique. Il s'était retiré dans un endroit sauvage et tranquille de la forêt du domaine. Magda lui avait dit de se débrouiller pour écrire chaque jour, même quelques minutes, et, maintenant que son ressentiment s'était estompé, il appliquait les consignes de la maîtresse. Les jours suivants, il lui serait difficile de trouver un moment pour s'exercer. C'était le prix à payer pour apprendre, pour sortir de sa condition. Il avait parfois l'impression de trahir et de mépriser les siens, mais sa mère l'encourageait malgré les risques encourus. Magda lui avait affirmé que son fils était doué, bien plus que la plupart des enfants scolarisés du royaume, et les cous noirs avaient besoin de représentants instruits pour améliorer leur existence.

« À quoi ça servira si on le met en prison ? avait rétorqué sa mère avec une moue. L'école est interdite aux gens de notre condition.

– Il n'ira pas en prison si on prend toutes les précautions.

– Pourquoi donc vous intéressez-vous à nous ? »

Magda n'avait pas répondu, le regard dans le vague.

« Ça vous regarde après tout. Quoi qu'il en soit, Dieu vous bénisse, ma fille... »

Jean s'appliqua à tracer les lettres sur les lignes de son carnet. Il ne conservait que les plus réussies, la gomme du crayon lui permettant d'effacer celles qu'il jugeait ratées. Et puis le carnet étant un présent de Magda, il n'était pas pressé de remplir les pages. Il écrivit plusieurs lignes de *B* majuscules, la lettre qu'il maîtrisait le moins. Il aimait ces moments de silence enchantés par le doux crissement de la mine sur le papier. Il avait l'impression que les lettres dessinées de ses doigts malhabiles ouvraient des portes sur des univers fabuleux. Et que, quand il aurait appris à maîtriser l'écriture et la lecture, il pourrait enfin explorer les mondes façonnés par les mots. Il gomma une demi-page couverte de B avant de recommencer avec son prénom complet, le *J* majuscule, les *e, a* et *n* minuscules. Écrire son nom le ravissait, lui donnait la sensation d'exister une deuxième fois.

« Qu'est-ce que tu fiches donc là, toi ? »

Jean tressaillit. Un homme émergea des fourrés environnants et s'avança d'une démarche pesante. Vêtu d'une veste, d'un pantalon et de bottes vert sombre, il portait sur l'épaule un fusil de chasse. Jean distingua les lettres *R* brodées sur l'une de ses manches et sur le côté de sa casquette. Il songea enfin à dissimuler le carnet et le crayon entre son dos et le tronc noueux du chêne au pied duquel il s'était assis. L'homme le fixa d'un regard soupçonneux. Des filaments sanguins striaient le blanc de ses yeux, assortis à la couperose de ses joues et de son nez.

« Alors, qu'est-ce que tu fiches là ? »

Sa voix fit à Jean l'effet d'une écorce rugueuse.

« Je... je suis saisonnier, répondit-il d'une voix mal assurée. Je suis arrivé aujourd'hui avec mon père et mon oncle.

– Qu'est-ce que tu caches derrière ton dos ? »

Le sol s'ouvrit sous Jean, il coula à pic dans une eau noire et glacée.

« Rien... rien...

– Fais donc pas le malin avec moi, mon garçon ! Et m'oblige surtout pas à te fouiller.

– Rien... rien d'intéressant..., bredouilla le garçon.

– Ça, c'est à moi d'en décider. Donne ! »

La mort dans l'âme, Jean tendit son carnet et son crayon à l'homme. Il était perdu, il avait trompé son père et son oncle, il avait trahi la confiance de sa mère et de Magda, il allait être arraché à sa famille et expédié dans l'un de ces camps de redressement d'où il reviendrait quelques années plus tard détruit, éteint, vidé de sa substance. L'homme s'empara du carnet et en tourna les pages. Le contraste était saisissant entre le papier blanc et ses ongles noirs de terre. Il retira sa casquette, libérant les mèches grises et filasse qui se coulèrent sur ses épaules en rigoles sales.

« Si je comprends bien, mon gars, tu apprends à écrire et à lire ? »

Jean acquiesça en silence, les yeux embués de larmes.

« Tu sais pourtant que c'est interdit par la loi. Et puni sévèrement. »

L'homme se gratta le crâne avant de plonger sa main libre dans la poche dorsale de sa veste.

« Tu ne te rends donc pas compte des risques que tu fais courir à ta famille ? Est-ce que la vie n'est déjà pas assez difficile pour eux ?

– Je pensais... justement... que... »

Les larmes roulaient maintenant sur les joues de Jean, les mots s'étouffaient dans sa gorge.

« Je suis le garde-chasse du comte de la Roussière, reprit l'homme. Je m'appelle Amédée Lompard. En tant que représentant de la loi et de l'ordre sur le domaine, mon devoir est de te conduire au poste de gendarmerie d'Ancenis. »

Jean se leva, résigné. Au fond de lui, il éprouvait un certain soulagement, il ne serait plus obligé de mentir, de tricher, il réintégrait docilement la multitude de ceux qui baissaient la tête et montraient leur cou noirci par les morsures du soleil et le labeur.

« Suis-moi. »

Il emboîta le pas du garde-chasse. Il ne tenta pas de fuir. D'abord parce que Amédée Lompard aurait pu l'abattre sans sommation. Ensuite parce qu'il aurait erré dans la nature comme une bête traquée et que les gendarmes l'auraient rapidement retrouvé. Enfin parce qu'il n'en avait pas la force.

CHAPITRE 2

Clara était heureuse d'habiter Versailles, proclamée capitale du royaume en 1882 tandis que Paris en demeurait le centre administratif et le poumon économique. Elle avait l'impression de battre avec le cœur du monde. Son père, Charles Barrot, récemment élevé au grade de chevalier, occupait le poste convoité de directeur de la Banque Royale. De nombreux courtisans se pressaient à toute heure du jour et de la nuit dans l'immense réception de l'hôtel particulier où il s'était installé avec sa famille.

Clara voyait défiler chez elle des hommes et des femmes parmi les plus prestigieux du royaume. Ses sœurs et elle se cachaient souvent derrière les lourdes tentures pour observer les invités et entendre leurs murmures. Une fois par semaine, elle avait le privilège d'assister à la promenade rituelle du souverain Jean IV dans les rues principales de Versailles. Elle lui trouvait une grâce surnaturelle qui compensait avantageusement son physique banal, ses traits forts, sa petite taille et son embonpoint. Elle était allée au château à six reprises. La reine Astrid, si élégante dans sa robe de velours pourpre, lui avait une fois caressé la joue. Elle avait cru être touchée par un ange. Pendant plus de deux semaines, elle avait évité de laver le bout de peau effleuré par les doigts de la souveraine.

Versailles était nettement plus agréable à vivre que l'immense agglomération de Paris où Clara avait passé les sept premières années de sa vie. Les rues étaient ici larges, les façades claires et fleuries, les volets blancs, les jardins somptueux, les trottoirs propres, les voitures rutilantes et les gens habillés avec goût. Là-bas, les immeubles et les visages étaient sombres, les odeurs répugnantes, l'air irrespirable, les ruelles jonchées de déchets, les égouts débordants, les passants sales et les trains qui reliaient les différents quartiers atrocement bruyants. Elle ne comprenait pas pourquoi Paris avait jadis été considérée comme l'un des joyaux de l'Europe. La ville abritait certes des monuments prestigieux, Notre-Dame, le palais du Louvre, l'abbaye de Port-Royal, le Grand Palais... mais, depuis la Grande Terreur de 1871, qui avait failli causer la perte de la France alors républicaine, elle semblait hantée par une grisaille et une tristesse infinies.

Le soleil lui-même ne parvenait pas à donner la moindre touche de gaieté à l'ensemble. Le père de Clara disait souvent qu'il convenait de se méfier de la populace parisienne comme du lait sur le feu. Quatre autres émeutes avaient secoué l'ancienne capitale après l'horrible révolte de 1871 : celle de 1905, s'inspirant de la première révolution bolchevique ; celle de 1941, après le conflit qui avait opposé plusieurs royaumes d'Europe ; celle de 1955, à la fin de la grande disette qui avait emporté plus du tiers de la population européenne ; celle de 1982, la plus acharnée sans doute, qui avait contaminé l'ensemble du royaume et failli dégénérer en guerre civile. Dieu merci, à chaque fois l'armée versaillaise avait réussi à rétablir l'ordre.

« C'est l'heure de vos cours, mademoiselle Clara. Votre précepteur vous attend déjà. »

Clara poussa un soupir. La nouvelle gouvernante ne lui laissait pas un moment de répit. Elle aurait fait une parfaite harpie de la mythologie grecque, capable de débusquer et harceler ses proies dans les moindres recoins de l'hôtel particulier. On avait décidé de se séparer d'Agathe, l'ancienne gouvernante, au motif qu'elle avait noué une trop grande complicité avec les six filles de la maison. Clara la regrettait : avec Agathe, au moins, elle parvenait de temps à autre à échapper à la corvée des cours. Elle détestait le précepteur, un homme grand et sec qui ne souriait jamais et avait une épouvantable haleine. Il lui enseignait le français, les mathématiques, l'anglais et des rudiments de R2I, le Réseau Informatique International, qui permettait de communiquer d'un pays à l'autre, d'un continent à l'autre.

Clara n'avait que peu de goût pour les claviers, les caméras et ces fenêtres virtuelles qu'étaient les écrans muraux. Christa, sa cadette, entretenait des relations virtuelles régulières avec une bonne dizaine de correspondants, dont un Russe de douze ans vivant à la cour du tsar Nicolas VII et une Américaine du royaume occidental d'Arcanecout (regroupant les anciens États d'Arizona, de Californie, du Nevada, du Colorado et de l'Utah). Clara avait besoin d'avoir les gens en face d'elle pour s'y intéresser. Elle appréciait la compagnie d'Hélène et d'Ursule, ses deux meilleures amies. Elles se voyaient régulièrement chez l'une ou l'autre et passaient des après-midi entiers à persifler et à rire. Elles jouaient les grandes dames du haut de leurs quatorze ans, dissimulant leur acné et leur mal-être sous une épaisse couche du fard qu'elles dérobaient à leurs mères. Leurs parents parlaient de les fiancer avec de beaux partis. Comme toutes les filles de la cour, elles se plieraient à leur volonté et à leur choix, feraient de somptueux mariages, engendreraient de beaux enfants, des garçons qui géreraient les affaires du royaume, des filles qui se chargeraient de maintenir la tradition.

Cependant, dans le secret de ses pensées, Clara espérait qu'un événement imprévu changerait le cours de son destin. Elle n'avait pas envie de passer le reste de son existence dans la cage dorée que lui préparaient ses parents. Même si elle vivait dans la ville la plus prestigieuse du royaume, voire d'Europe, elle sentait grandir en elle une étrange insatisfaction. Il lui arrivait fréquemment de se réfugier dans le grenier et, recroquevillée dans un chien-assis, d'entrouvrir les volets de bois pour laisser errer son regard sur la mer d'ardoises grises cernant le château de Versailles. Elle rêvait depuis toujours des mystérieuses colonies d'Asie, des cinq royaumes d'Amérique du Nord, de la grande Russie, du califat moyen-oriental, des immenses étendues sauvages d'Afrique, et le mariage signifiait pour elle la fin de ses chimères d'enfant. Elle décelait parfois dans les yeux clairs de sa mère, qui régentait la maison avec l'autorité et la diplomatie requises, des désirs contrariés, des désespoirs muets. Comblée en apparence, même si elle n'avait pas donné d'héritier mâle à son chevalier de mari, sa mère n'était pas une femme heureuse. Elle s'était retranchée dans une froideur qui maintenait ses six filles loin d'elle, comme des planètes gravitant autour d'une inaccessible étoile. Elle répétait sans cesse qu'une sentimentalité excessive favorisait la paresse et la mélancolie.

« Inutile de vous cacher, mademoiselle Clara, vous savez bien que je vous retrouverai. »

La voix de la gouvernante se rapprochait. Elle avait mis peu de temps à recenser toutes les cachettes de Clara – tandis qu'Agathe, elle, avait toujours feint de les ignorer, jouant les parfaites idiotes quand Madame lui demandait où était passée sa fille. On ne connaissait pas le prénom de la nouvelle gouvernante, on se contentait de l'appeler Mademoiselle. Clara la surnommait en son for intérieur la « girafe », tant sa petite tête pointue et son long cou flexible évoquaient les géantes placides du zoo royal ; mais son caractère tenait plutôt du rhinocéros ou du sanglier, et il valait mieux ne pas avoir à se frotter à ses aspérités. Elle avait reçu pour consigne de montrer la plus grande sévérité envers les filles. Ses vêtements noirs, son teint jaunâtre et sa voix nasillarde accentuaient son air revêche. Clara avait réussi à lui échapper les premiers temps, mais chacune de ces minuscules victoires s'était payée d'une punition humiliante. Elle se demandait si la nouvelle gouvernante n'était pas issue du peuple dont elle avait l'allure et les manières grossières. Mais où aurait-elle appris à lire, à écrire, à compter ?

« Vous avez tout intérêt à vous montrer rapidement si vous voulez éviter une nouvelle punition. »

Clara avait un jour demandé à son père pourquoi les gens du peuple n'avaient pas le droit d'aller à l'école. Il en est des humains comme des animaux, avait-il répondu, les uns sont faits pour commander, les autres pour obéir. Le peuple n'a pas besoin d'apprendre à lire ni à écrire, il lui suffit de travailler. Ils en ont de la chance, avait pensé Clara, ils ne sont pas obligés d'écouter pendant des heures les discours assommants d'un précepteur qui pue du bec.

« Sortez immédiatement de là ! »

La gouvernante se tenait devant Clara, le regard mauvais, les mains nouées et crispées sur son ventre. Elle ressemblait aussi à une corneille avec son nez crochu et ses petits yeux ronds enflammés par un rayon oblique tombant d'un interstice.

« À quoi jouez-vous donc, mademoiselle Clara ? Vous savez bien que je vous retrouverai où que vous vous cachiez. »

Clara contempla une dernière fois les toits inondés de la lumière pâle de l'aube et soupira : elle serait toute la journée enfermée dans une pièce minuscule pendant que le soleil d'automne parerait les frondaisons de guirlandes dorées et changeantes. Elle se leva, résignée, et emboîta le pas de la gouvernante qui se dirigeait d'une allure décidée vers la porte du grenier.

« Vous n'êtes pas concentrée, mademoiselle. À quoi pensez-vous donc ? »

Le précepteur s'était penché sur Clara. Elle ignorait son nom de famille. Elle l'avait toujours appelé le précepteur – et « Pue-du-bec » dans l'intimité de ses pensées. Elle se recula, pas assez vite, cependant, pour échapper à la puanteur s'échappant de sa bouche. Elle éprouvait les pires difficultés à soutenir son regard : ses joues et ses tempes creuses lui faisaient une tête de mort. Les cheveux qui avaient déserté le haut de son crâne semblaient s'être réfugiés dans ses narines, d'où ils dépassaient d'un bon centimètre. Elle s'était ouverte de son aversion à sa mère, mais celle-ci avait déclaré d'un ton sans réplique qu'il n'y avait pas de meilleur précepteur sur la place de Versailles. Et qu'on n'avait pas besoin de trouver beau un enseignant pour apprendre.

« À rien, monsieur. »

Et c'était vrai, elle ne pensait à rien, elle s'enfonçait lentement dans l'ennui. Les paroles du précepteur glissaient sur elle comme des gouttes d'eau sur une toile cirée. Elle ne retenait rien de ce qu'il tentait de lui inculquer, quoi, déjà ? ah oui, les règles de grammaire, les participes passés.

Une plaie, les participes passés. S'accordant selon le verbe auxiliaire et/ou la place qu'ils occupaient dans la phrase, comme s'ils ne pouvaient pas être invariables ! Clara avait parfois l'impression que des mauvaises fées s'étaient penchées sur la langue française et l'avaient frappée de leurs baguettes maléfiques pour compliquer la tâche de ceux qui s'efforçaient de l'apprendre.

Le précepteur tirait nerveusement sur les manches trop courtes de sa veste. Il n'était pas riche : les gens riches ne mettent pas de vêtements élimés, rapiécés et n'ont pas besoin pour vivre de donner des cours à des jeunes filles de bonne famille qui les écoutent d'une oreille distraite. Parfois elle se demandait d'où il venait, s'il était marié, s'il avait des enfants (les pauvres !), mais elle n'avait jamais osé l'interroger. Il n'aurait certainement pas répondu, comme s'il n'avait pas de vie personnelle. Il donnait également des leçons à deux de ses sœurs et, parfois, il regroupait ses trois élèves dans la même pièce. Clara détestait la compagnie de ses cadettes ; Christa, brillante et peste, ne manquait pas une occasion de se moquer d'elle ; Odeline l'exaspérait avec son rire stupide et ses incessants bruits de bouche.

« Vous n'accordez pas grande importance au savoir, n'est-ce pas ? » reprit le précepteur.

Clara haussa les épaules. Le savoir était important, sans doute, mais pas comme ça, pas dans cette salle étouffante, pas en tête à tête avec un homme répugnant. Elle aurait aimé apprendre en voyageant. Passer deux ans dans l'un des royaumes américains, par exemple, pour se familiariser avec la langue anglaise. Observer les animaux sauvages dans leur habitat. Visiter les autres continents pour parfaire sa connaissance de la planète. Enfin, il y avait certainement mille et une manières de rendre l'enseignement attrayant.

« Vous pensez sans doute qu'il vous suffira de vous marier pour mener une vie confortable. Que vous n'avez pas besoin d'étudier. »

Elle s'abstint de rétorquer qu'elle ne s'imaginait pas avec un mari et des enfants. Qu'elle était restée la petite fille sauvage qui adorait se promener dans les jardins et respirer jusqu'à l'ivresse les parfums des fleurs. Comment pouvaient-ils savoir, les adultes, les parents, les précepteurs, ce qui se tramait dans la tête des jeunes filles ?

« J'aurais tant aimé connaître notre monde », concéda-t-elle, les larmes aux yeux.

Le précepteur eut une réaction inattendue puisqu'il s'assit sur le coin de la table qui servait de bureau à Clara. Elle ne se rappelait pas l'avoir vu un jour s'asseoir. Son pantalon gris clair et sa chemise blanche étaient aussi usés que sa veste. Il tourna son regard vers l'unique fenêtre de la pièce.

« Découvrir le vaste monde..., dit-il d'une voix mélancolique. C'était aussi mon rêve d'enfant.

– Et vous ne l'avez pas réalisé ? » demanda Clara, surprise.

Les yeux du précepteur se posèrent sur elle. Habituellement grisâtres, ternes, ils brillaient d'une lumière nouvelle, comme si un feu s'était allumé en lui.

« Je suis parti à l'âge de vingt ans pour faire un tour du monde d'ouest en est, mais je suis tombé malade dans la colonie anglaise des Indes, la malaria, et j'ai dû revenir en France. J'ai dilapidé pour mon rapatriement sanitaire les maigres économies que j'avais héritées de ma pauvre mère, et, même en travaillant dur, je n'ai jamais eu les moyens de repartir. Les voyages coûtent horriblement cher, vous savez. »

Clara lui trouva un intérêt inattendu, à cet homme qu'elle n'avait jamais vraiment regardé.

« Vous avez... visité les Indes ?

– Visité est un grand mot : je n'en ai pas eu le temps. Après avoir traversé les royaumes d'Europe de l'Est, la zone turque du Califat, l'Empire perse, le royaume afghan, j'ai été frappé par une première crise de fièvre à Delhi. Les autorités britanniques m'ont transporté dans l'hôpital réservé aux Occidentaux avant de me renvoyer en France par avion. Voilà comment s'est achevé mon périple. J'avais prévu d'aller en Cochinchine, dans les empires de Chine et du Japon, puis de passer quelque temps sur le continent australien et enfin de partir pour les Amériques où je comptais m'installer définitivement...

– Sans plus jamais revoir votre famille ? »

Le précepteur se leva, se rendit près de la fenêtre et contempla quelques instants la cour intérieure de l'hôtel particulier.

« Je n'ai pas connu mon père. Il n'a pas survécu à la grande famine de 1955. Ma mère était alors enceinte. Elle m'a raconté qu'il lui a donné toute la nourriture qu'il a réussi à trouver, qu'il s'est privé pour qu'elle et son enfant puissent vivre. Il a été emporté par les premiers froids. Ma mère, elle, est morte l'année de mes douze ans. Elle a résisté jusqu'à ce que je sois assez vigoureux pour me débrouiller seul, puis elle s'est éteinte une nuit de novembre.

– Vous êtes donc né en 1955 ?

– En février 1956. » Il se retourna, un sourire triste figé sur les lèvres. « Voyons si vous avez retenu quelques-unes de mes leçons d'arithmétique : quel âge cela me fait-il ? »

Clara s'empara machinalement d'un crayon et d'une feuille pour poser la soustraction.

« De tête, mademoiselle, voyons ! »

Il ne fallut pas trois secondes à Clara pour faire le calcul.

« Cinquante-deux ans, monsieur.

– Vous voyez, quand vous vous en donnez la peine. »

La lumière du jour qui s'engouffrait par la fenêtre nimbait le précepteur d'un halo mordoré. Elle se demanda comment il était parvenu à s'élever au-dessus de sa condition dans un monde où les orphelins étaient le plus souvent affectés aux travaux ingrats. Elle n'eut pas le courage de lui poser la question. Elle le regretta lorsque, sortant du halo de lumière, il revint se placer devant sa table en se retirant dans sa carapace de précepteur.

« Reprenons où nous en étions, mademoiselle... »

CHAPITRE 3

Jean suivit docilement le garde-chasse jusqu'à l'entrée de la petite maison apparue au détour du sentier. Une cheminée trapue saillait du toit de tuiles couvert de mousse et de feuilles. Un panache de fumée grise montait dans le ciel et se jetait dans le couvercle menaçant des nuages.

Amédée Lompard poussa la lourde porte et, après avoir lancé un rapide coup d'œil sur les environs, fit signe à Jean d'entrer. Une odeur de feu de bois et de soupe les accueillit. Une silhouette s'agitait près de la cheminée qui occupait presque tout le mur du fond.

« J'amène un invité », fit le garde-chasse.

La silhouette se retourna ; une femme, aussi menue qu'Amédée était massif. Malgré les cheveux blancs encadrant son visage sillonné de rides, elle ne semblait pas très vieille, du même âge que le garde-chasse sans doute.

« Tiens, tiens, qu'est-ce que tu nous as trouvé là ? » marmonna-t-elle en posant sur Jean ses yeux sombres et pénétrants.

Amédée tira de sa poche le carnet et le crayon.

« Un petit vaurien. Je l'ai surpris en train d'écrire ! »

La femme se rapprocha de Jean après s'être essuyé les mains sur son tablier dont le blanc originel avait viré au jaunâtre. Les manches retroussées de sa robe noire dévoilaient des avant-bras à la largeur étonnante. Les flammes dansantes crépitaient dans la cheminée et projetaient des gerbes d'étincelles qui s'égrenaient sur le carrelage de terre cuite.

« Qu'est-ce que tu crois, mon garçon ? reprit la femme en fronçant les sourcils. Que le fait de savoir lire et écrire changera quelque chose à notre vie ? »

Magda, l'institutrice, affirmait que, si les insurgés avaient eu un minimum de savoir, les révoltes de 1955 et de 1982 ne se seraient pas soldées par les massacres qui avaient abandonné plusieurs centaines de milliers de morts sur les pavés parisiens. Peut-être même qu'elles auraient donné le coup d'envoi d'une ère de progrès et de partage. Les anciens évitaient de parler de la terrible répression exercée par les soldats de l'armée royale, mais Jean avait entendu l'un d'eux dire qu'il s'était échappé de l'enfer en foulant un épais tapis de cadavres. Sans se retourner, la femme tendit le bras en direction du garde-chasse.

« Fais donc voir ce qu'il fabrique, ce vaurien... »

Amédée lui remit le carnet et le crayon. Elle les observa un petit moment comme si elle tenait des serpents venimeux dans ses mains, puis elle ouvrit le carnet dont elle tourna lentement les pages. Jean se rendit compte que l'œil de son interlocutrice ne glissait pas sur les lignes d'écriture, mais qu'il s'y accrochait comme du lierre sur les troncs d'arbres.

« C'est ma foi pas mal, murmura-t-elle. Qui donc t'a appris à tracer les lettres ? »

Jean garda les lèvres closes ; il ne trahirait jamais Magda, ses camarades de clandestinité, les mères complices.

« Évidemment, tu es une fichue tête de mule ! Bah, je gage que c'est l'un de ces fous qui tourneboulent la tête des gens ! »

Elle referma le carnet, les yeux perdus dans le vague.

« Des rêves, tout ça ! Des rêves qui se fracassent sur la vie comme du verre sur le carrelage. On a rêvé, nous aussi, on y a cru, et voilà ce qu'on est devenu, Amédée et moi, des éclats de rêve, de pauvres bougres qui vivent de la charité du comte de la Roussière... »

Une telle tristesse imprégna le visage de la femme que Jean s'attendit à la voir éclater en sanglots. Elle se détourna brusquement, reposa le carnet et le crayon sur la grande table en bois et tisonna le feu dans la cheminée. Après s'être défait de son fusil et de sa veste, Amédée tira vers lui l'extrémité de l'un des deux bancs sur lequel il s'assit.

« Installe-toi sur l'autre banc, mon garçon. »

La femme déposa devant Jean une cuillère, un morceau de pain, une assiette creuse d'où montait un fumet délicieux. Il ne quittait pas des yeux le carnet et le crayon abandonnés sur la table. Sa vie tout entière était désormais contenue dans ces pages qui seraient bientôt arrachées comme de mauvaises herbes et jetées au feu.

« Mange », grogna Amédée.

La saveur de la soupe, parfumée de petits morceaux de lard, dénoua l'estomac de Jean. Il vida son assiette et l'essuya avec le morceau de pain qu'il avala en deux bouchées.

« Eh ben, on dirait que tu n'as rien mangé depuis plus d'une semaine ! » s'exclama la femme.

Amédée pointa l'index sur le carnet et le crayon.

« Tu devrais reprendre tes affaires avant que quelqu'un d'autre les trouve. Et y faire plus attention la prochaine fois. »

Jean crut qu'il avait mal entendu. Le garde-chasse le regardait avec un sourire au coin des lèvres et des lueurs moqueuses dans les yeux.

« Vous n'allez pas...

– T'emmener chez les gendarmes ? Dame sûrement que non ! J'ai juste voulu te faire peur. Pour t'apprendre à être un peu plus méfiant. Marthe et moi, on pense que c'est pas un crime d'apprendre. Même qu'elle a appris à lire elle aussi en son temps... comme toi, en cachette.

– J'ai pu me rendre compte que tu avais une belle écriture, mon garçon, renchérit la femme. Comment tu t'appelles, au fait ?

– Jean.

– Ah, comme notre roi. »

Ils lui racontèrent qu'en 1982 ils étaient dans les rues de Paris, l'arme à la main, au milieu de milliers d'hommes et de femmes accourus de la France entière.

Ils projetaient de marcher sur Versailles pour contraindre le roi à décréter les états généraux, comme Louis XVI deux siècles plus tôt. Les colonies absorbaient une grande partie du travail, et bon nombre d'ouvriers et d'artisans ne gagnaient plus assez d'argent pour nourrir leur famille. Mais l'armée versaillaise était facilement venue à bout d'adversaires équipés de vieux fusils de chasse glanés dans les campagnes. Les chars et les obus avaient décimé les émeutiers coincés dans les rues transformées en nasses, puis, méthodiquement, les soldats avaient achevé les blessés d'une balle dans la tête. Amédée et Marthe avaient été sauvés par la présence d'esprit d'un adolescent qui avait réussi à desceller une lourde bonde. Ils s'étaient réfugiés dans les égouts où ils étaient restés plusieurs jours jusqu'à ce que la surveillance des soldats se relâche. Ils avaient survécu en buvant de l'eau de pluie recueillie dans un seau rouillé, puis ils avaient réussi à sortir de Paris et à gagner l'ouest de la France d'où étaient originaires leurs parents.

« On a travaillé comme journaliers dans les fermes jusqu'à ce qu'Amédée se présente au comte de la Roussière qui cherchait un garde-chasse, poursuivit Marthe. Ça fait de ça une bonne vingtaine d'années. La paie n'est pas énorme, mais on a le gîte et le couvert. Et puis, comme Amédée a l'autorisation de chasser, il ramène souvent de quoi améliorer l'ordinaire.

– Le Bon Dieu n'a pas voulu qu'on ait des enfants, renchérit Amédée. Tant mieux dans le fond, on n'aurait pas eu de quoi les élever correctement.

– C'est quand même une pitié qu'on s'en aille sans laisser aucune trace sur cette terre. »

Marthe baissa la tête pour dissimuler les larmes qui lui embuaient les yeux.

« Range donc ton carnet et ton crayon, mon garçon, souffla le garde-chasse. Suffirait que... »

Un fracas l'interrompit. La porte s'ouvrit subitement et livra passage à trois hommes. Jean eut juste le temps de glisser carnet et crayon dans la poche intérieure de sa veste. Il reconnut immédiatement la chevelure grise de son oncle. Les deux autres étaient des saisonniers du domaine.

« Tu es là ! grogna oncle Michel. Ça fait plus de deux heures qu'on te cherche, P'tit Roi. Ton père fouille la forêt avec un autre groupe. »

Amédée se leva et se dirigea vers les trois hommes de son allure pesante.

« Je l'ai ramassé dans les bois. On lui offrait la soupe avant de le ramener au château. Je suis Amédée Lompard, le garde-chasse de la Roussière. Et elle, c'est ma femme, Marthe. »

Les yeux perçants d'oncle Michel restèrent rivés sur Jean.

« On n'a pas idée de fiche le camp sans prévenir, gronda-t-il.

– Allons, il n'avait pas fichu le camp, intervint Marthe. Il s'était perdu dans la forêt. Faut dire que la propriété de la Roussière est grande et trompeuse pour celui qui ne la connaît pas.

– Quand on ne connaît pas un coin, on évite d'y fourrer son nez, surtout quand on a son âge », grommela oncle Michel.

Marthe posa trois verres sur la table.

« Je ne vois pas ce qui pourrait lui arriver par ici, dit Amédée en débouchant une bouteille emplie d'un vin clairet.

– Vous en avez entendu parler aussi bien que moi : les trafics d'enfants.

– Faut pas croire à toutes les sornettes qui circulent dans le royaume. »

Oncle Michel accepta le verre que lui proposait le garde-chasse et en but la moitié.

« Je connais au moins une famille à qui c'est arrivé, lança-t-il en s'essuyant les lèvres d'un revers de main. Leur fille âgée de dix ans a disparu un beau jour et on ne l'a jamais revue. »

Une moue déforma les lèvres rainurées d'Amédée.

« Qui sait ce qui a pu lui arriver ? Les histoires de ce genre ont la peau dure, et ya jamais eu de preuves. »

Les deux autres saisonniers vidèrent leurs verres d'une traite.

« La gendarmerie royale n'a pas voulu mener d'enquête. Ça prouve bien que... » Oncle Michel s'interrompit, comme s'il se rendait compte qu'il s'apprêtait à dire une bêtise. « Allons-y. Excusez du dérangement.

– Vous ne nous dérangez nullement, fit Marthe. Et toi, mon garçon, reviens quand tu veux, d'accord ? »

Jean acquiesça d'un hochement de tête. Avant de sortir, il exprima sa reconnaissance au garde-chasse et à sa femme d'un regard appuyé.

Le plus agaçant, dans la cueillette des pommes, c'étaient les gouttes d'eau glacées qui dégouttaient des feuilles et coulaient dans les manches. En dehors de l'humidité, entretenue par les brumes matinales et les averses régulières, la tâche n'était pas désagréable : il suffisait de détacher des branches les fruits avec leurs queues et de les poser délicatement dans les baquets à fond escamotable que les saisonniers portaient en bandoulière. Lorsque le baquet était plein, on allait le vider dans les grands caissons de bois disposés au bout des rangées. En fin de journée ces derniers étaient enlevés par les tracteurs du domaine et transportés dans les bâtiments où d'autres saisonniers, des femmes et des enfants principalement, triaient les pommes sur d'immenses tapis roulants.

Les cueilleurs travaillaient en binômes de chaque côté d'une rangée. Jean avait été associé à un homme d'une trentaine d'années prénommé Bernard et aussitôt surnommé Barbon. En douze jours ils n'avaient pas dû échanger plus de vingt mots. Barbon était du genre renfrogné, taciturne, et, après quelques tentatives infructueuses, Jean avait compris qu'il ne servait à rien d'engager la conversation. Il ne s'en désolait pas, il pouvait à loisir vagabonder dans ses pensées. Et ses pensées le ramenaient sans cesse vers la petite-fille du comte.

Il l'avait aperçue à plusieurs reprises dans les allées du château, juchée sur un cheval blanc. Plus il l'observait, plus il la trouvait jolie, plus elle occupait son esprit. Il avait beau se dire que jamais une fille de sa condition ne daignerait baisser les yeux sur un cou noir de son espèce, il ne pouvait pas s'empêcher d'espérer un regard, un sourire. Elle ne lui avait adressé aucun signe pour l'instant, elle ne semblait même pas le voir, planté comme une statue sur le bord d'une allée. Elle montait en amazone, les deux jambes du même côté, le buste droit, les rubans de sa robe volant au vent, les cheveux enfouis sous un chapeau fleuri. Elle était la plupart du temps accompagnée du responsable des écuries du domaine, dont le cheval noir, luisant, nerveux, suivait à une dizaine de mètres. Jean l'imaginait sautant de sa monture, s'approchant de lui avec un large sourire et plongeant ses merveilleux yeux bleus dans les siens. Lorsqu'elle avait disparu dans le lointain, il se rappelait qu'il s'était porté volontaire pour aller chercher les chopines et les repas des autres cueilleurs. Il sautait sur tous les prétextes pour se rendre dans les cuisines du château. Il n'y avait encore jamais croisé la petite-fille du comte, mais les cuisinières et les servantes à la langue bien pendue lui avaient appris qu'elle se prénommait Lise, qu'elle était la préférée du maître des lieux et une véritable peste.

Jean parvenait à s'isoler chaque jour pour s'exercer à l'écriture. Il s'esquivait au début de l'heure vacante entre la fin du travail et le repas du soir servi dans la grange attenante au dortoir. Le garde-chasse lui avait proposé de se cacher dans l'ancienne bergerie située à une trentaine de mètres de sa maison. L'odeur, une puanteur de vieux bouc, n'était pas agréable, mais, au moins, il serait à l'abri en cas d'averse et personne ne viendrait le déranger. Assis sur une confortable botte de paille, Jean traçait les lettres et les mots (Lise était maintenant le mot préféré de ses exercices) aux dernières lueurs du jour tombant de la minuscule lucarne. Les yeux rivés sur la page claire, il lui arrivait de finir dans une obscurité totale. Il se débrouillait ensuite pour saluer Amédée et sa femme. Ils lui donnaient toujours un petit quelque chose à manger, un morceau de brioche, une tartine de pain avec du fromage ou un œuf dur. Marthe lui trouvait mauvaise mine et vitupérait les hommes qui imposaient aux enfants des cadences infernales et les empêchaient de grandir à leur rythme.

Ce n'étaient pas les jeux et les disputes avec ses sœurs qui manquaient le plus à Jean, mais les cours clandestins avec Magda. L'ambiance à la fois studieuse et magique de ces nuits où, à la lueur des lampes à huile, l'institutrice et ses élèves semblaient battre d'un même cœur. Les chuchotements de Magda s'envolaient avec une grâce inouïe dans le silence solennel du grenier. Jean se souvenait d'avoir parfois suspendu sa respiration pour ne pas perdre une seule syllabe des paroles de leur bonne fée. Sa soif d'apprendre était telle qu'il n'avait jamais eu envie de dormir. Jamais il n'avait regretté ces trois heures prélevées sur son sommeil, entre onze heures du soir et deux heures du matin, même si le réveil était parfois difficile, surtout en hiver où il fallait passer brutalement de la chaleur du lit à l'air glacé de la maison. Il pouvait maintenant lire des livres, oh, pas les ouvrages compliqués que lisaient les filles les plus douées de la classe, mais des livres pour enfants, aux phrases courtes et aux grosses lettres. Il lui tardait d'ailleurs de plonger dans des œuvres un peu plus consistantes, mais Magda pensait qu'il lui fallait encore acquérir du vocabulaire. Alors il rendait aussi souvent que possible des visites au vieux dictionnaire où il picorait de nouveaux mots, parfois si compliqués qu'ils semblaient impossibles à mémoriser.

L'arithmétique lui plaisait particulièrement : il était le meilleur de la classe en calcul mental. Il avait appris la table des multiplications en l'espace de deux cours. Les autres le surnommaient, avec un brin d'admiration, le « calculateur ». Ils n'avaient pas tort : il adorait jouer avec les chiffres, les combiner entre eux pour obtenir des nombres, les diviser pour vérifier la justesse de ses opérations. Il augmentait régulièrement les difficultés, il allait maintenant jusqu'à deux chiffres après la virgule.

« Avance donc au lieu de rêvasser, mon gars ! T'as vraiment pas la tête au travail ! »

Barbon le fixait à travers le feuillage du pommier. Le régisseur n'avait pas jugé nécessaire d'interrompre le travail malgré la bruine persistante qui imprégnait cheveux et vêtements. Barbon ne cessait de grommeler et de soupirer. Il estimait sans doute que le mauvais temps risquait d'aggraver la toux qui le secouait depuis plus de trois jours. Ses yeux brillaient de fièvre, mais il se gardait bien de se plaindre : il avait besoin d'argent et ne voulait pas prendre le risque d'être renvoyé. La pâleur de son visage offrait un contraste inquiétant avec la noirceur de ses cheveux et de sa barbe. Jean se hâta de cueillir la dizaine de pommes rouge et jaune de son côté pour rattraper son retard. Ses gestes secouaient les feuilles, déclenchaient des gerbes de gouttes qui se faufilaient dans les interstices de ses vêtements et semaient des baisers glacés sur sa peau.

« Bon sang, regarde-nous ! murmura Barbon quand Jean fut arrivé à sa hauteur. Trempés comme des chiens, peinant comme des chevaux de trait. Des animaux, voilà comment ils nous traitent. »

Jean regarda machinalement derrière lui pour s'assurer que personne ne pouvait les entendre.

« Quel âge tu as ? Treize ans ?

– Quatorze ! corrigea Jean, vexé qu'on lui retirât une année, lui qui pensait avoir enfin atteint l'âge adulte.

– Treize, quatorze... quelle importance ? Tu es bien trop jeune de toute façon pour travailler comme un bœuf. »

Étonné, Jean observa son compagnon de cueillette en partie dissimulé par la frondaison.

« On... on n'a pas le choix de toute façon, lâcha-t-il entre ses lèvres tremblantes de froid.

– Ça fait plus d'un siècle qu'on n'a plus le choix ! siffla Barbon. Il est temps que ça change, P'tit Roi, tu crois pas ?

– Comment ? »

Barbon glissa son visage entre les branches pour se rapprocher de Jean et chuchota :

« Le grand jour approche. On a raté notre coup en 1955 et en 1982, il ne faudra pas rater le... »

Une violente quinte de toux l'empêcha de finir sa phrase. Jean crut voir du sang s'écouler des commissures de ses lèvres.

Deux jours plus tard, Jean fut associé à un nouveau partenaire, Octave, un simplet d'une vingtaine d'années aussi fort qu'un âne. Oncle Michel raconta que les gendarmes royaux étaient venus chercher Barbon à l'aube, qu'il avait essayé de s'enfuir, mais qu'ils l'avaient rattrapé sans difficulté dans l'allée et qu'ils l'avaient roué de coups avant de l'enfermer dans leur camionnette blanche. Il ajouta qu'on devait faire sa part de travail sans se mettre des idées dangereuses en tête. Le père de Jean l'approuva d'un hochement de tête tout en fixant son fils d'un air tragique.

CHAPITRE 4

« Le temps est venu pour vous de rencontrer celui que nous vous destinons pour mari... »

Clara se mordit la lèvre inférieure. Ainsi, ce qu'elle redoutait comme la peste était arrivé : les visites de ces derniers jours et les mines comploteuses de ses parents l'avaient alarmée, mais elle n'avait pas cru qu'elle devrait renoncer aussi rapidement à son enfance. Sa mère n'utilisait le vouvoiement que pour les annonces importantes – ou devant des invités.

« Qui est-ce, maman ? » parvint-elle à bredouiller.

Les lèvres de sa mère se pincèrent un peu plus.

« Vous le connaîtrez bientôt. Vous partez rendre visite à sa famille dans deux jours. Je compte sur vous pour faire excellente impression : vous aurez bientôt quinze ans, et ce mariage est extrêmement important pour votre père, pour notre famille. Vous avez reçu toute l'éducation nécessaire pour tenir une maison. »

Clara se retint de crier qu'elle ne voulait pas de cette union, qu'elle refusait de sacrifier les plus belles années de sa jeunesse, qu'elle avait encore des milliers de choses à faire avant de s'enfermer le reste de sa vie dans une maison.

« En l'occurrence il s'agira de tenir un château, ma fille.

– Loin de Versailles ?

– Une petite heure de voiture. Nous nous verrons donc de temps en temps si vous le souhaitez. »

L'air satisfait de sa mère horripila Clara. Il ne faisait aucun doute que ses parents avaient conclu une alliance prestigieuse avec une grande famille de France. Son père cherchait par tous les moyens à s'introduire dans le cercle fermé de la haute noblesse. Argent contre prestige, un arrangement ordinaire entre financiers et aristocrates. Clara et ses sœurs avaient entendu des courtisans, venus quémander l'aumône à son père, se répandre en chuchotements venimeux sur les bourgeois, ces parvenus, qui s'acharnaient à tout corrompre avec leur argent. Dieu merci, ni la naissance ni le goût ne peuvent s'acheter, avait susurré l'un d'eux avec un sourire fielleux.

« Le mariage est prévu quand ? »

La mère de Clara marqua un temps de silence, les yeux rivés sur le tapis en soie du boudoir.

« La date n'est pas fixée, pas avant votre quinzième anniversaire quoi qu'il en soit. Il faut encore que votre futur époux approuve le choix de ses parents. Inutile de vous rappeler que votre père et moi-même comptons énormément sur vous. Ne nous décevez pas. »

D'un geste de la main, elle signifia à sa fille que l'entretien était clos. Clara comprit qu'elle n'en tirerait rien de plus. Tant mieux dans le fond : elle n'était pas pressée de savoir à quel homme, à quelle famille, on l'avait vendue. Sa mère, qu'elle avait trouvée belle autrefois, lui paraissait maintenant racornie, desséchée. Elle se retira dans sa chambre. Croisa dans le couloir du premier étage Josépha, sa petite sœur âgée de six ans, une fillette enjouée qui n'avait ni ses yeux ni sa langue dans sa poche.

« Alors tu vas te marier ? »

Clara s'accroupit devant sa sœur et la prit par les épaules.

« Comment tu sais ça, toi ? »

La grimace de Josépha dévoila une dentition incomplète.

« J'entends des fois les discutes des grands.

– Les disputes ?

– Non, les discutes. J'ai entendu les gens avec papa et maman.

– Quels gens ?

– Ceux qui sont venus manger deux fois. Ils parlaient de toi, et papa, il semblait drôlement content de te marier à Edmond.

– Ah, mon mari s'appelle Edmond ? »

La fillette leva sur Clara des yeux étonnés.

« Tu savais pas ?

– Tu apprendras vite que les principales intéressées sont toujours les dernières prévenues... »

Les sourcils froncés, Josépha renonça à comprendre les paroles de son aînée.

« Tu vas partir de la maison ?

– Une femme n'a pas d'autre choix que d'habiter avec son mari.

– Moi, je voudrais mieux que tu restes avec nous... »

Clara étreignit sa petite sœur, puis elle fila dans sa chambre où elle put enfin s'allonger sur son lit et laisser couler ses larmes.

Elle fut dispensée de cours les deux jours suivants, et elle le regretta. Depuis que le précepteur lui avait parlé de son périple pour les Indes, ils avaient passé, pendant trois semaines, une bonne partie du temps à évoquer les différents royaumes et empires qui se partageaient la surface de la terre. Le précepteur devenait tout à coup un conteur au verbe ensorcelant, au point qu'elle se surprenait à lui trouver de la beauté. Il donnait vie aux royaumes de l'Europe de l'Est avec leurs palais aux tourelles dorées, leurs forêts mystérieuses, leurs hivers glacés et leurs peuples imprévisibles ; au califat du Moyen-Orient et ses plaines écrasées de soleil, ses minarets, ses femmes voilées, ses parfums, ses épices, ses souks bruyants, ses médinas aux ruelles tortueuses, ses hommes ombrageux et ses chasses au faucon ; à l'Empire perse dont les paysages et les habitants partageaient la même austérité, la même gravité ; au royaume afghan et à ses fiers cavaliers parcourant avec une incroyable adresse les sentiers escarpés des Himalaya ; aux Indes, à leurs extraordinaires odeurs, à leurs gigantesques trains, à leurs vaches sacrées, à leurs innombrables dieux, à leur tumultueux fleuve humain submergeant jour et nuit les villes, les quais et les routes.

Le verbe du précepteur animait devant Clara des fresques nettement plus colorées que les images diffusées par le R2I. Les photos et films circulant sur le réseau, au préalable visés par la censure royale, se limitaient la plupart du temps aux bâtiments, aux paysages et aux cérémonies officielles. On n'y voyait jamais les autres habitants de la terre dans leur simplicité quotidienne. Le chevalier Barrot prétendait que la vision de la misère ou de la nudité des peuples sauvages qui n'avaient pas reçu la révélation chrétienne risquait d'offenser les tendres et chastes yeux. L'innocence était un trésor qu'il fallait protéger.

Clara s'arrangea le deuxième soir pour aller saluer le précepteur à l'issue des cours dispensés à Christa et Odeline. Il parut sincèrement heureux de la revoir et la félicita pour son prochain mariage, même si son regard et son sourire proclamaient le contraire.

« Je vous regretterai, mademoiselle Clara.

– Moi aussi, monsieur. Je... je suis vraiment désolée d'avoir été une aussi piètre élève.

– Et moi d'avoir été un aussi piètre enseignant. Vous n'avez vraiment aucun moyen de refuser ce mariage ? »

Sa voix était devenue un murmure à peine audible réclamant toute l'attention de Clara.

« Il faudrait un miracle, monsieur.

– Oui, bien sûr, les jeunes filles de bonne famille sont censées accomplir la volonté de leurs parents. Eh bien, il ne me reste plus qu'à vous souhaiter bonne chance. »

Il lui tendit la main, cette main qui aurait paru répugnante à Clara quelques jours plus tôt et que, ce soir, elle acceptait de serrer de bon cœur.

« Prenez soin de vous et continuez de cultiver votre curiosité », ajouta-t-il avant de filer d'un pas saccadé dans le couloir.

La voiture sautait régulièrement sur les ornières de la route au bitume fendillé. Il avait plu au cours de la nuit et les roues soulevaient des gerbes boueuses qui maculaient les vitres de taches brunâtres. Le chauffeur, un homme aux cheveux blancs, à la peau mate et au regard farouche, n'avait pas dit un seul mot depuis le départ. C'était la première fois que Clara se retrouvait seule dans la voiture frappée des armoiries de la famille Barrot.

Elle se souvenait des visites du spécialiste en héraldique dans l'hôtel particulier de Versailles. Pendant trois jours, ses parents et l'héraldiste, l'un des trois plus prestigieux du royaume selon sa mère, avaient choisi les futures armes du nouveau chevalier. Ils s'étaient mis d'accord, après des discussions acharnées, pour un blason d'argent au lion de sable (émail noir), orné de gueules (émail rouge), et au chef d'azur (émail bleu) chargé de trois couronnes d'or. Normalement, avait dit le spécialiste, on ne superpose pas le métal sur le métal, ni l'émail sur l'émail, mais c'était une façon habile de se distinguer des autres, et ces exceptions portaient le joli nom d'armes à enquerre. Ainsi, la dynastie Barrot serait reliée au fameux Godefroi de Bouillon, ancien roi de Jérusalem, dont les armes étaient elles aussi à enquerre, et se retrouverait placée sous la protection de la plus ancienne noblesse du royaume. Le lion et les couronnes ne brillaient certes pas par leur modestie, mais la simplicité du bouclier, un écu classique médiéval en forme de toupie, compenserait ce manque apparent d'humilité.

Clara se rappelait parfaitement la fierté de sa mère lorsqu'on avait officiellement dévoilé le blason dans la salle de réception. Elle n'avait pas oublié non plus les mines narquoises et les rires étouffés des courtisans invités pour l'occasion. Malgré son large sourire de satisfaction, son père restait conscient qu'il ne suffisait pas d'afficher des armoiries toutes neuves pour être reconnu comme l'un des siens par la grande noblesse du royaume. Il lui fallait encore nouer des alliances avec des noms aussi prestigieux – et plus actuels – que celui de Godefroi de Bouillon. Clara n'avait pas réussi à savoir si les yeux de son père exprimaient l'enthousiasme ou l'inquiétude. Elle s'était habituée au blason familial qu'elle avait trouvé hideux les premiers temps. Des jeunes filles s'étaient gaussées d'elle lors de soirées données chez d'autres courtisans. Elle avait appris à endurer les sarcasmes en regardant les moqueuses comme des oies, ce qu'elles étaient dans le fond, et en constatant qu'elles enviaient ses robes et ses bijoux.

La route sinuait entre les collines coiffées de nuages noirs et tumultueux. Un vent violent s'engouffrait parfois entre les trouées et giflait la voiture, qui partait dans une embardée aussitôt rattrapée par le chauffeur. Jamais Clara ne s'était éloignée autant de Versailles. Elle rêvait d'explorer les royaumes lointains, et elle ne connaissait, des campagnes du royaume de France, que les quelques arpents de champs et de bois entre Paris et la capitale. La tempête naissante transformait les arbres sur les bas-côtés en silhouettes gesticulantes. Ils n'avaient croisé que quelques camions à vapeur et des charrettes tirées par des chevaux ou des bœufs. Les visages durs et fermés des paysans sous leur casquette ou leur chapeau avaient produit une forte impression sur Clara. Pas une fois elle n'avait observé des regards aussi tragiques, comme si tout espoir les avait désertés. Ils portaient sur leurs robustes épaules le fardeau de la résignation. Les courtisans vantaient sans cesse les mérites de « nos paysans » qui travaillaient durement par tous les temps et qui, contrairement aux ouvriers des grandes villes, ne se plaignaient ni ne se révoltaient jamais.

Le vent et la pluie redoublèrent de violence tandis que la voiture traversait une plaine mal protégée par des haies basses. Les essuie-glaces balayaient frénétiquement le pare-brise. Le chauffeur avait ralenti l'allure, la visibilité étant quasi nulle. Clara consulta la montre bijou offerte par sa tante à son dernier anniversaire : seize heures seulement, et il faisait presque nuit. Une sourde inquiétude se déployait en elle. Les derniers panneaux indiquaient qu'il ne restait qu'une trentaine de kilomètres avant d'arriver au château de la Romagne, mais il régnait sur le bocage une ambiance de fin du monde.

Le ciel sombre, l'absence de toute trace de vie dans les champs livrés aux éléments déchaînés s'accordaient à l'humeur de Clara. Ses parents l'avaient à peine saluée avant son départ. Ils ne l'avaient pas embrassée, parce que, selon sa mère, ces pratiques dégradantes étaient réservées aux âmes ordinaires. Elle était un simple pion qu'ils poussaient sur leur échiquier social. Ils lui avaient adressé un signe de tête, puis ils l'avaient regardée s'éloigner sans manifester la moindre émotion. Elle ne partait certes que pour trois jours, quatre ou cinq peut-être si la famille de son futur époux, ou le futur époux lui-même, désirait la garder plus longtemps en observation, mais c'était un bouleversement dans sa vie, un passage brutal de l'enfance à l'âge adulte, et ils auraient pu l'encourager d'un sourire, d'un regard. Elle s'était consolée avec la tristesse contenue de son père.

« Je ne vois plus rien, mademoiselle, je vais devoir... »

Le chauffeur n'eut pas le temps d'achever sa phrase. Il perdit le contrôle de la voiture, qui quitta aussitôt la route, traversa une haie et partit dans une violente embardée sur un terrain meuble et cahoteux. La tête de Clara, ballottée sur la banquette arrière, heurta violemment la vitre de la portière. Elle hurla. Il lui sembla que son cri se perdait dans le gouffre sans fond dans lequel elle sombrait. Puis il y eut un choc, un nouveau coup, plus sourd, sur sa nuque.

Lorsqu'elle reprit connaissance, elle fut frappée par le silence funèbre que ne parvenaient pas à briser les sifflements des rafales et le crépitement de la pluie sur la carrosserie. Un mal de crâne virulent la contraignit à fermer les yeux et à rechercher l'état apaisant dont elle venait tout juste d'émerger. L'odeur de cuir l'informa qu'elle était allongée sur la banquette arrière de la voiture. Elle savait au fond d'elle qu'un malheur était arrivé, que l'ombre de la mort rôdait tout près, mais elle n'eut pas la force ni la volonté de se relever. Elle devait d'abord... oublier, oui, oublier qu'elle était en route vers sa nouvelle vie, oublier la douleur qui lui dévorait le crâne, oublier ses rêves brisés, oublier le goût amer du malheur... Une nouvelle rafale secoua la voiture. Elle eut l'idée de demander au chauffeur ce qui s'était passé.

« Monsieur... monsieur... »

Aucune réponse. Elle crut qu'il ne l'avait pas entendue. Elle attendit quelques instants que s'apaise son mal de crâne et raffermit sa voix.

« Monsieur... monsieur... »

Toujours pas de réponse. Elle essaya de se redresser. Il lui fallut quatre tentatives pour passer la tête par-dessus les sièges avant. Chacun de ses mouvements déclenchait une nouvelle douleur dans son corps, dans sa poitrine, dans son bassin, dans ses jambes. La tête du chauffeur, toujours assis, reposait sur le volant. Ses bras pendaient de chaque côté de son siège. Le vent et la pluie se faufilaient par les lézardes courant sur le pare-brise. Les essuie-glaces s'étaient empêtrés dans les enchevêtrements d'une grosse branche tombée en travers. Du capot de la voiture, encastrée dans un tronc noueux, s'échappaient des volutes de fumée blanche aussitôt écharpées par le vent.

Clara tendit le bras pour secouer l'épaule du chauffeur. L'effort lui coupa le souffle, le sang lui battit les tempes, réveilla son mal de crâne.

« Monsieur... »

Le corps du chauffeur bascula sur le côté gauche et heurta la portière qui s'entrouvrit sous le choc. Clara prit conscience que l'homme était mort. Elle se recula, glacée d'effroi. Elle resta un long moment prostrée sur la banquette, les bras autour de ses épaules pour essayer de se réchauffer, trop choquée pour penser, pour pleurer. Elle espérait seulement se réveiller et se rendre compte qu'elle se débattait dans un cauchemar. Les vociférations du vent prenaient une résonance effrayante dans l'obscurité.

Son mal de crâne s'estompa et elle put de nouveau réfléchir. Hors de question de gagner à pied le château de la Romagne. D'abord parce qu'elle ne se voyait pas affronter la tempête et le froid en pleine nuit, ensuite parce que sa peur le lui interdisait, enfin parce qu'elle risquait de se perdre. Elle résolut donc de rester à l'abri dans la voiture. On finirait bien par venir la chercher. Louise, la plus vieille des servantes, lui avait dit qu'elle avait ajouté des vêtements chauds dans sa malle, parce que « ses articulations la faisaient souffrir et que c'était signe de grand froid ». Clara devait seulement ouvrir le coffre et aussi pousser le corps du chauffeur dehors pour refermer la portière. Ou les bêtes sauvages risquaient de s'introduire dans l'habitacle. Il n'y avait plus de loups ni d'autres mangeurs de chair humaine dans le royaume de France, mais les ténèbres et l'isolement réveillaient ses peurs enfantines.

Elle sortit de la voiture. Le vent s'engouffra dans sa robe et faillit la renverser. Elle lança un regard inquiet sur les alentours. Les phares allumés éclairaient les troncs et les branches basses des arbres qui bruissaient et craquaient autour d'elle. Elle faillit retourner dans la voiture, puis elle prit son courage à deux mains et se rendit près du coffre en se protégeant le visage de ses bras. Il lui fallut du temps pour trouver le système d'ouverture, caché, sur ce modèle, sous un ornement métallique. La peur rendait ses gestes nerveux, maladroits. Elle se retournait toutes les trois secondes pour vérifier qu'il n'y avait personne dans les parages. Il lui semblait sentir une présence derrière elle, un regard insistant.

Elle ouvrit sa malle d'où elle tira un manteau de laine et une cape qui ferait office de couverture. La pluie battante la contraignit à rester un petit moment sous le hayon du coffre. Mais, l'abri ne suffisant pas à la protéger des gouttes chahutées par les rafales, elle résolut de franchir les deux mètres qui la séparaient de la portière arrière. Elle compta jusqu'à trois avant de s'élancer, un vieux réflexe forgé par ses jeux de petite fille. Elle glissa dans une flaque de boue. Perdit l'équilibre. Tenta de se rattraper à la poignée de la portière. La manqua. Lâcha le manteau et la cape. Tomba de tout son long sur la terre gorgée d'eau. Poussa un cri de colère et de dégoût.

Elle entreprit de se relever. C'est alors qu'elle l'aperçut. Tout près d'elle, émergeant d'un buisson. Un homme vêtu d'une seule chemise claire malgré le temps exécrable. Cheveux plaqués par la pluie sur son front et ses joues. Visage difforme. Lèvres déformées par un rictus. Regard de fou.

CHAPITRE 5

« N'oublie rien, surtout. »

Jean répondit à son père par un grognement. La saison s'achevait. Demain, ils repartaient pour la banlieue parisienne. La perspective de contempler, depuis le toit d'un wagon, les paysages flamboyants de l'automne, les villes et les villages traversés, ne suffisait pas à lui réchauffer le cœur. Au petit matin, le régisseur passerait remettre leur paie aux saisonniers, puis l'un des camions du domaine les conduirait à la gare d'Ancenis. Il ne savait pas ce qui l'attendait à son retour, un travail en usine ou sur un chantier. Il n'aurait sans doute jamais l'occasion de retourner à l'école clandestine, de revoir Magda, la maîtresse à la peau blanche, aux yeux vifs et aux cheveux indomptables, de s'abreuver de ses paroles enchanteresses. Il lui faudrait dorénavant rapporter de l'argent à la maison pour nourrir sa mère et ses sœurs, pour payer le loyer et le chauffage, jusqu'à ce qu'il soit assez grand pour fonder sa propre famille. Le futur n'était guère réjouissant après cette parenthèse dans un domaine enchanté par la présence de la belle Lise. Il l'avait croisée dans le couloir qui menait à la cuisine, et elle s'était arrêtée pour le regarder et lui sourire. Son parfum l'avait enivré. Leur rencontre, même impromptue, même furtive, avait enluminé les derniers jours de sa saison. Malgré le gouffre qui les séparait, il avait espéré qu'elle viendrait le voir dans les environs de l'annexe où logeaient les saisonniers. Comme son rêve l'aidait à supporter sa condition de cou noir, il l'avait caressé jusqu'au dernier moment.

Après l'arrestation brutale de Barbon, l'ambiance avait tourné à la morosité et à la méfiance chez les saisonniers : sans doute avait-il été dénoncé par l'un d'eux, et les regards étaient devenus soupçonneux, les silences pesants, les gestes menaçants. Jean s'était s'éclipsé aussi souvent que possible pour répéter ses gammes d'écriture. Ses nombreuses absences lui avaient valu d'être accusé par un homme originaire du Nord :

« C'est toi, le dénonciateur de Barbon, pas vrai ? Tu disparais sans cesse, j'parie que t'es toujours fourré chez les gendarmes royaux... »

Son père et oncle Michel s'étaient dressés énergiquement face à l'accusateur. L'affaire avait failli dégénérer en bagarre. L'irruption du régisseur avait mis fin à l'algarade : il aurait pu se saisir de ce prétexte pour renvoyer les fauteurs de troubles sans leur payer le moindre centime. Afin d'apaiser les tensions, il leur avait révélé que le dénommé Bernard Maillan n'avait pas été dénoncé par un travailleur du domaine, mais qu'il était surveillé depuis longtemps par les SSIR, les services de sécurité intérieure du royaume. Un dangereux agitateur que ce Barbon : il avait fait partie d'un groupuscule terroriste au début des années 1980 et avait la mort de plusieurs gendarmes sur la conscience. L'accusateur de Jean avait marmonné des excuses après le départ du régisseur.

Jean tassa ses vêtements et ses chaussures, au préalable lavés et séchés, dans son sac de toile. Sa dernière nuit à la Roussière. Il regrettait déjà l'odeur de moisissures du dortoir, les petits matins frais, les journées rythmées par les averses, les repas avalés sous les bâches ou d'autres abris précaires, les ablutions frissonnantes à l'eau glacée du lavoir, les rires et les plaisanteries des saisonniers, les pommes acides croquées en cachette, les fins de journée, les dîners dans la grange, les marrons grillés sur les grandes plaques de fer posées sur les feux de bois, et puis, surtout, les visites quotidiennes à Amédée et Marthe dans la chaleur de leur maison et de leurs rires. Marthe l'avait longuement serré dans ses bras lorsqu'il était allé leur dire au revoir. Elle avait écrasé une larme tandis qu'Amédée lui avait donné une tape bourrue avant de sortir précipitamment de la maison.

La tempête s'était levée à la tombée de la nuit. Le vent et la pluie s'acharnaient sur les arbres et les bâtiments. Jean colla son visage au carreau de la fenêtre griffée par les branches basses d'un chêne. Quelques saisonniers s'étaient déjà allongés sur leurs couchettes. Certains d'entre eux se couchaient tout habillés, se contentant de retirer leurs bottes. Jean, lui, se changeait consciencieusement avant d'aller au lit, comme son père et son oncle. Il n'aurait pas aimé dormir dans la sueur et la crasse de la journée. Bien qu'il n'eût guère envie d'affronter le vent et la pluie, il résolut d'aller faire ses ablutions au lavoir, comme chaque soir. La serviette étalée sur le pied métallique de son lit dégageait une odeur désagréable, mais l'autre, la propre, était déjà rangée dans son sac.

Il sortit dans la nuit. Dehors, sous l'avancée du toit qui servait d'abri, les hommes discutaient à voix basse en fumant leurs pipes ou leurs cigarettes roulées. Les rougeoiements du tabac tiraient par intermittences leurs visages de l'obscurité. Le père de Jean faisait partie du groupe, adossé au mur, la casquette posée de travers sur le crâne. Il s'était si souvent absenté de la maison que ses enfants ne le connaissaient pas. Quand il l'interrogeait sur les éclipses répétées de son père, la mère de Jean répondait invariablement qu'il allait chercher ailleurs, là où il y avait du travail, de quoi nourrir et loger décemment sa famille. Mais la tristesse dans ses yeux et sa voix montrait qu'elle ne disait pas la vérité.

Jean se rendit au lavoir situé une trentaine de mètres plus loin, alimenté par un ruisseau et protégé par un toit. Même si aucune lumière ne brillait, ni celle de la lune ni celle des étoiles ni celles des lampadaires du château, il n'avait pas besoin d'une lampe tempête. Il descendit les cinq marches usées et moussues qui donnaient sur le lavoir en contrebas. Malgré la fraîcheur piquante, il retira sa chemise de laine et son maillot de corps, et, torse nu, s'agenouilla sur le bord du bassin de pierre pour recueillir un peu d'eau dans le creux de ses mains.

Il s'aspergea le visage, le cou et les aisselles en contenant ses tremblements. Il lui sembla entendre un rire étouffé tout près. Il se retourna, ne vit rien dans les buissons frissonnants, retourna à ses ablutions qu'il acheva le plus rapidement possible. Il avait hâte maintenant de se glisser dans son lit et de se blottir dans la chaleur des couvertures. Il se redressa et s'essuya, incommodé par l'odeur de la serviette.

C'est alors qu'il l'aperçut. Une silhouette immobile et claire derrière lui. Il la reconnut immédiatement, et le battement de son cœur s'accéléra.

Lise.

Les rafales soulevaient ses cheveux dénoués et les pans lâches de sa robe blanche. Elle le fixait avec un sourire indéchiffrable. Il se releva avec une telle vivacité qu'il faillit perdre l'équilibre et basculer dans le lavoir. Il ramassa son maillot de corps, sa chemise, et entreprit de les enfiler. Sa maladresse déclencha de l'amusement dans les yeux clairs de Lise. Il se sentit ridicule, emberlificoté dans ses vêtements, incapable de glisser les mains dans ses manches. Ses tremblements n'étaient plus seulement dus à la fraîcheur piquante de l'eau et du vent. Il parvint à se rhabiller tant bien que mal et à rajuster ses vêtements sur sa peau mouillée. Lise le contempla un petit moment avec, lui sembla-t-il, une expression fugitive de désolation. Il aurait voulu dire une parole aimable, il demeura incapable de prononcer un mot.

Il lança un coup d'œil vers l'annexe. Les cigarettes et les pipes brillaient comme des étoiles rougeoyantes et instables entre les branches agitées. La végétation et l'obscurité le protégeaient des regards. Son père et son oncle n'auraient pas apprécié qu'il fricote ainsi avec la fille du maître du domaine. Chacun à sa place, auraient-ils grondé, avec, dans les yeux, ce mélange de désespoir, de sévérité et de résignation qui caractérisait la plupart des cous noirs.

Lise s'avança d'un pas.

« Vous partez bientôt ? »

Le vent emporta son chuchotement.

« Demain... demain matin... »

Il se demanda si les mots étaient vraiment sortis de sa bouche. Elle semblait nerveuse, inquiète. Dans le milieu de Lise, on tolérait encore moins les rapprochements entre classes.

« Je voulais... »

Elle marqua un temps d'hésitation, prit une profonde inspiration.

« Est-ce que... vous accepteriez de me donner un baiser ? »

Pris au dépourvu, Jean acquiesça d'un hochement de tête. Elle s'approcha encore et, résolument, posa les lèvres sur les siennes, pas longtemps, une ou deux secondes, mais il crut avoir été effleuré par un oiseau parfumé, ensorcelant. Elle se recula, effrayée par sa propre audace. Elle s'essuya les lèvres d'un revers de main et tenta de remettre de l'ordre dans ses cheveux dénoués.

Un rire jaillit à cet instant de l'obscurité, tout près du lavoir.

« Bien joué, Lise, tu l'as réussi, ton gage ! »

Des silhouettes surgirent des buissons environnants, deux garçons et deux filles du même âge que Lise et Jean. Les garçons portaient les tenues en vogue à la cour de Versailles, redingote longue et cintrée, pantalon bouffant et resserré aux genoux, hautes bottes, chemise blanche ornée de dentelle, gilet coloré et fermé par des boutons brillants ; les robes des filles étaient semblables à celle de Lise, col arrondi, taille serrée, épaules et manches amples, plis évasés.

« Ah, la jolie tête de nigaud que voilà ! » s'exclama un garçon brun aux cheveux mi-longs et ondulés.

Les filles s'esclaffèrent. Lise pouffa à son tour, mais les éclats de son rire s'envolèrent dans les ténèbres comme des notes fausses et blessantes. Le garçon brun vint se planter devant Jean, qu'il dominait d'une bonne tête.

« Dis-moi, tu n'as tout de même pas cru qu'un cou noir de ton espèce intéressait une perle comme Lise ? »

Jean ne répondit pas. Il refoula son envie de cracher, de se débarrasser du souvenir maintenant haïssable des lèvres de Lise. De même, il ne chercha pas à défier son vis-à-vis du regard : le régisseur saisirait le moindre prétexte pour le priver de son dû.

« Lise avait perdu, et son gage était d'obtenir un baiser d'un saisonnier », reprit le garçon.

Jean garda les yeux rivés sur le bout de ses chaussures. S'il les relevait, s'il croisait le regard du garçon brun, il ne pourrait pas s'empêcher de lui sauter dessus et de lui faire entrer ses mots dans la gorge.

« Ne va surtout pas te plaindre : nous sommes tous témoins que c'est toi qui as tenté d'embrasser Lise. C'est toi qui te retrouverais chez les gendarmes royaux, toi qui serais expédié dans un bagne des colonies ! »

Jean se mordit les lèvres. Pas question de leur donner le spectacle de ses larmes.

« Et puis, quoi, ce baiser restera un beau souvenir pour toi. Jamais une autre occasion de ce genre ne se... »

Jean pivota sur lui-même et courut en direction de l'annexe des saisonniers, pourchassé par les ricanements des amis de Lise. Il ne se retourna pas, fouetté par les branches basses et les gouttes de pluie. Il esquiva le regard scrutateur de son père en grande discussion avec un autre saisonnier, s'engouffra dans l'annexe et s'allongea sur son lit sans même se dévêtir. Le sommeil ne le délivra de son humiliation et de sa colère qu'au milieu de la nuit.

Première résolution : continuer d'apprendre les mots dans le vieux dictionnaire. Le savoir passe par les mots ; c'est lui qui donne aux amis de Lise et à leurs semblables leur sentiment de supériorité.

Deuxième résolution : rendre leur fierté aux cous noirs, les pousser à relever la tête.

Troisième résolution : offrir à chacun les mêmes chances quelle que soit sa condition.

Quatrième résolution : mettre sa famille à l'abri du besoin.

Cinquième résolution (à condition que les quatre premières soient tenues) : découvrir le vaste monde, d'autres visages, d'autres langues, d'autres paysages...

Surmonté de son panache blanc, le train traversait à vive allure les plaines de la Beauce. Contrairement à leur habitude, les saisonniers ne s'étaient pas juchés sur le toit. La pluie tombant sans discontinuer depuis le départ d'Ancenis les avait poussés à l'intérieur des wagons de deuxième classe. Tassés sur les bancs en bois, ils fumaient en silence leurs cigarettes ou leurs pipes, mâchonnaient le bout de pain rassis ou le fruit qu'ils avaient mis de côté.

Jusqu'au bout, Jean avait eu peur de ne pas être payé. Il avait éprouvé un grand soulagement – et une certaine fierté – lorsque le régisseur lui avait tendu l'enveloppe blanche contenant sa première paie. Il l'avait aussitôt remise à son père. Il avait touché moins que les adultes, deux cent cinquante francs royaux au lieu de quatre cents.

« C'est normal, et ça sera comme ça jusqu'à tes vingt et un ans », avait commenté oncle Michel.

Sous les chapeaux, les casquettes et les bérets, les visages étaient sombres. L'inquiétude tendait les traits et assombrissait les yeux. Les travaux agricoles avaient assuré quelques mois de répit aux saisonniers, mais ils se demandaient si, une fois rentrés chez eux, ils trouveraient de l'embauche et pourraient subvenir aux besoins de leurs familles. Les usines et les ateliers déménageaient dans les colonies, où la main-d'œuvre était moins chère et les populations moins infectées par les idées réformistes qui avaient abouti aux grandes insurrections de 1955 et de 1982. Des amis de la famille de Jean avaient émigré en Afrique du Nord pour, selon leurs propres mots, suivre le travail de la même façon que les oiseaux migrateurs suivent la chaleur. Ils affirmaient que les contremaîtres feraient tôt ou tard appel aux ouvriers qualifiés pour encadrer les indigènes et que les postes échoueraient automatiquement aux métropolitains établis sur place. Le père de Jean avait refusé de les imiter, disant que le climat ne conviendrait ni à sa famille ni à lui-même, mais ce n'était sans doute qu'un prétexte, la véritable raison se terrait dans la mine inquiète de sa femme.

« Cette fois, P'tit Roi, t'as définitivement quitté l'enfance », murmura oncle Michel en bourrant sa pipe.

Dans le lointain, une cathédrale se dressait au-dessus des ondulations grises des toits. Un peu plus tôt, quelqu'un avait annoncé qu'on arrivait à Chartres, qu'on approchait de la région parisienne.

« Tu as touché ta première paie, reprit oncle Michel. T'es enfin sorti des jupes de ta mère, t'as pris contact avec la réalité. Faut espérer maintenant que le travail ne manquera pas. »

La guirlande de fumée qu'il expulsa du coin de la bouche grossit le nuage épais qui emplissait le wagon. Jean s'était à deux reprises essayé au tabac et il n'y avait pris aucun plaisir, contrairement à ses amis qui, les yeux brillants, prétendaient qu'ils n'avaient jamais rien goûté de meilleur.

« J'espère que, maintenant, tu ne te fourreras plus toutes ces fichues idées en tête, reprit oncle Michel. Rêver, c'est un truc de gosse. Crois-moi, on est tous passés par là.

– Comment ça ? »

Oncle Michel se pencha pour lui glisser la suite à l'oreille.

« Moi aussi, j'ai fait l'école clandestine, figure-toi. J'ai appris à lire et à écrire, et ça ne m'a jamais servi à rien.

– Tu... tu savais ? Et papa aussi ?

– Les femmes, elles nous prennent pour des idiots. Elles se figurent que leurs maris ne savent rien, mais qu'est-ce qu'elles croient ? Sans nous, sans notre vigilance, il y a bien longtemps que les flics auraient mis fin aux écoles clandestines.

– Tu dis pourtant qu'il faut savoir rester à sa place...

– J'dis seulement qu'on ne doit jamais oublier d'où on vient. Le savoir, ça peut donner le vertige, tourneboulеr la tête. J'en connais quelques-uns qui se sont crus invulnérables et qu'on n'a jamais revus. Ils se croyaient protégés, ils ont oublié toute prudence. L'orgueil... l'orgueil est l'autre face, la face dangereuse, du savoir. Même si tu continues d'apprendre, P'tit Roi, ne te laisse jamais griser, garde les pieds sur terre, d'accord ? »

Jean approuva d'un vague mouvement de tête. Oncle Michel revint aussitôt à la charge.

« Promets-le-moi.

– À condition que tu arrêtes de m'appeler P'tit Roi. Je suis sorti de l'enfance, c'est toi qui l'as dit. »

Le large sourire d'oncle Michel dévoila ses dents jaunies par le tabac.

« Marché conclu.

– Alors je te le promets. »

Son père, assis en face d'eux, les observait d'un air attentif. Jean comprit que le secret était la clef de la solidarité et de la sécurité des cous noirs. Il parvint à glisser la main dans la poche intérieure de sa veste, à toucher son carnet et son crayon. Rassuré, il se laissa enfin aller au staccato lancinant des roues métalliques sur les rails et s'endormit.

CHAPITRE 6

Depuis combien de jours Clara était-elle enfermée dans cette pièce ? Elle avait perdu toute notion de temps. Un rayon de lumière se glissait quelquefois par un interstice et révélait les pierres luisantes d'humidité et les brins de paille jonchant la terre battue. Elle commençait à s'habituer à la puanteur imprégnant la pénombre, une odeur répugnante qui lui rappelait quelque chose, mais à laquelle elle ne parvenait pas à associer un souvenir précis.

L'homme s'était emparé d'elle, l'avait soulevée avec la même facilité qu'une branche morte et emportée à travers la campagne battue par la pluie. Il avait marché un long moment d'un pas régulier, franchissant des ruisseaux, des champs en friche, une lande hérissée de genêts et de buissons, une forêt. Elle avait tenté de lui échapper en le frappant de ses pieds et de ses poings, mais ses coups n'avaient pas plus d'effet sur lui que des piqûres de mouche. Elle s'était assoupie sur son épaule, épuisée, réveillée de temps à autre par un juron ou un craquement.

C'était seulement lorsqu'elle avait repris connaissance dans cette pièce sombre et malodorante qu'elle avait commencé à prendre peur. Ses douleurs s'étaient assourdies. Elle n'avait apparemment rien de cassé. À tâtons, elle avait localisé la porte de bois, qu'elle avait poussée de toutes ses forces. En vain. Elle avait éclaté en sanglots, puis elle avait traversé des phases successives de désolation et d'espoir.

Les gens du château de la Romagne s'étaient sans doute lancés à sa recherche. Ils allaient retrouver la voiture accidentée et, à l'aide de leurs chiens de meute, remonter la piste jusqu'à son lieu de détention. Ils la délivreraient bientôt et châtieraient comme il le méritait le misérable qui l'avait enlevée. Elle devait seulement prendre son mal en patience.

Le temps s'étiolait dans l'obscurité oppressante. Des pensées noires revenaient la dépecer comme des volées de corbeaux. Le ravisseur avait peut-être effacé ses traces, personne ne la retrouverait, elle était à jamais prisonnière d'un fou.

Pourquoi l'avait-il enlevée ? Que comptait-il faire d'elle ? Il ne s'était manifesté qu'en deux occasions : le crissement du verrou avait brisé le silence. Il avait entrouvert la porte et déposé sur le sol un plateau de bois contenant du pain noir, du fromage et une carafe d'eau. Il avait refermé avant que Clara n'ait eu le temps de réagir. Le crissement du verrou avait blessé le silence. Elle s'était forcée à manger le pain presque rassis et le fromage au goût âpre, qu'elle avait fait passer avec des gorgées d'eau fraîche. Elle avait consacré le quart restant de la carafe à une toilette sommaire. Elle se sentait sale, pas seulement parce qu'elle n'avait pas de quoi se laver et se changer, mais parce qu'elle était imprégnée de la puanteur et de la malpropreté des lieux. Elle respirait un air plus vicié que celui des rues sombres de Paris. Elle aurait donné n'importe quoi pour se réveiller dans une chambre du château de la Romagne. Toute autre perspective que la claustration dans cet horrible cul de basse-fosse lui semblait désirable, merveilleuse, même un mariage avec un homme qu'elle ne connaissait pas, même le sacrifice de ses rêves d'enfant. Parfois elle hurlait et tambourinait sur la porte jusqu'à ce que sa révolte se consume et qu'elle s'effondre en tremblant sur le sol. Seul le silence lui répondait, bercé par les sifflements du vent et le crépitement de la pluie sur les tuiles. Ils l'avaient tous abandonnée, ses parents, la famille de son futur mari, les gendarmes royaux, ses amies, elle ne reverrait plus jamais la lumière du jour, elle croupirait dans son malheur jusqu'à ce que son bourreau décide de mettre un terme à sa trop courte vie.

Le crissement du verrou brisa le silence et précéda de quelques secondes le grincement de la porte. Clara se redressa. L'homme s'engouffra dans le cachot. Il portait la même chemise claire et ample que le soir où il l'avait enlevée. Il s'approcha d'elle en poussant un grognement bestial. Elle se rencogna contre le mur avec une telle brusquerie que son omoplate heurta une pierre saillante. Il demeura un instant immobile. Elle ne distinguait pas ses traits, seulement les puits sombres de ses yeux et l'auréole brisée de sa chevelure.

« Qu'est-ce que... qu'est-ce que vous me voulez ? »

Des larmes jaillirent à nouveau de ses yeux. Elle s'était pourtant promis de se montrer forte lorsqu'elle pourrait enfin lui adresser la parole. Seule la respiration sifflante et précipitée de l'homme lui répondit.

« Qui êtes-vous ? Pourquoi donc m'avez-vous enfermée ici ? »

Le soupir de son vis-à-vis s'acheva en un gémissement sourd.

« Laissez-moi... » Les mots que Clara avait tant de fois répétés mentalement se coinçaient dans sa gorge. « Laissez-moi partir... mes parents vous donneront une récompense... mille francs royaux...

davantage si vous le voulez... mon père est l'un des argentiers de la... »

Un nouveau grognement de l'homme l'interrompit. Il s'approcha. Le plafond bas l'obligeait à rentrer la tête dans les épaules. Elle crut qu'il allait se jeter sur elle et se recroquevilla. Les avant-bras de son ravisseur saillaient de l'obscurité comme des branches noueuses. Il posa une boule de pain, un morceau de fromage, des noix fraîches et une carafe d'eau sur l'un des deux plateaux de bois qu'il lui avait apportés les jours précédents, récupéra le plateau vide et se retira après avoir enveloppé sa captive d'un regard insistant, presque douloureux.

Elle trembla un long moment avant de dompter sa terreur. Elle but une gorgée directement au col de la carafe et, la faim grondant dans son ventre, elle oublia sa répugnance pour manger les aliments servis par son geôlier. Elle devait surmonter ses aversions pour se maintenir en vie et laisser aux siens le temps de la retrouver. Le pain avait un goût fort et délicieux, rien à voir avec le pain croustillant, chaud et insipide qu'on livrait à l'hôtel particulier de ses parents et qui, pourtant, provenait de la boulangerie la plus renommée de Versailles. Elle s'appliqua à tout manger même si les noix fraîches avaient tendance à lui irriter l'intérieur des joues et la langue. Elle garda une nouvelle fois un peu d'eau pour se rincer la bouche, le visage et certains recoins de son corps.

Rassasiée, revenue de sa frayeur, elle s'assit et, les mains autour de ses jambes, le menton posé sur les genoux, elle réfléchit. Ses parents étaient certainement prévenus de sa disparition. Si son père ne parvenait pas à la retrouver, avec tous les appuis dont il disposait, avec les nombreux soldats et gendarmes que ne manquerait pas de lui fournir le ministre des Armées, c'était alors qu'elle ne pourrait compter sur personne pour mettre fin à sa captivité. Le ravisseur avait l'air d'un demeuré, mais il s'était débrouillé pour effacer ses traces. Et fouiller la campagne équivalait à chercher une aiguille dans une meule de foin. On ne pourrait pas mobiliser l'armée et la gendarmerie pour une seule disparue alors que, selon les services de sécurité intérieure, la révolte grondait chez les cous noirs et que le royaume était au bord de la guerre civile. Si on ne la retrouvait pas au bout de cinq jours, on abandonnerait les recherches. Ses parents auraient perdu une fille, mais il leur en restait cinq, cinq clefs pour ouvrir au moins une porte de la citadelle de la haute noblesse. Elle n'avait aucune importance dans le fond.

Comment sortir d'ici ? Pas question de percer un trou dans le plafond ni de creuser un tunnel avec ses doigts. Il ne restait qu'une solution : exploiter le moment où l'homme ouvrait la porte, détourner son attention et prendre la fuite. Oui, mais comment détourner son attention ? Elle se souvint du regard insistant qu'il avait posé sur elle avant de partir, un regard intense, trouble, implorant. Il lui rappelait le regard de Joseph, son soupirant attitré l'année de ses douze ans. Joseph avait passé des heures à la contempler d'un air sombre et torturé. Elle en conclut que son ravisseur éprouvait pour elle des sentiments amoureux, raison pour laquelle il ne l'avait pas encore molestée.

Il lui fallait tirer avantage de cette affreuse caricature d'amour. Peut-être qu'en flattant son inclination, elle pourrait endormir sa vigilance. Elle se détendit. Elle entrevoyait une lueur dans son interminable nuit. Mais jusqu'où devrait-elle aller pour donner le change ? S'obligerait-elle à l'étreindre, à le toucher, à l'embrasser ? Elle frémit de dégoût. Comme toutes les filles de Versailles, elle avait réservé ses premiers baisers à l'homme qu'elle épouserait et elle se sentirait à jamais profanée si elle posait les lèvres sur celles de son ravisseur.

Un débat intérieur l'agita un long moment : que valait-il mieux, se laisser pourrir sans réagir dans cet horrible réduit, ou essayer de regagner sa liberté en acceptant la souillure ? Incapable de se décider, lasse, elle s'allongea et, la tête posée sur son bras replié, elle dériva sur ses souvenirs jusqu'à ce que le sommeil l'emporte.

Un rayon de jour entrait par la porte entrouverte. Un courant d'air humide et frais balayait la puanteur du cachot et soulevait les brins de paille. L'homme se dressait devant elle, les bras chargés d'une couverture, d'un traversin et d'un plateau. Elle s'efforça de soutenir son regard. Elle ne distinguait pas ses traits, seulement des lueurs ténues au fond de ses yeux. Impossible de lui donner un âge. Elle esquissa un sourire. Son cœur battait la chamade. La liberté l'appelait quatre mètres plus loin, de l'autre côté de la porte. Surtout ne pas précipiter le mouvement. Elle n'aurait qu'une seule chance. Elle remit un peu d'ordre dans sa chevelure. Il respirait avec la puissance d'un soufflet de forge. Il ne bougeait pas, comme pétrifié par sa captive. Il jeta enfin la couverture et le traversin aux pieds de Clara. Elle le remercia d'un nouveau sourire et d'une légère inclinaison de la tête. Il poussa un grognement qu'elle interpréta comme une marque de satisfaction, puis il se pencha pour poser le plateau qui contenait, outre le pain, le fromage et la carafe, une pomme et une poire.

Des aboiements retentirent dans le lointain. Il se redressa avec vivacité et se précipita vers la porte. Il se comportait en animal sauvage, farouche, prêt à se sauver à la moindre alerte. Clara pensa que les chiens avaient retrouvé sa trace et fut envahie d'une joie violente, presque douloureuse.

Les aboiements se rapprochaient. L'homme referma doucement la porte et revint près de Clara. Elle voulut hurler lorsque le bras de son ravisseur s'enroula autour de sa taille et la maintint fermement serrée contre lui ; elle n'en eut pas la possibilité : une main calleuse, puissante, s'était plaquée sur sa bouche. Les vêtements de l'homme dégageaient une odeur âcre, la même que celle des ouvriers chargés de l'entretien de l'hôtel particulier de Versailles. Clara et ses sœurs les espionnaient parfois avec un mélange de fascination et de répulsion. Ils n'appartenaient pas à la même espèce que les élégants de la cour. Les visages et les mains des courtisans étaient d'une blancheur immaculée tandis que ceux des ouvriers paraissaient taillés dans une matière brute. De même, si les épaules se portaient étroites et légèrement tombantes dans l'entourage du roi, elles étaient larges et carrées chez les gens du peuple. Il émanait de ces derniers une puissance animale à la fois effrayante et troublante. Quand ils se penchaient pour changer une dalle ou désengorger un caniveau, on comprenait immédiatement pourquoi on les surnommait les cous noirs.

Clara se demanda comment prévenir les volontaires ou les gendarmes qui menaient la battue. Les aboiements étaient désormais très proches. Elle respirait avec difficulté, le visage écrasé sur le torse de son ravisseur. Elle ne bougeait pas : le flair des chiens les conduirait immanquablement à son cachot, et le moment aurait été mal choisi de provoquer la colère de l'homme. Il pourrait lui fracasser le crâne sur le mur ou lui briser les vertèbres cervicales avec la même facilité que du bois mort.

Elle entendait maintenant les glapissements des piqueurs encourageant la meute. Elle ne savait pas s'ils venaient dans sa direction ou s'ils s'éloignaient, puis elle dut se rendre à l'évidence : les bruits s'estompaient, le silence, l'insupportable silence, les absorbait peu à peu. Envahie d'une rage soudaine, incontrôlable, elle mordit jusqu'au sang la main qui la bâillonnait. Il gronda et la relâcha quelques instants. Elle libéra aussitôt, venu du fond de ses entrailles, un hurlement qui se brisa net. Le choc qu'elle reçut sur le crâne la projeta dans un gouffre sans fond où plus rien n'avait d'importance.

Il lui fallait renouer, entre elle et lui, le lien de confiance. Elle avait compromis ses maigres chances. Elle en était sûre désormais : les aboiements de la meute, les cris aigus des piqueurs, les crépitements des sabots... elle avait confondu une chasse à courre et une équipe lancée à sa recherche, son rêve et la réalité. Quelle idiote !

La bosse sous ses cheveux continuait de l'élancer. Le poing de son ravisseur l'avait frappée avec une dureté de pierre. Elle écartait définitivement l'espoir d'une intervention extérieure. Elle était séquestrée sans doute depuis plus de huit jours. Huit jours, et les recherches n'excédaient jamais une semaine. Elle s'ajoutait à la longue liste des disparus, de tous ces enfants qui, selon la rumeur, étaient capturés par les bandes réfugiées dans les forêts profondes et retournées à l'état sauvage. Ses parents avaient-ils versé une larme pour leur fille aînée ? Peu probable. Son père s'était peut-être caché dans un recoin de l'hôtel particulier pour pleurer. On ne montrait rien de ses sentiments dans les grandes familles du royaume. Elle était seule, seule avec une brute qui ne s'exprimait que par soupirs et grognements.

Le verrou coulissa et la porte s'ouvrit en grinçant. Un rayon de lumière s'étira sur le sol de terre battue. C'était la première fois que l'homme se manifestait depuis qu'elle l'avait mordu. Elle avait encore le goût de son sang dans la gorge, et le fond d'eau de la carafe n'avait pas suffi à le dissiper. Elle se roula en boule au pied du mur, craignant sa colère. Le ravisseur s'engouffra sous les poutres soulignées par la lueur du jour. Il portait un objet volumineux. Elle eut besoin de quelques secondes pour s'apercevoir qu'il s'agissait d'une botte de paille. Elle se redressa.

« Vous... vous m'apportez un lit ? »

Il posa la botte en silence. Elle sentait sur elle le poids de son regard, d'où coulait une sourde animosité.

« Je suis vraiment désolée de vous avoir mordu, reprit-elle. Je ne voulais pas vous blesser, c'était seulement un réflexe. »

Il ressortit et revint aussitôt avec un plateau qu'il tendit à Clara. Toujours le même pain de seigle, le même fromage, les mêmes noix, les mêmes pomme et poire, une carafe identique à la précédente et remplie d'eau. Comme elle avait faim et soif, elle lui en fut reconnaissante.

« Remarquez, j'ai déjà été punie. Vous m'avez donné un coup à assommer un bœuf. »

Il lâcha un gémissement déchirant, presque un sanglot.

« J'ai une bosse grosse comme un œuf », poursuivit-elle d'un ton enjoué.

Elle refoula une brusque envie de pleurer. La gaieté était préférable pour regagner la confiance de son ravisseur.

« Vous vivez seul ici ? »

La question était idiote, l'essentiel était de rétablir le lien. Le précepteur lui avait dit que la meilleure façon d'entrer en contact avec les indigènes des royaumes orientaux était de rester en leur compagnie et de les écouter avec la plus grande attention sans nécessairement les comprendre.

« Vous n'avez pas de famille, pas d'amis ? »

Des sons se glissaient dans les expirations sifflantes de l'homme, des embryons de mots.

« Vous permettez ? Je meurs de faim. »

Elle n'attendit pas sa permission pour croquer à pleines dents dans le morceau de pain. Elle trouva délicieux le goût pourtant âcre de la mie mal cuite, et tout aussi savoureux le fromage presque desséché. Il la regarda manger un long moment en laissant la porte entrouverte, une négligence qui parut encourageante à Clara. Sans cesser de mâcher, elle observa du coin de l'œil la disposition des lieux. D'habitude, la porte s'ouvrait et se fermait trop vite pour lui laisser la possibilité d'inspecter son cachot.

Elle se demanda comment les poutres noueuses et parfois rongées jusqu'au cœur pouvaient supporter le poids de la construction. Les pierres étaient recouvertes de moisissures noirâtres. Des petites boules jonchaient la terre battue entre les brins de paille – elle préféra ne pas savoir ce que c'était. Elle faillit se ruer vers la porte entrouverte. Fourmis dans le corps, envie brutale de courir, de respirer une bouffée d'air pur. Comme si l'extérieur l'aspirait. Elle se retint à grand-peine de se lever et de prendre ses jambes à son cou. Du calme. Trop tôt. Endormir encore sa méfiance. Jusqu'à ce qu'il oublie totalement son rôle de geôlier. Il était plus puissant qu'elle, il courait plus vite qu'elle, elle n'aurait aucune chance de le semer si elle ne le neutralisait pas d'une manière ou d'une autre, en l'assommant avec une carafe ou une pierre par exemple, ou en l'enfermant à son tour. Elle désigna la botte de paille, puis le plateau, la couverture et le traversin.

« Merci de prendre soin de moi. »

Une grimace retroussa les lèvres de son ravisseur et déforma son visage, un sourire sans doute.

« J'aimerais beaucoup me laver, vous savez. Et aussi me changer, mais je suppose que vous n'avez pas les vêtements qui pourraient me convenir. »

Il marmonna une suite de sons qui résonnaient comme un rudiment de langage. Il sortit sans oublier, hélas, de refermer la porte. Elle avait à peine fini son repas qu'il se présentait avec un seau en fer rempli d'eau et un tas de vêtements pliés qui répandaient une odeur de renfermé. Elle le gratifia d'un large sourire avant d'accepter les vêtements. Il y avait là une robe de laine noire, un jupon et un corsage blancs. Des habits d'un autre âge, mais propres et en parfait état.

« Merci mille fois. Ils appartenaient à quelqu'un de votre connaissance ? À votre mère peut-être ? »

Elle sut qu'elle avait deviné juste en le voyant se rembrunir.

« Il faut que vous sortiez pour me laisser faire ma toilette et me changer, vous voulez bien ? »

Des lueurs vives, alarmantes, s'allumèrent dans les yeux sombres de l'homme. Clara crut qu'il allait perdre le peu de raison qui le retenait de se jeter sur elle, mais il sortit de son allure dandinante en poussant un soupir de dépit.

CHAPITRE 7

Les yeux noirs de Magda étincelaient. Les lueurs tremblantes des lampes à huile étiraient et déformaient son ombre sur les murs, les poutres et le plafond. Une cinquantaine d'écoliers s'étaient entassés dans le grenier. Assis sur des caisses en bois, des chaises, des fauteuils défoncés et le vieux canapé dit d'honneur, ils écoutaient l'institutrice d'un air émerveillé, les yeux écarquillés. Au fond se tenaient les mères et les grandes sœurs. Si quelques-unes tricotaient pour occuper leurs mains calleuses et lutter contre la fatigue d'une dure journée, la plupart d'entre elles apprenaient en même temps que leurs enfants. Elles aussi traçaient les lettres avec plus ou moins de bonheur sur les feuilles quadrillées, elles aussi s'efforçaient de résoudre les additions, les soustractions, les divisions posées sur le tableau noir, elles aussi marmonnaient à voix basse les tables de multiplication, les conjugaisons et les conjonctions de coordination récitées par un ou plusieurs écoliers.

Jean observa les visages autour de lui. L'absence de Luc, son meilleur ami, lui qui n'avait jamais manqué un seul cours clandestin en trois ans, l'étonnait : sa famille avait-elle déménagé dans une autre région ou une lointaine colonie ?

Jean avait cru que jamais plus il n'assisterait à l'école illégale, jamais plus il n'entendrait la voix enchanteresse de Magda. Il frissonnait de plaisir, surtout que la jeune femme l'avait complimenté au début du cours pour ses progrès en écriture et en lecture. Il serait bientôt happé par le tourbillon du travail et des obligations, et il voulait à jamais graver cette scène dans sa mémoire. L'odeur du grenier, les ombres tapies derrière les lumières, les mots et les chiffres élégamment tracés sur le tableau, les gestes de Magda, la chevelure exubérante de Magda, le sourire éclatant de Magda, la robe bleu marine de Magda, le col arrondi et les poignets de dentelle de Magda, les mines extasiées des écoliers, les regards attentifs et fiers des mères et des sœurs, la rumeur de la banlieue, les sifflements des trains qui déchiraient la nuit...

Dans deux jours, il partait pour la province de Lorraine où venaient d'ouvrir de nouvelles mines de charbon. On avait besoin là-bas de dix mille apprentis. La perspective de passer douze heures par jour dans les entrailles de la terre ne l'enchantait pas, mais il n'avait guère le choix : le travail se raréfiait dans la région parisienne et, quand il se présentait, il allait en priorité aux hommes expérimentés. En Lorraine, Jean serait logé et nourri avec un salaire de douze francs royaux par jour, dont dix iraient systématiquement à sa famille, jusqu'à l'âge de vingt et un ans où la compagnie minière lui verserait vingt francs royaux par jour, une paie tout à fait honorable. Comme son père était absent, c'était l'oncle Michel qui s'était chargé d'annoncer la nouvelle à sa mère. Elle avait éclaté en sanglots.

Oncle Michel l'avait prise par les épaules et l'avait étreinte un long moment.

« Posez vos cahiers et vos crayons, je voudrais maintenant vous raconter une histoire qui aurait pu et dû changer le cours de l'Histoire... »

Magda racontait toujours une histoire à la fin de la classe. Pas une légende ou un conte tirés des diverses mythologies des provinces du royaume, mais un événement puisé dans la véritable histoire de France, l'histoire avec un grand H, comme elle disait.

« Qu'avons-nous retenu de la Révolution de 1789 ? »

Jean rassembla les bribes qu'il avait picorées sur le sujet. Les voix officielles de l'Église et du royaume avaient toujours présenté la Révolution de

1789 comme une période funeste, comme une tache indélébile et taboue sur la conscience française. En ces jours sombres et maudits, le peuple exalté par une poignée de fanatiques avait tranché les têtes de Louis XVI, le roi martyr, de Marie-Antoinette, la reine incomprise, et arraché le cœur du Dauphin, l'agneau sacrifié. Fort heureusement, l'ogre accouché par la Révolution, le petit général Bonaparte, l'odieux Napoléon, avait fini par se dévorer lui-même, emporté par ses rêves de gloire. La première Restauration n'avait pas tenu très longtemps, ébranlée par les émeutes répétées et les intrigues républicaines. Les incertitudes s'étaient prolongées jusqu'en 1882, moment où le Parti de l'Ordre avait renversé le gouvernement de Gambetta et hissé sur le trône Philippe d'Orléans, le roi Philippe VII. La deuxième Restauration s'était durablement installée, appuyée par les armées versaillaises et les royaumes coalisés d'Europe. Les anciens ministres républicains, les traîtres qui avaient obtenu l'amnistie des abominables communards, les mécréants qui avaient voulu éliminer l'Église de la vie publique et de l'enseignement, avaient été fusillés.

« La Révolution a sans doute été une période difficile où un grand nombre d'atrocités ont été commises, mais elle nous a laissé un héritage magnifique, une véritable déclaration d'amour à l'humanité, et c'est de cet héritage-là dont je souhaite vous entretenir. »

Les murmures inquiets des mères ponctuèrent la déclaration de Magda. Elles rechignaient à ressusciter ces périodes sombres où tant de cous noirs avaient trouvé la mort. Les batailles étaient inégales entre des soldats équipés d'armes modernes, soutenus par les blindés et l'aviation, et des combattants munis de vieux fusils de chasse et de pistolets rouillés qui s'enrayaient une fois sur deux. Les épouses et les mères n'avaient pas envie de pleurer des maris et des enfants qui offraient inutilement leur poitrine à la mitraille versaillaise. Elles en avaient assez de ces stupides actes héroïques qui les laissaient seules et désemparées. Elles avaient besoin d'hommes vivants, solides, travailleurs ; les souvenirs ne rapportaient ni argent ni nourriture, ni chaleur dans les draps.

« Le régime actuel a volontairement falsifié l'Histoire, poursuivit Magda. Il n'en a retenu que le cortège d'horreurs et oublié les principes fondateurs. Il existe pourtant un texte magnifique qui a disparu des manuels officiels et qui s'appelle la Déclaration des droits de l'homme. »

Le beau visage de Magda était empreint d'une gravité que Jean ne lui connaissait pas. Parfois, le jeune prêtre en charge de l'église de son quartier avait un air semblable, à la fois exalté et solennel, lorsqu'il prononçait son sermon dominical du haut de la vieille chaire de bois. Sa voix roulait alors comme un orage qui menaçait de sa foudre les paroissiens impénitents.

« Liberté, égalité, fraternité, trois mots magnifiques, n'est-ce pas ? Trois mots qui formaient le cœur de la Révolution. Trois mots qui, si nous avions su les cultiver, auraient changé la face du monde. »

L'absence de Luc tracassa de nouveau Jean. Il chassa d'un mouvement d'épaules le sombre pressentiment qui s'emparait de lui. Pas le moment de rouler des idées noires quand les mots magiques jaillissaient de la bouche de Magda : liberté, égalité, fraternité... Il avait l'impression qu'un nouveau monde s'ouvrait à lui, qu'un soleil radieux se levait et dissipait les ténèbres dans lesquelles les gens de sa condition croupissaient depuis trop longtemps.

« Nous ne sommes pas libres, nous ne sommes pas égaux, nous ne sommes pas fraternels. Nous avons transporté dans notre siècle les maux qui caractérisaient l'ancien régime, l'ordre social, l'injustice, la peur, la misère, l'ignorance, la famine. Depuis plus d'un siècle, depuis l'assassinat de Gambetta et l'exécution publique de Jules Ferry, la grande majorité de la population n'a pas accès au progrès dont bénéficient la noblesse et la grande bourgeoisie... »

Un fracas l'interrompit. La porte éjectée de ses gonds vola dans les airs et atterrit quelques mètres plus loin, frappant deux femmes assises sur les chaises des derniers rangs. Aux hurlements de douleur et d'effroi répondirent les vociférations des hommes vêtus de blanc qui s'engouffraient dans le grenier. Des gendarmes royaux, armés de fusils d'assaut, commandés par un homme vêtu d'un costume noir et armé d'un pistolet. Ils se répartirent tout autour de la pièce. Le sang de Jean se glaça. Heureusement, heureusement que sa mère, légèrement souffrante, n'avait pas accompagné son fils et ses deux plus grandes filles dans le grenier. Les regards terrorisés de ses sœurs, placées deux rangs devant lui, s'accrochaient à Jean comme des naufragés à une bouée. En un clin d'œil, il entrevit l'avenir qui les attendait, elles et lui : cinq ans de camp de redressement dans un coin désert du royaume, cinq ans d'humiliations et de châtiments, cinq ans d'exercices et de travaux pénibles sous la garde de tortionnaires, puis la marque gravée sur le cou des condamnés, indélébile, infamante. Il entrevit également le désespoir et la culpabilité de sa mère : c'était elle qui avait poussé ses enfants à fréquenter l'école clandestine, elle qui avait rêvé pour eux d'un autre destin.

L'homme en costume noir se dirigea vers Magda, un sourire vénéneux sur les lèvres. Livide, elle soutint sans ciller son regard aigu, un regard d'oiseau de proie.

« Magdalena Darrieux, voilà comment nous sommes remerciés de vous avoir tirée du ruisseau. » La voix aiguë de l'homme en costume noir lacérait le silence irrespirable retombé sur le grenier. « En tant qu'orpheline vous avez bénéficié du programme royal d'instruction, et vous avez trahi la confiance du roi, de tous ceux qui ont cru en vous. Vous avez mordu la main qui vous a nourrie. La justice du royaume est implacable pour les ingrats. »

Magda réussit à retenir les larmes qui perlaient à ses cils.

« Je reconnais ma culpabilité, monsieur, déclara-t-elle d'une voix brisée. Faites de moi ce que bon vous semblera, mais laissez partir ces pauvres gens, ils ne sont en rien responsables.

– Ah ça, ce n'est pas à vous d'en décider, mademoiselle. Ces gens savaient pertinemment qu'en suivant votre classe, ils violaient la loi. Ils devront eux aussi rendre des comptes. »

Des sanglots étouffés s'élevèrent au fond du grenier.

« Est-ce un crime que de vouloir apprendre ?

– Selon la loi royale, oui. L'instruction est réservée à ceux qui sauront l'utiliser. Vous savez très bien que le savoir généralisé engendre l'anarchie. N'est-il pas précisé dans la Bible que l'arbre de la connaissance a causé la perte de l'humanité ? Vous êtes à la fois le serpent et la pécheresse de la Genèse.

– La Bible n'a pas toujours raison, monsieur.

– Prenez garde à ne pas ajouter le blasphème à votre faute.

– Quelle importance ? Vous me fusillerez de toute façon.

– Sans doute, mais vous avez une chance d'obtenir l'absolution, de ne pas mourir en état de péché.

– J'accepte de prendre sur moi la faute de tous les gens ici présents, de mourir en état de péché et de pourrir en enfer jusqu'à la fin des temps. »

L'homme en costume noir tourna autour de Magda en gardant la tête baissée. Ses cheveux bruns et ras, son nez long et pointu, ses yeux ronds et noirs, ses lèvres retroussées l'apparentaient à l'un de ces chiens féroces dressés contre les émeutiers.

« Vous faites partie de ces gens qui ne croient pas à l'enfer, n'est-ce pas ? De ces idéalistes qui se figurent tout expliquer par la raison ? Vous êtes jeune, Magdalena Darrieux, vous ne connaissez pas l'âme humaine, vous ne savez pas de quoi sont capables des populaces enragées. C'est dans son intérêt que l'école est interdite au peuple : il n'est pas encore prêt à recevoir la connaissance.

– Est-ce à vous d'estimer s'il est prêt ou non ?

– À qui d'autre ? Une commission réfléchit sur le sujet depuis plus de...

– La commission de Luynes ? Une assemblée de vieillards gâteux qui passent leur temps à boire du champagne et à manger des petits-fours. Une vaste fumisterie. »

L'homme en noir releva brusquement la tête. Jean crut qu'il allait planter ses crocs dans le tendre cou de Magda.

« N'abusez pas de ma patience, mademoiselle. Je pourrais rendre vos derniers jours très... pénibles.

– Ils le seront de toute façon. J'en appelle encore une fois à votre compassion : laissez repartir ces gens, et je vous promets de me plier docilement à vos exigences, je vous promets de reconnaître mes fautes en public.

– Mais j'y comptais bien, mademoiselle. Et sans contrepartie. »

Magda tomba à genoux et leva sur son interlocuteur un regard implorant.

« Je vous en supplie, monsieur, soyez magnanime, ces gens sont innocents, laissez-les rentrer chez eux. »

Les yeux de l'homme en noir se posèrent tour à tour sur l'institutrice et sur le tableau où s'étalaient, comme des aveux, les exercices d'écriture.

« Si vous n'appréciez pas la Bible, mademoiselle, moi, elle m'inspire chaque jour. Connaissez-vous l'histoire de Sodome et Gomorrhe et de l'intercession d'Abraham ? Voici le marché : il n'est pas négociable. Je choisis quatre personnes dans votre classe, je laisse partir les autres, je m'arrange pour que vous ayez une fin de vie tolérable, le tout en échange de votre docilité. L'acceptez-vous ? »

Les larmes roulèrent enfin sur les joues de Magda. Jean serra les dents pour refouler sa propre envie de pleurer. Un torrent de haine se déversait en lui, bouillonnait dans sa tête, dans son cœur, dans son ventre. Luc avait eu beaucoup de chance d'avoir choisi cette nuit pour manquer l'école clandestine. L'homme en noir s'approcha du tableau, s'empara d'une éponge et effaça méthodiquement les mots tracés par l'institutrice. Magda acquiesça d'un hochement de tête à peine perceptible après que le tableau eut recouvré sa couleur vert sombre originelle.

« Je ne suis pas tout à fait certain d'avoir bien compris, mademoiselle, dit l'homme en noir.

– Je... j'accepte votre marché, lâcha Magda dans un souffle.

– À la bonne heure. Vous savez compter au moins : mieux vaut quatre coupables que la totalité de vos cinquante-deux élèves. Comme vous les connaissez mieux que moi, c'est à vous de faire le choix, Magdalena Darrieux. »

Malgré le mauvais éclairage des lampes, Jean perçut nettement le voile blême qui glissait sur le visage de la jeune femme.

« Vous êtes toujours libre de refuser, reprit l'homme en noir. Si vous ne parvenez pas à vous décider, ce que je peux comprendre, je ferai incarcérer tous les gens présents dans ce grenier, les mères et les enfants. »

Magda hocha la tête, essuya d'un revers de manche les larmes qui roulaient sur ses joues, se releva, rajusta sa robe et se promena entre les chaises en fixant chacun de ses élèves. Lorsqu'elle croisa le regard de Jean, il tenta de lui signifier qu'il était volontaire pour faire partie des quatre. Il se disait qu'elle ne choisirait qu'un enfant par famille et qu'il éviterait ainsi à ses jeunes sœurs d'être désignées. Et puis il était l'un des plus vieux de la classe, il avait déjà touché une paie, et, chez les cous noirs, où l'on privilégiait l'avenir, c'était toujours aux plus anciens de se sacrifier. Magda le dévisagea avec intensité avant de se détourner et d'avancer entre les élèves figés sur les chaises.

« Dépêchez-vous, mademoiselle ! glapit l'homme en costume noir. Nous n'avons pas toute la nuit. »

Magda se heurta, au fond du grenier, aux suppliques muettes des mères. Jean vit qu'elles regrettaient amèrement de lui avoir confié leurs enfants. Lui ne regrettait rien, mais il ne les jugeait pas, il n'avait pas la charge d'une famille. Il pensa au chagrin de sa mère s'il était emmené par les gendarmes royaux. Elle se consolerait, du moins il l'espérait, en récupérant ses deux filles. Curieusement, il baignait dans un grand calme, comme si la décision qu'il avait prise, et qu'il avait tenté de communiquer à Magda, l'avait délivré de la peur.

« Vous avez encore une minute, dit l'homme en noir. Passé ce délai, j'embarque tout le monde. »

Magda revint près du tableau, se munit d'une craie et écrivit les quatre noms au tableau. Lorsqu'il reconnut le sien, en dernière position, Jean ressentit du soulagement pour ses sœurs, puis il se leva et s'approcha lentement de l'institutrice. Le front posé sur le tableau, Magda sanglotait. Les trois autres élèves désignés, deux garçons de treize et douze ans et une fille qui en aurait bientôt quatorze, rejoignirent Jean avec, dans les yeux, le même calme, la même détermination. Tous les quatre avaient un point commun : leurs mères n'étaient pas présentes dans le grenier, ce qui avait probablement influencé le choix de Magda.

« Les autres, vous pouvez rentrer chez vous, marmonna l'homme en costume noir. Vite, avant que je ne change d'avis. Allez, ouste ! »

Le grenier se vida en silence. Les têtes et les épaules étaient basses. Personne n'adressa un regard à l'institutrice et aux quatre élèves sacrifiés. On connaissait la cruauté et la puissance des membres des services de sécurité intérieure du royaume, ceux qu'on surnommait les mouchards ou les cafards, et on craignait que le moindre coup d'œil n'entraîne le revirement de l'homme en costume noir.

« Une chose est sûre : ceux-là ne sont pas près d'assister à un cours clandestin, gloussa l'homme en noir.

– Il n'y a pas de quoi s'en réjouir, murmura Magda en se retournant, les yeux rougis par le chagrin.

– Vous m'avez promis d'être docile, Magdalena Darrieux. N'oubliez pas que je suis en mesure de transformer en enfer les derniers jours de votre vie.

– En enfer, j'y suis déjà, monsieur. »

L'homme en noir eut un sourire qui accentua ses pommettes et sa ressemblance avec un chien.

« Vous ne savez pas de quoi vous parlez, croyez-moi. »

Magda désigna d'un geste mal assuré Jean et ses trois compagnons alignés devant le tableau. Les lumières faiblissantes des lampes allongeaient les ombres des gendarmes et des chaises vides sur le sol et les murs.

« Que comptez-vous faire d'eux ?

– Eh bien, ils passeront quelques années dans un camp de redressement où ils oublieront tout ce que vous leur avez appris. » L'homme en noir éclata de rire. « Je crois même qu'ils oublieront jusqu'à leur nom !

– Vous êtes ignoble ! »

La gifle claqua aussitôt, la tête de la jeune femme partit en arrière, son crâne heurta violemment l'arête du tableau.

« Ne me pousse pas à bout, petite traînée ! »

Jean faillit bondir sur l'homme en noir. La proximité des gendarmes l'en dissuada. La joue rouge, le nez en sang, Magda poussa un long gémissement.

« Emmenez-moi ce petit monde au centre de détention provisoire, reprit l'homme en noir. Nous y serons plus à l'aise pour mener les interrogatoires. »

CHAPITRE 8

L'occasion se présentait, enfin. Barnabé lui tournait le dos, affairé à balayer la terre battue. La lumière entrait à flots par la porte entrouverte. Clara grignotait son bout de pain rassis sans le quitter des yeux. Elle s'était changée après une toilette plus complète que d'habitude. Elle avait lavé son corps et ses cheveux avec le morceau de savon noir qu'il lui avait fourni. Elle avait eu assez d'eau pour se rincer. Elle se sentait propre dans ses sous-vêtements de coton blanc et la robe noire en laine épaisse était à peu près à sa taille. Elle avait retrouvé le moral. Elle dormait mieux sur son matelas de paille. La couverture l'aidait à supporter le froid de plus en plus mordant qui se terrait dans le cœur de la nuit. Elle avait en partie retrouvé les forces emportées par la fièvre des jours précédents.

Après avoir installé un paravent sommaire devant la cuvette en fer qui servait à Clara de toilettes, son ravisseur avait décidé de nettoyer la pièce. Il venait de plus en plus souvent lui rendre visite. Il commençait à se détendre, il prononçait maintenant des bouts de phrase.

Elle avait cru comprendre qu'il s'appelait Barnabé.

« Bar-na-bé moi, avait-il grogné à plusieurs reprises en se frappant la poitrine du plat de la main. Et toi ? Toi ?

– Clara...

– Cla-ra... Cla-ra... »

Il avait ri à gorge déployée en dévoilant une dentition noire. Il s'efforçait de rendre la vie de sa prisonnière, sinon agréable, du moins supportable. Il la contemplait quelquefois de ce regard brûlant qui laissait présager le pire, mais, hormis le terrible coup qu'il lui avait assené pour l'empêcher de prévenir les piqueurs de la chasse à courre, jamais il n'avait levé la main sur elle.

Elle l'avait examiné à la dérobée : ses traits étaient grossiers, comme si son visage, posé sur un cou énorme, avait été martelé par un forgeron pris de démence. Ses yeux tombants, profondément renfoncés sous les buissons des sourcils, passaient en un clin d'œil de la détresse la plus poignante à une sourde et inquiétante colère. Il paraissait parfois infiniment vieux bien qu'il n'eût pas de barbe ni de rides. Difficile de lui donner un âge. Il lui avait montré comment il taillait avec son couteau sa chevelure exubérante. Elle l'avait observé de loin, craignant à chaque instant qu'il ne tourne la large lame contre elle.

Maintenant.

Elle remonta discrètement sa robe et son jupon sur ses cuisses. Referma la main sur la grosse pierre qu'elle avait arrachée de la terre battue quelques jours plus tôt. Raffermit sa résolution. La colère de Barnabé se déchaînerait sur elle si elle échouait dans sa tentative. Il avait la puissance et les réflexes d'un animal sauvage. Il lui fracasserait le crâne ou le cou d'un seul coup de poing. Elle calma d'une brève expiration les battements désordonnés de son cœur. Se redressa lentement, les yeux rivés sur la nuque épaisse de son ravisseur. Refoula la terreur qui déferlait en elle. Il balayait le sol avec méthode, maniaquerie presque.

Une fois debout, elle s'efforça de dominer le tremblement de ses jambes. S'approcha de lui. Suspendit sa respiration. Leva le bras. La pierre pesait une tonne dans sa main droite.

Elle l'abattit avec toute l'énergie et la rage dont elle était capable. Il se retourna au dernier moment, alerté par son mouvement. Trop tard pour esquiver la pierre, qui le frappa sur le côté du front. Il fléchit en poussant un rugissement terrible. Il tenta au passage d'agripper Clara. Elle l'esquiva d'un pas sur le côté, puis, lâchant la pierre, elle se précipita vers la sortie. Il gémit, mais elle ne commit pas l'erreur de se retourner. Elle franchit l'ouverture et bondit sur la porte pour la refermer. Il cria de nouveau. Un hurlement déchirant de loup blessé. Affolée, elle chercha le verrou placé, en dépit de toute logique, en bas de la porte. Elle ne réussit pas à le faire coulisser. Si elle ne l'enfermait pas, elle n'avait aucune chance de lui échapper. La peur la rendait fébrile, maladroite. Ses doigts ripaient sur la poignée rugueuse et blessante du verrou. Les gémissements de Barnabé se rapprochèrent. Elle s'arc-bouta sur le métal en ahanant. Des larmes de panique et de frayeur jaillirent de ses yeux. La barre métallique s'enfonça enfin dans le crampon juste avant qu'un premier coup n'ébranle la porte, suivi d'un grognement de dépit.

Clara se recula. Un deuxième choc secoua les planches jointes. Bien qu'elles fussent épaisses et solides, elles céderaient rapidement sous les poussées rageuses de Barnabé. Elle gravit les quatre marches habillées de mousse et observa les environs.

La lumière du jour l'éblouit, même si une horde de nuages noirs poussés par le vent occultait le soleil. La maison était basse, trapue, comme ces constructions des marais conçues pour résister aux vents. Des ronces s'agrippaient aux pierres des murs et lui donnaient l'allure d'une demeure abandonnée. Sa couverture de tuiles brunes et moussues présentait quelques brèches par lesquelles saillaient des moignons de poutres. Devant s'étendait un champ d'herbes hautes traversé de larges sillons – la chasse à courre de l'autre jour sans doute. Derrière, sur les côtés, dans le lointain, se dressait la masse sombre et intimidante d'une forêt.

Les terreurs d'enfant de Clara se réveillèrent. Même si elle se prétendait sauvage, elle avait toujours assimilé la forêt au danger. C'était le monde de l'obscurité et de la cruauté, une succession de labyrinthes tortueux, ténébreux, d'où l'on ne pouvait jamais sortir. Autant les rues de Versailles lui semblaient rassurantes avec leurs façades immaculées, leurs trottoirs nettoyés deux fois par jour, leurs fenêtres fleuries, leurs jardins parfaitement taillés et leurs parcs bien ordonnés, autant la nature lui paraissait hostile, féroce.

Une nouvelle série de coups sur la porte la tira de ses pensées. Barnabé, avec sa force herculéenne, ne tarderait pas à recouvrer la liberté. Elle n'avait pas le choix. La mort dans l'âme elle se dirigea, d'abord en marchant, ensuite en courant, vers l'orée de la forêt.

La forêt semblait n'avoir jamais de fin.

Totalement perdue, Clara avançait au hasard. Elle se frayait un passage dans une végétation de plus en plus dense, écartant les buissons et les branches basses des arbres. Le tapis de feuilles et de bois mort craquait sous ses pas. L'eau des flaques dans lesquelles elle pataugeait s'infiltrait dans les craquelures du cuir fin de ses bottines. Ses chevilles se tordaient dans les crevasses traîtresses de la terre.

Elle avait couru un long moment pour mettre la plus grande distance entre Barnabé et elle. À plusieurs reprises, un fracas, un souffle, un froissement lui avait donné à penser qu'il la talonnait. Elle s'était figée, épouvantée. À son grand soulagement, il n'avait pas surgi des rideaux végétaux qui frissonnaient autour d'elle. Ébranlée par les battements désordonnés de son cœur, elle avait repris ses esprits et son souffle avant de se remettre en chemin.

Elle pensait l'avoir semé. Elle s'habituait peu à peu au murmure permanent de la forêt, aux craquements, aux ululements, aux bourdonnements, aux trilles, aux murmures, aux frémissements. La nuit tombait, avec, dans ses replis sombres, un froid humide et mordant. Les jambes de Clara étaient lourdes. Elle n'avait pas l'habitude de marcher. Elle utilisait toujours l'une des quatre voitures familiales pour se rendre d'un quartier à l'autre de Versailles.

Un air de plus en plus coupant se glissait par les déchirures de ses vêtements et de ses chaussures. Elle ne voyait pratiquement rien. La faim et la soif commençaient à la tarauder. Elle regrettait presque de s'être évadée. Au moins, dans son cachot, elle mangeait à sa faim, elle dormait sur une litière de paille, la couverture l'épargnait du froid, les murs et le toit la protégeaient des bêtes sauvages et des autres créatures de la forêt. Elle aurait dû attendre qu'on vienne la délivrer. Les recherches s'étaient interrompues, mais, tôt ou tard, quelqu'un, un chasseur, un promeneur, un bûcheron, un paysan, serait passé à proximité de la maison basse et aurait remarqué sa présence.

Une branche basse et souple lui cingla le visage. Elle devait maintenant s'arrêter. Elle risquait de tomber dans une cavité ou une mare. La perspective de passer la nuit dans le cœur désolé de la forêt la glaçait d'effroi. Ses yeux s'accoutumaient peu à peu à l'obscurité. Secouées par un vent de plus en plus violent, les branches s'agitaient et grinçaient autour d'elle. Tremblante, elle ramassa les feuilles et les branchages avec lesquels elle confectionna un épais matelas. Elle rassembla ensuite un deuxième tas, s'allongea sur le premier et se recouvrit d'une épaisse couche végétale, tête comprise, en ménageant un petit espace pour respirer. Incommodée par l'odeur d'humus, elle résista à la tentation de repousser les branches et les feuilles qui lui tenaient chaud et lui donnaient la sensation, illusoire sans doute, d'être protégée. Ses muscles endoloris, engourdis, se détendirent peu à peu.

Elle se réveilla en sursaut. Des bruits résonnaient près d'elle. Elle ne bougea pas. Du coin de l'œil, il lui sembla entrevoir, entre les brindilles entrelacées, des mouvements furtifs dans les ténèbres. Des bêtes sauvages. Elle eut le souffle coupé, une ombre glacée lui enserra les épaules et le dos, un gémissement mourut sur ses lèvres. Elle ne sut combien de temps elle resta suspendue aux grattements, aux piétinements, aux grognements.

Ce furent un rayon du jour et une sensation persistante d'humidité qui la délivrèrent de son cauchemar. Elle avait fini par se rendormir. Des gouttes fraîches se faufilaient sur son visage et son cou. Il pleuvait. L'eau alourdissait sa couverture de branches et de feuilles. Elle se releva avec les pires difficultés, engourdie par les courbatures. La faim était maintenant dévorante. Elle but un peu d'eau au creux d'une large feuille, insuffisante pour étancher sa soif. Les bêtes sauvages avaient laissé des traces de leur passage non loin de son matelas de feuilles, creusant de larges brèches dans les buissons et de profondes empreintes dans la boue. Des touffes de poils noir et gris étaient restées accrochées aux branches basses. Combien de temps étaient-elles restées près de Clara ? Pourquoi ne l'avaient-elles pas agressée ?

Filtrée par les frondaisons, la pluie tombait en fines gouttes. Clara leva les yeux sur le ciel : elle savait, comme toutes les filles ayant reçu un minimum d'instruction, que le soleil se levait à l'est et se couchait à l'ouest. Il aurait pu lui offrir un solide point de repère, lui donner une orientation, mais le manteau épais et noir des nuages l'occultait entièrement. La végétation ne lui fournissait pas davantage d'indication. Elle regrettait d'avoir négligé ses leçons de géographie : elle aurait pu deviner dans quelle forêt elle se trouvait, quels villages ou quelles villes la bordaient.

Elle décida de marcher au hasard en espérant que le soleil ferait bientôt sa réapparition et qu'elle trouverait rapidement une sortie.

Elle fut encore une fois tentée de s'arrêter, d'allonger son corps fourbu et d'attendre que la mort vienne la délivrer de ses tourments. Elle avait l'impression de porter un poids de plusieurs tonnes sur les épaules. Chaque pas supplémentaire lui coûtait une énergie folle. Elle n'aurait jamais pensé qu'elle avait autant de résistance. Une simple marche d'une centaine de mètres dans les rues tranquilles de Versailles suffisait à l'essouffler. Même quand elle s'était rendue au palais, et malgré son impatience de rencontrer la reine, les dames de compagnie et les grands courtisans, elle avait éprouvé les pires difficultés à tenir les deux heures exigées par le protocole. Elle en avait déduit qu'elle n'était pas d'une constitution très robuste et elle s'en était d'autant plus facilement accommodée qu'elle était de tendance paresseuse, comme toutes ses amies d'ailleurs. La dépense physique leur semblait réservée aux travailleurs du peuple, incompatible avec la douceur et la volupté de leur univers. Pourtant, son rêve de découvrir le vaste monde ne pourrait pas se réaliser sans un minimum de robustesse.

Ses ressources la surprenaient. Elles lui avaient permis de continuer malgré la faim, la soif et le découragement. Elle marchait comme une automate sans savoir où la portaient ses pas. La pluie continuait de tomber, un crachin tenace et froid qui ne se lèverait pas de la journée. Les cheveux et les vêtements de Clara étaient détrempés. Elle sentait monter la fièvre. Elle guettait le moindre indice de changement, une végétation différente, un sentier, une clairière, n'importe quelle indication qui lui aurait prouvé qu'elle ne tournait pas en rond, mais c'étaient toujours les mêmes arbres, les mêmes buissons, les mêmes fougères, les mêmes tapis de feuilles et de branches mortes. Et l'impression démoralisante d'être revenue sur ses pas, d'avoir parcouru tout ce chemin en vain. Chaque fois que la tentation la tourmentait d'abandonner, elle pensait à sa famille pour se donner du courage, à ses deux dernières sœurs surtout, Josépha et Lætitia. Comme elle aurait aimé les serrer sur son cœur, ces deux adorables têtes blondes qui avaient encore dans les yeux l'émerveillement de l'enfance.

Elle marcha encore une bonne partie du jour. Ses jambes flageolaient, elle peinait de plus en plus à mettre un pied devant l'autre. Elle trébucha une première fois, amortit sa chute en se raccrochant aux branches souples d'un buisson, se releva, avança encore d'une dizaine de mètres avant de s'effondrer, cette fois de tout son long, sur l'épais tapis de feuilles gorgées d'eau. Elle perdit connaissance.

Elle eut la vague sensation d'être soulevée, emportée.

Était-ce un rêve ? Ou la mort qui s'emparait d'elle ?

CHAPITRE 9

Jean observait à la dérobée ses compagnons d'infortune, les trois garçons serrés sur le banc en face de lui, les deux autres assis à ses côtés. Tous les cinq menottés, comme lui.

Les incessants cahots du camion les jetaient d'un côté à l'autre. Ils ne dormaient pas malgré la fatigue qui leur creusait les traits. De temps à autre, la lueur d'un réverbère tombait sur les hautes et étroites vitres grillagées et enflammait leurs yeux agrandis par l'inquiétude. Trois d'entre eux étaient plus âgés que Jean, seize ou dix-sept ans peut-être, le quatrième avait treize ou quatorze ans, le cinquième semblait avoir à peine passé les dix ans.

Les gouttes de pluie cinglaient la tôle, les rafales de vent secouaient le camion.

Les gendarmes n'avaient pas perdu de temps après avoir conduit au centre de détention Magda et les quatre élèves que l'homme en noir l'avait obligée à choisir. Avant d'être emmenée en compagnie de la fille de quatorze ans dans le quartier des femmes, l'institutrice avait levé sur Jean et les deux autres garçons un regard tragique, brouillé de larmes.

« Pardon, pardon, je n'ai jamais voulu... vous ne méritiez pas... ils ne m'ont pas laissé le choix. »

Jean l'avait rassurée d'un sourire en contenant ses sanglots. Les gendarmes avaient relevé Magda sans ménagement et, avec une brutalité révoltante, l'avaient poussée vers une porte métallique. Les trois garçons avaient été répartis dans de minuscules bureaux où ils avaient subi un long interrogatoire.

Deux civils vêtus d'un costume sombre, des cafards, s'étaient occupés de Jean. Ils l'avaient harcelé de questions qui avaient claqué à ses oreilles comme autant de coups de fouet.

Depuis combien de temps fréquentait-il cette école ? Depuis combien de temps connaissait-il cette institutrice ? Qu'avait-il appris ? Ses parents étaient-ils complices ? Qui étaient les autres élèves ? À qui appartenait ce grenier ? Combien de cours par semaine ? À quelle heure ? Avait-il déjà travaillé ? Où ? Avait-il rencontré des séditieux (il n'avait aucune idée de ce que signifiait le mot séditieux) ? Savait-il que l'école était interdite aux gens du peuple ? Oui, évidemment, nul n'était censé ignorer les lois séculaires du royaume. Pourquoi, puisqu'il savait, avait-il violé la loi ?

Épuisé, il n'avait pas répondu à toutes leurs questions, d'abord parce qu'il n'en connaissait pas toujours les réponses, ensuite parce qu'ils ne lui en laissaient pas le temps. Ses aveux n'auraient strictement rien changé de toute façon. Les cafards avaient enregistré sa déposition avec un petit appareil et, se moquant de lui, ils lui avaient fait écouter sa propre voix. Il avait été surpris et vaguement humilié de s'entendre. Il détestait ce timbre où se succédaient sans logique apparente les graves et les aigus. Il avait repensé à Lise, à leur baiser, à leur tête-à-tête devant le lavoir du domaine de la Roussière : c'était avec cette même voix de fausset qu'il lui avait parlé. Comment avait-il pu s'imaginer qu'une fille comme elle s'intéresserait à un garçon comme lui ?

Les deux hommes l'avaient ensuite conduit au tribunal installé dans le centre de détention. Le juge, exaspéré par sa veille prolongée, l'avait condamné à cinq ans d'internement dans un camp de redressement du Jura, la peine habituelle et quasi automatique pour ce genre de crime. Le seul élément divertissant de cette pièce grise et morne était la perruque blanche du juge posée de guingois sur sa tête. Trônant derrière un immense bureau de bois, il officiait seul dans son ample robe rouge et noir, agitant son petit maillet entre chaque phrase. Magda disait pourtant qu'un homme seul ne pouvait rendre la justice avec sérénité, que l'accusé, dans un pays réellement civilisé, bénéficiait de la présomption d'innocence, que les crimes les plus graves étaient jugés par plusieurs hommes appelés jurés. Rien d'autre dans cette salle sinistre qu'un homme mal rasé au long nez recourbé et au menton en galoche dont les yeux chiffonnés fixaient ses proies avec sévérité et mépris.

Sitôt la sentence prononcée, les cafards avaient passé les menottes à Jean et l'avaient bouclé dans une cellule humide meublée d'une cuvette de toilettes et d'une couchette de bois sur laquelle il s'était allongé. Il s'était assoupi malgré l'inconfort de sa position jusqu'à ce que des gendarmes viennent le réveiller et l'escorter au fourgon stationnant dans la cour pavée.

Les deux garçons assis aux côtés de Jean venaient comme lui d'une cité ouvrière de la région parisienne. Employés aux Halles de Paris, ils avaient détourné de la nourriture pour la revendre à bas prix à des familles de leur quartier. Dénoncés par une lettre anonyme, ils s'étaient enfuis et cachés dans un terrain vague où ils avaient fini par être capturés. Ils avaient raconté leur histoire avec des mots hésitants avant de se claquemurer dans un mutisme maussade. Ces deux-là partaient pour le camp de Marly-le-Roi, situé à l'ouest de Paris. Une fois qu'ils auraient été remis aux autorités, le fourgon prendrait la direction du nord, où il livrerait deux autres prisonniers, puis il mettrait le cap sur le massif du Jura qui abritait le camp réputé pour être le plus dur du royaume.

Jean bougea précautionneusement ses poignets endoloris par les menottes. Il ne pouvait pas fermer l'œil bien que la fatigue lui pesât sur les épaules comme un joug. Le ronronnement du moteur transperçait le plancher métallique et vibrait jusqu'en haut de ses jambes.

« Pourquoi t'es là, toi ? »

Il fallut quelques secondes à Jean pour se rendre compte que l'un des garçons âgés de seize ou dix-sept ans assis sur le banc d'en face lui adressait la parole.

« Je... j'ai fait l'école clandestine. »

Son interlocuteur ricana.

« L'école ? Me dis pas que tu t'es foutu dans cette merde pour avoir voulu apprendre à lire et à écrire. Tu croyais vraiment que ça changerait quelque chose à ta vie ?

– J'avais seulement envie d'apprendre.

– Les instituteurs t'ont fourré de drôles d'idées en tête, mon vieux. Chaque fois que les gens comme nous ont voulu s'élever au-dessus de leur condition, ça s'est terminé par un massacre.

– Et toi, pourquoi tu es là ? »

La lèvre supérieure de l'autre se retroussa sur des dents taillées en pointe.

« J'suis pas un gars très fréquentable, j'ai déjà fait un séjour de trois ans dans un camp d'Auvergne, j'avais onze ans. Ils croyaient m'avoir remis sur le droit chemin, mais, dès que je suis sorti de leur fichu camp, j'suis revenu à ce que j'sais faire.

– Qu'est-ce que tu sais faire ?

– J'fais partie d'un clan. J'y suis entré à l'âge de huit ans. Tiens, regarde. »

Le garçon leva ses mains entravées par les menottes, déboutonna sa veste, sa chemise, et dégagea sa poitrine où était tatoué, sur toute la largeur, un insecte pourvu d'un long dard.

« Un scorpion. Tu en as déjà vu ? »

Jean secoua la tête.

« Si tu te fais piquer par son dard, tu meurs en quelques minutes. Le symbole du clan. Se mêler de nos affaires, c'est se condamner à une mort rapide.

– C'est quoi, les affaires du clan ? »

Le garçon reboutonna sa veste et sa chemise avant de se pencher vers Jean. Une barbe clairsemée recouvrait en partie ses joues hâves. Un nouveau cahot faillit le renverser du banc.

« Des trafics, des combines... On fournit aux bourgeois tout ce dont ils ont besoin. De l'opium, de la poudre, des armes, de l'alcool, des filles. On règle aussi certaines de leurs histoires. En principe, ça nous garantit une certaine tranquillité. Mais là, y a eu une embrouille : un fils de famille qui a trop forcé sur la poudre et qui en est mort. Alors les asticots sont intervenus...

– Les asticots ? »

Un sourire égaya la face lugubre du vis-à-vis de Jean.

« Le surnom des gendarmes royaux. Ils sont tout blancs et grouillent autour des charognes, comme les asticots. Ils ont négocié avec le parrain du clan. Et comme il fallait un coupable pour calmer la colère de la famille, j'ai été désigné. Œil pour œil, dent pour dent.

– Tu n'as pas pu te sauver ? »

Le garçon se releva et bomba le torse.

« J'ai accepté le marché pour ménager l'intérêt du clan. En échange, je serai libéré dans deux ans et j'prendrai du galon. Comment tu t'appelles ?

– Jean.

– Moi, c'est Jules. Tu vas dans quel camp ?

– Celui du Jura.

– Alors on fera le chemin ensemble. J'suis comme toi attendu là-bas. »

Jean hésita avant de poser la question qui lui brûlait les lèvres.

« Tu... tu as déjà porté une arme ?

– Même que je m'en suis servi...

– Tu as tué quelqu'un ? »

Jules marqua un temps de silence, ménageant ses effets.

« Faut passer un pacte de sang pour faire partie du clan.

– C'était... un ennemi du clan ?

– Même pas, un individu qui faisait la classe à des pauvres gars comme toi, un agitateur. »

Le coup de frein les projeta brutalement sur la cloison du fond. Le fourgon partit dans un long dérapage. Le moteur rugit une dernière fois avant de caler.

Des glapissements, des vociférations, des détonations retentirent. Les balles percutèrent en miaulant la carrosserie. Aux tirs espacés répondirent les rafales des fusils automatiques des trois gendarmes royaux postés à l'arrière du fourgon.

« Ma parole, ils nous prennent pour des pigeons ! » hurla Jules.

Les tirs provenaient de toutes les directions. Le véhicule s'affaissa sur un côté, un pneu crevé. Jean crut que les projectiles allaient perforer la tôle et rentra instinctivement la tête dans les épaules. Des lueurs brèves, rageuses, éclairaient par intermittences l'intérieur du fourgon plongé dans l'obscurité.

« Rendez-vous ! Il ne vous sera fait aucun mal. »

Il y eut un temps de silence, puis, de nouveau, un échange de tirs. Les trois autres pneus du fourgon éclatèrent l'un après l'autre.

« Des terroristes », murmura Jules.

Terroristes...

Jean avait souvent entendu ce mot dans la bouche des adultes. On les disait cruels, sanglants, ils massacraient des gendarmes ou des administrateurs du royaume, certains d'entre eux étaient abattus pendant les escarmouches, d'autres capturés et fusillés en public. Ils réclamaient un nouveau régime, une meilleure répartition des richesses et des savoirs. La mère de Jean ouvrait des yeux épouvantés lorsqu'on parlait devant elle des terroristes. Il n'en comprenait pas la raison : elle ne risquait rien, ils ne s'attaquaient jamais aux gens du peuple.

« Cessez le tir ! Je répète : il ne vous sera fait aucun mal. »

Des murmures derrière eux informèrent les prisonniers que les gendarmes discutaient de la conduite à suivre.

« Ils vont pas obéir, j'espère ! maugréa Jules.

– Tu peux tout de même pas prendre le parti des asticots ! protesta l'un des deux garçons assis à côté de Jean.

– Pourquoi tu crois que les terroristes ont attaqué notre fourgon ? riposta Jules. C'est leur façon de recruter. On ne pourra rien faire de notre liberté, on sera condamnés à vivre dans la clandestinité. Moi, j'ai d'autres projets. »

Les gendarmes prolongèrent leur conciliabule jusqu'à ce que l'un d'eux dise, d'une voix forte :

« Quelle garantie nous offrez-vous ?

– Nous vous laissons cinq minutes pour vous éloigner, lui répondit son interlocuteur. Vous aurez juste à déposer vos armes et les clefs des menottes sur la route. »

Nouveau conciliabule entre les gendarmes.

« Vous garantissez la vie sauve au chauffeur ?

– Bien entendu.

– Avons-nous votre parole d'homme ?

– Vous l'avez.

– D'accord. Nous allons sortir. »

Le crissement d'un verrou précéda de deux secondes le grincement du hayon. On n'entendit plus que le crépitement des gouttes de pluie sur le toit du fourgon.

« Ils n'ont vraiment rien dans le pantalon ! marmonna Jules. Ils ont tort de croire que ces poux tiendront parole. »

Le claquement de la portière du chauffeur vibra un long moment dans l'obscurité. Jean devina, aux bruits de pas, que les gendarmes et le chauffeur s'éloignaient du véhicule. Un ordre fusa et déclencha une fusillade nourrie plus assourdissante qu'un fracas de cataracte. Aucun cri ne s'éleva, seulement le choc sourd des corps tombant comme des masses sur le sol gorgé d'eau. Une odeur de poudre se diffusa dans l'air humide et froid.

« Qu'est-ce que j'avais dit ! souffla Jules. On peut pas faire confiance à ces poux de terroristes. »

Quelques instants plus tard, la porte de la cellule s'ouvrit et livra passage à un homme à la tête enfouie sous une cagoule aussi noire que sa combinaison et ses chaussures montantes. D'une main il brandissait un pistolet au canon fin et long, de l'autre un trousseau de clefs.

« Les clefs de la liberté, les gars. »

Il débarrassa les prisonniers de leurs menottes et les invita à sortir. Jean se mit à trembler lorsqu'il se retrouva dehors sous la pluie glaciale. Les corps des trois gendarmes et du chauffeur gisaient une vingtaine de mètres plus loin dans la flaque d'eau barrant la route sur toute sa largeur.

La phalange terroriste comptait une vingtaine de membres. Ils avaient abattu un arbre pour contraindre le fourgon à s'immobiliser. Ils appartenaient au mouvement DO, Démocratie Occidentale, qui, en liaison avec des mouvements des autres royaumes d'Europe, projetait de renverser la monarchie et de rendre le pouvoir au peuple. Ils portaient tous les mêmes tenues noires. Leurs yeux brillaient par les fentes oculaires de leurs cagoules.

« Pourquoi vous les avez tués ? demanda Jules en désignant les gendarmes. Vous leur aviez promis la vie sauve.

– Nous leur rendons seulement la monnaie de leur pièce, répondit un homme. Combien de fois ont-ils exécuté les nôtres après leur avoir promis de les gracier ? Et puis c'est un message adressé aux autorités du royaume : il faut qu'elles sachent que nous lutterons jusqu'au bout, qu'elles n'auront jamais de répit.

– Qu'allez-vous faire de nous ?

– Vous venez avec nous à notre camp de base. Nous en discuterons là-bas. »

Six terroristes se chargèrent du fourgon tandis que les autres, abandonnant les cadavres des gendarmes et du chauffeur au milieu de la route, s'engageaient dans un sentier qui s'enfonçait dans le cœur sombre d'une forêt. Jean suivait Jules qui marchait d'un bon pas devant lui. Il oubliait peu à peu le froid et la faim. Les événements s'étaient succédé à une telle vitesse qu'il avait l'impression tenace d'évoluer comme dans un rêve. Il avait commencé la nuit dans un grenier transformé en salle de classe, il l'avait poursuivie dans un sinistre centre de détention, il la terminait au milieu d'une phalange terroriste dans une forêt de l'Ouest parisien. Il était passé en quelques heures de l'émerveillement à l'humiliation, du désespoir à l'exaltation.

Il lui semblait avoir quitté sa mère, ses sœurs et oncle Michel depuis plusieurs mois. Et son père depuis plus longtemps encore, lui qui était parti de la maison le soir même de leur retour du domaine de la Roussière.

Jules se retournait régulièrement pour lui adresser un regard complice. Jean le trouvait sympathique malgré son caractère fanfaron et cynique. Peut-être parce qu'il semblait incapable de tricher, de mentir.

Le jour se levait lorsqu'ils arrivèrent au camp de base des terroristes. Les huttes aux cloisons et aux toits de branchages se confondaient avec la végétation environnante. Jean fut surpris de déboucher tout à coup dans une allée bordée de chaque côté d'habitations rudimentaires. Levant la tête, il aperçut les sentinelles réparties dans les branches des arbres environnants. Des bâches ajourées tendues sous les frondaisons filtraient les panaches de fumée qui montaient des foyers dispersés dans les allées latérales. La bise dispersait des odeurs de café, de pain, d'œufs et de jambon grillé.

Une centaine d'hommes vivaient dans le cœur de la forêt, une trentaine de permanents, d'anciens repris de justice évadés pour la plupart, et soixante-dix temporaires, ceux qui gardaient une activité extérieure et assuraient à tour de rôle le ravitaillement. Quelques-uns venaient de royaumes ou d'empires voisins, un Anglais, deux Allemands, un Autrichien, un Russe, un Polonais et un Italien. Entrés illégalement en France, ils renforçaient les liens avec les partis clandestins étrangers. Ils utilisaient pour communiquer un réseau calqué sur le modèle de R2I officiel. Des techniciens avaient installé des écrans, des générateurs d'électricité et une antenne circulaire sur le faîte d'un chêne.

Les images qu'il entrevit sur les écrans fascinèrent Jean. Magda avait parlé de ces technologies extraordinaires réservées à l'élite de la nation qui permettaient de recevoir et d'envoyer des images à l'autre bout de la terre.

« Pas la peine d'ouvrir des yeux de hibou ! maugréa Jules qui avait surpris son regard ébahi. Y en a plein, des trucs comme ça, chez le chef de mon clan. »

On convia les six garçons à un petit déjeuner copieux servi dans une hutte centrale et ouverte qui servait de réfectoire et de salle de réunion. Bien qu'insipide, le café bouillant dissipa momentanément la fatigue qui tiraillait les yeux de Jean et embrouillait ses pensées.

On lui agrippa l'épaule.

« C'est toi, Jean ? »

Il acquiesça d'un hochement de tête.

« Viens donc avec moi, quelqu'un veut te voir. »

Il salua Jules d'un sourire avant de se lever. L'homme, un gaillard d'une trentaine d'années vêtu d'une veste et d'un pantalon de toile écrue (les combinaisons noires, selon les dires d'un terroriste, étaient réservées aux expéditions nocturnes), l'entraîna par les allées du camp devant une hutte légèrement à l'écart.

« Entre là-dedans, on t'attend. »

Jean obtempéra. Il eut besoin de quelques secondes pour s'accoutumer à la pénombre de la hutte. À l'intérieur, assis sur une souche d'arbre, quelqu'un l'examinait avec une grande attention.

Il connaissait ce regard.

CHAPITRE 10

Les conditions de détention s'étaient durcies.

Barnabé avait enlevé la botte de paille, le paravent du cachot, le savon noir et le seau d'eau pour les ablutions, ne laissant à Clara que sa couverture. L'humidité qui suintait des murs et de la terre battue imprégnait les vêtements et les cheveux de la captive. Les nuits étaient éprouvantes, d'autant que sa fièvre n'avait pas baissé. Bien que son front fût brûlant, elle ne parvenait pas à se réchauffer, elle claquait des dents et tremblait de tous ses membres. Elle ne touchait pratiquement pas au plateau que son geôlier lui apportait chaque jour. Les quelques gouttes qu'elle se forçait à boire se frayaient un passage difficile dans sa gorge douloureuse.

Et puis, surtout, la fatigue et le découragement lui retiraient toute envie de vivre. Même si elle comprenait que ses parents avaient d'autres chats à fouetter, elle était triste et amère d'avoir été abandonnée. Elle avait parfois douté de l'amour de sa mère qui l'avait fixée, enfant, avec une répulsion à peine voilée, mais jamais de l'affection de son père. Il lui avait discrètement passé la plupart de ses caprices. Entre eux s'était nouée une complicité que le temps avait légèrement distendue. Sans doute avait-il accepté rapidement sa disparition parce que, voyant qu'elle grandissait, il avait commencé à s'éloigner d'elle. Elle croupissait maintenant dans une solitude absolue, comme l'un de ces corps célestes qui, selon son précepteur, dérivaient pour l'éternité dans l'espace infini et froid. Elle en arrivait à souhaiter que Barnabé l'achève dans une crise de démence, mais il se contentait de lui livrer son repas quotidien toujours à base d'eau, de pain et de fromage, en lui jetant des regards furtifs et sombres. Il ne lui fournissait plus de vêtements de rechange.

Le coup assené par Clara avait provoqué une énorme bosse au coin de son front, juste au-dessus du sourcil. Elle s'en voulait de l'avoir frappé. D'abord, ça n'avait servi à rien, puisqu'il l'avait rattrapée à l'issue d'une course-poursuite éreintante ; ensuite, elle avait participé à sa façon aux malheurs d'un homme déjà peu gâté par la vie. Elle éprouvait pour lui un sentiment qu'elle n'avait jamais ressenti auparavant, mais qui ressemblait fort à la pitié.

Clara n'avait pas remarqué la souffrance autour d'elle. Pourtant, lorsqu'elle se souvenait des visages des gens du peuple croisés sur les routes ou dans les rues, elle distinguait nettement la douleur, la désolation, la résignation. Elle n'avait pas pris conscience qu'il y avait un monde autour d'elle, un monde en dehors de l'atmosphère paisible de Versailles, un monde hors des murs des luxueux hôtels particuliers, un monde qui s'entassait dans les immeubles insalubres des quartiers populaires et gagnait son pain à la sueur de son front. Ses amies et elle avaient passé des heures à se moquer des travailleurs aux mains rugueuses et aux manières grossières. Elle le regrettait à présent : elle avait aperçu, dans les yeux profondément renfoncés de son ravisseur, une détresse semblable à celle des cous noirs qui jaillissait d'une source intarissable, de la nuit des temps.

Elle toucha son front : toujours aussi chaud. Elle était vidée de ses forces. Sa couverture lui paraissait aussi humide et froide que la terre battue. Dehors, il ne cessait de pleuvoir. Les murs ruisselaient, des flaques grossissaient dans les creux du sol. Elle allait mourir dans ce ventre sombre et fétide, loin des châteaux, des ors et des intrigues de la cour. Elle ne s'en désolait pas. La fièvre lui faisait parfois perdre contact avec la réalité. Ses pensées passaient au travers de son cerveau comme des poissons au travers des mailles percées d'un filet. Elle se demandait souvent si elle n'était pas en train de rêver.

Tracassée par une sensation de présence, elle se réveillait parfois et apercevait le visage de Barnabé penché au-dessus du sien. Il se reculait dès qu'elle ouvrait les yeux, farouche, gêné d'avoir été pris en flagrant délit d'observation. Il n'y avait pas de colère dans le regard de son ravisseur, seulement un intérêt mêlé de méfiance et d'admiration. Elle lui souriait, du moins elle avait l'impression que ses lèvres esquissaient un mouvement semblable à un sourire. Il se relevait alors et sortait en poussant un long soupir.

Que faisait-il de ses journées dans le cœur de la forêt ? Où prenait-il le pain, le fromage, l'eau et les fruits qu'il lui apportait ? Il se fournissait bien quelque part, il y avait probablement un village tout près, ou une ferme. Elle avait pris la mauvaise direction l'autre fois. Pas de chance. Ou était-ce le destin ? Le précepteur disait que croire au destin, c'était renoncer à sa liberté d'être humain. Mais pourquoi était-elle partie dans une direction plutôt que dans une autre ? Pourquoi était-elle née dans un milieu plutôt que dans un autre ? Pourquoi était-elle une femme plutôt qu'un homme ? Est-ce qu'elle avait vraiment eu le choix ?

Parfois Clara entendait Barnabé marcher au-dessus d'elle. Le plancher et les poutres craquaient sous son pas lourd. Elle entendait également le claquement caractéristique de la porte lorsqu'il partait. Il lui arrivait de s'absenter longtemps. La forêt recelait un certain nombre de pièges, fosses, mares, cavités, dans lesquels il pouvait tomber et se briser les vertèbres. Elle mourrait rapidement s'il ne revenait pas. La soif et le désespoir se chargeraient de l'achever. Mais il finissait toujours par tirer le verrou et s'introduire dans le cachot, le plateau en main, la tête rentrée dans les épaules. À la lumière du jour libérée par l'entrebâillement de la porte, elle entrevoyait des égratignures sur ses joues, son front ou ses avant-bras. Comme s'il s'était fourvoyé dans un buisson d'épines ou frotté à l'écorce rugueuse d'un arbre. Elle ne lui posait aucune question, de peur d'exciter la colère qui, de temps à autre, lui enflammait les yeux. Il la fixait à la dérobée un long moment sans rien dire. Ses expirations s'achevaient en gémissements sourds, un peu comme ceux d'un chien malheureux. Curieusement, elle se sentait exister dans son regard ; c'était le seul fil qui la reliait à la vie.

La fièvre était tombée. Bien qu'encore faible, Clara parvint à se redresser lorsque le crissement du verrou annonça la venue de Barnabé. Il apparut dans le flot de lumière qui se déversait par l'entrebâillement. Il n'était pas vêtu comme d'habitude.

Il portait un uniforme vert kaki dont ses larges épaules torturaient les coutures ainsi qu'un fusil d'assaut en bandoulière. La respiration de Clara se suspendit. Il ne lui apportait pas son plateau quotidien, il venait la tuer. Les traits de son geôlier exprimaient une résolution et une fierté qu'elle ne lui connaissait pas. Il s'immobilisa à deux pas d'elle. Elle eut la nette impression qu'il paradait à son intention.

Elle lui sourit.

« Vous... vous êtes très élégant, Barnabé. »

Elle douta qu'il eût entendu son tout petit filet de voix, mais une lueur d'orgueil brilla dans les yeux de son geôlier.

« Bar-na-bé... sol-dat... »

Soldat ? Elle ne connaissait pas ce genre d'uniforme.

« Vous partez en guerre ? Que comptez-vous faire de moi ? »

Barnabé se renfrogna, puis son front se plissa, se creusa, comme à chaque fois qu'il s'apprêtait à parler.

« Res-ter... res-ter là... pas bou-ger...

– Mais si vous partez pour un long temps, qui s'occupera de moi ? »

Il se frappa la poitrine du plat de la main.

« Bar-na-bé...

– Si vous n'êtes pas là, je ne vois pas comment... »

Il sortit sans lui laisser le temps de finir sa phrase, l'abandonnant à ses incertitudes. Il revint quelques instants plus tard, les bras chargés d'une botte de paille sur laquelle il avait disposé un plateau, un seau plein d'eau, une couverture de laine et un tas de vêtements pliés. Il posa le tout devant elle avec une grimace de satisfaction, renversant au passage quelques gouttes d'eau du seau. La bosse à son front s'était en grande partie résorbée. Le plateau contenait un pain et un fromage entiers, une carafe d'eau, un tas de noix et une dizaine de pommes jaune et rouge.

« Par-tir Bar-na-bé... Re-ve-nir... Pas par-tir Cla-ra... Pas par-tir... »

Ses derniers mots avaient été prononcés d'une voix sourde, menaçante.

« Rassurez-vous, je n'essaierai pas de m'échapper. »

Ce n'était pas une promesse en l'air. Elle n'avait pas l'intention de se lancer dans une aventure aussi pénible que sa première tentative d'évasion. Elle devait encore reprendre des forces et se forger un nouveau moral. Attendre cette fois que quelqu'un vienne la délivrer. Elle n'y croyait pas, comme si cette masure était située hors de l'espace et du temps, mais elle refusait catégoriquement d'affronter la forêt et ses innombrables dangers.

Barnabé la contempla en tirant sur les manches de sa veste d'uniforme.

« Bar-na-bé... sol-dat... fa-mille... fa-mille... »

Son index puissant et noueux s'était pointé sur Clara. Elle crut comprendre qu'il lui proposait de fonder une famille et frémit de dégoût. Même dans ses cauchemars les plus terribles, elle n'avait jamais imaginé être unie à un homme aussi repoussant.

« Je ne voudrais pas vous mettre en retard. » Elle désigna la botte de paille. « Merci à vous pour tout ceci. »

Les lèvres de Barnabé fendirent son visage d'une oreille à l'autre et en accentuèrent l'aspect difforme.

« Bar-na-bé re-ve-nir... »

Son fusil d'assaut, un modèle tout neuf, accrocha un reflet de lumière. Clara aperçut, dans l'entrebâillement de sa veste, une ceinture de cuir équipée d'une dizaine de chargeurs.

Quand elle eut fini son repas, elle se dévêtit et, malgré la fraîcheur, prit le temps de se laver avec l'eau du seau. Puis elle s'essuya avec un sous-vêtement sec, enfila les vêtements propres et s'allongea sur la large botte de paille. La nouvelle couverture, plus épaisse, l'irrigua d'une chaleur douce, revigorante. Elle s'endormit rapidement et plongea dans des rêves agités où ses parents et ses sœurs vaquaient près d'elle sans la voir. Elle criait de toutes ses forces, mais ils ne l'entendaient pas.

Un fracas assourdissant la réveilla. Une bourrasque chargée de pluie se rua sous le plafond bas. La porte claqua une deuxième fois contre le mur. Tétanisée par la peur, Clara s'attendit à voir surgir Barnabé, mais personne n'entra. Elle crut ensuite que les bêtes sauvages, ces mêmes bêtes qui l'avaient cernée lors de la nuit cauchemardesque passée dans la forêt, revenaient la tourmenter. Aucun autre hurlement ne retentit que celui du vent. Elle n'osa pas bouger, se demandant comment la porte avait pu s'ouvrir. Elle se remémora le départ de Barnabé. Ne se souvint pas d'avoir entendu le crissement caractéristique du verrou.

Avait-il oublié de refermer la porte de son cachot ?

Elle attendit encore un long moment avant de repousser la couverture et de se lever. Elle tremblait de peur et de froid. La nuit pluvieuse griffait les murs et le plafond comme un fauve en cage. Elle se dirigea vers la sortie, plus morte que vive. Le vent s'engouffra dans ses vêtements et faillit la renverser. Elle se pencha et s'arc-bouta sur ses jambes pour résister à la violence des bourrasques. Elle s'aventura sur les marches dégoulinantes. Elle ne voyait pas à plus d'un pas devant elle. Les gouttes surgissaient de l'obscurité et s'engouffraient dans ses yeux. Le verrou gisait dans les herbes avec ses charnières et ses vis rouillées. Barnabé l'avait sans doute mal réparé après l'avoir arraché.

Clara chercha un abri. Avisa l'entrée de la masure. La porte de bois s'ouvrit sans résistance. L'odeur de la pièce dans laquelle elle entra la suffoqua. Elle n'en avait jamais senti d'aussi mauvaise. Elle finit par discerner les contours des meubles, une table centrale, les dossiers des chaises, un buffet de cuisine, un canapé et puis, dans un coin, un lit.

Une lampe à huile reposait sur la table et, à ses côtés, une boîte d'allumettes. Elle n'avait pas appris à se servir de ce genre de lampes, mais elle savait que, comme les bougies, il fallait allumer la mèche placée au-dessus du réservoir d'huile. Elle retira le verre bombé et craqua une bonne dizaine d'allumettes avant de réussir à enflammer le petit bout de mèche imprégné de liquide. La lumière d'abord faible grandit peu à peu et emplit la pièce. Derrière elle, des piles de vêtements garnissaient les étagères d'une armoire entrouverte ; elle renfermait le même genre de robes et de sous-vêtements apportés par Barnabé et exhalait la même odeur de renfermé. Plus loin, dans un évier de pierre, s'amoncelaient des assiettes, des verres et des couverts sales. La puanteur ne venait pas de là, mais du coin où se trouvait le lit.

La lumière de la lampe éclaira un tas de robes sales et chiffonnées sur le sol, les tenues qu'elle avait portées les jours précédents. Il sembla à Clara entrevoir un mouvement furtif entre les pieds d'une chaise. Elle préféra ne pas savoir ce que c'était. Elle était capable de s'évanouir à la simple vue d'une souris. Elle s'avança vers le lit, ignorant si son oppression était due à la puanteur ou à son inquiétude. Aux deux sans doute.

Elle faillit hurler quand elle distingua une forme allongée sous les couvertures et les draps.

Un corps.

Quelqu'un dormait dans ce lit. Elle resta glacée de terreur jusqu'à ce que la lumière de la lampe tire des ténèbres un visage figé. Plus vraiment un visage. Un crâne plutôt, avec les orbites vides et les dents qui apparaissaient entre les crevasses des joues et des mâchoires. Il reposait sur un oreiller large et profond. Les draps étaient remontés jusqu'au menton, mais les bras étaient passés par-dessus, les mains jointes à hauteur de la poitrine et ornées d'un chapelet. Agités par les courants d'air, les cheveux blancs et longs ondulaient mollement dans le creux de l'oreiller comme les tentacules d'un poulpe.

Le cœur de Clara s'apaisa. C'était la première fois qu'elle faisait face à un cadavre ; enfin, la deuxième, avec le corps du chauffeur. La mort avait touché les familles de certaines de ses amies, mais elle avait épargné sa propre famille. Elle n'avait connu aucun de ses grands-parents, tous les quatre emportés par la maladie avant sa naissance. Curieusement, la proximité de ce cadavre lui donnait un sentiment de paix, de sécurité. Une certaine sérénité se dégageait de ces traits figés et en partie rongés. Elle n'éprouvait aucune répulsion. Seule l'odeur l'incommodait.

Elle prit le temps d'examiner le masque mortuaire de la femme. La ressemblance avec Barnabé la frappa. Les mêmes traits, en nettement moins grossiers, comme une épure de la face difforme de son geôlier. C'étaient probablement les vêtements de cette femme qu'elle portait. Depuis combien de temps était-elle morte ? Qui lui avait ainsi rongé les joues ? Avait-elle toujours vécu dans cette masure abandonnée des hommes et des dieux ?

Clara poursuivit son exploration de la maison, qui ne comptait qu'une autre pièce, une chambre où régnait un désordre insensé. Des vêtements d'homme jonchant le parquet vermoulu, des couvertures dépliées, des chaussures et des bottes crottées, des reliefs de repas, des couverts, des verres, des assiettes, aussi nombreux que dans l'évier de pierre, de vieux lance-pierres, des couteaux aux lames ébréchées, une hache, une fourche... Elle remarqua une large brèche entre deux planches de bois brut qui faisaient office de parquet. Elle s'agenouilla et approcha la lampe.

La flamme vacillante emplit la pièce du dessous. Elle reconnut la botte de paille sur laquelle elle avait dormi, le seau d'eau qui avait servi à ses ablutions, le reste de pain, de fromage, de noix et de pommes sur le plateau. Barnabé l'avait observée par cette brèche.

Elle se hâta de sortir de la chambre. Son retour dans l'autre pièce déclencha des trottinements précipités. Les rongeurs avaient envahi la maison, et, comme tous les parasites, ils se montraient de plus en plus audacieux. Clara se souvint des orbites vides et des joues rongées de la morte et frissonna.

La porte cognait régulièrement contre le chambranle. Elle hésita sur la conduite à suivre : pas question d'affronter la nuit, surtout avec la tempête qui soufflait dehors. Pas question non plus de dormir dans la chambre de Barnabé, la simple idée de se rouler dans l'odeur et la crasse de son ravisseur la révulsait. Retourner dans l'atmosphère humide et nauséeuse de la cave était au-dessus de ses forces. Elle n'avait pas d'autre choix que de rester en compagnie du cadavre, dans l'odeur de la mort, jusqu'à ce que le jour se lève. Elle espéra que la lampe aurait suffisamment d'huile pour briller jusqu'à l'aube. Sa lumière lui épargnerait la compagnie des souris.

Du moins elle l'espérait.

CHAPITRE 11

Les premiers tirs déchiquetèrent le silence de l'aube. Le hurlement d'un guetteur prévint Jean et les autres qu'il ne s'agissait pas d'une partie de chasse ou d'un simple exercice. Le camp était attaqué. Jules, qui dormait tout habillé, fut le premier à réagir. Il se précipita sur l'un des fusils d'assaut étalés à l'entrée de la hutte, l'arma et se tourna vers les autres, toujours allongés sur leurs couchettes.

« Eh, les gars, remuez-vous ! Si vous ne voulez pas être abattus comme des chiens ! »

Jean se leva, enfila son pantalon, sa veste, ses chaussures, et rejoignit Jules à l'entrée de la hutte. La tempête qui avait soufflé toute la nuit l'avait empêché de dormir. Il hésita à se saisir d'un fusil d'assaut. Il en avait appris le maniement la veille, mais il n'avait jamais envisagé d'être placé si tôt dans l'obligation de s'en servir.

« Qu'est-ce que tu comptes faire ? demanda-t-il à Jules.

– J'ai pas le choix, mon vieux. Les asticots ne feront pas la différence. Pour eux je ne suis qu'un terroriste comme les autres. Faut que je sauve ma peau. Et que tu sauves la tienne par la même occasion. »

Jules lui colla d'autorité un fusil d'assaut dans les mains. Le contact avec l'acier froid déclencha des frissons dans le dos de Jean, à moins que ce ne fût la fraîcheur de l'aube. Jules sortit dans l'allée encore plongée dans l'obscurité. La tempête avait brisé quelques branches. L'air était humide, mais il ne pleuvait pas.

« Eh ben, qu'est-ce que t'attends ? Il faut foutre le camp avant que les asticots nous tombent dessus ! »

Les tirs étaient de plus en plus nourris, accompagnés de vociférations. Entre chaque salve, un silence assourdissant, inquiétant, ensevelissait la forêt. Les oiseaux ne chantaient plus. Jean ne bougea pas : il ne pouvait pas se sauver sans savoir ce que son père était devenu.

La surprise l'avait cloué sur place lorsqu'il l'avait reconnu dans la pénombre de la hutte située à l'écart. Son père, qu'il croyait à jamais résigné, frappé de la malédiction des cous noirs, était un terroriste. Pas seulement un terroriste, mais l'un des responsables du camp. Il avait accueilli Jean d'un sourire chaleureux, puis il s'était approché de lui et l'avait longuement étreint.

« J'ai appris ce qui t'était arrivé. Nous avons des yeux et des oreilles partout, et un excellent réseau de communication. Alors, comme le fourgon passait près de la forêt, nous avons décidé de lui tendre une embuscade.

– Pardon, avait balbutié Jean. Je n'aurais pas dû aller... tu sais...

– Ne t'inquiète pas : je savais que tu suivais l'école clandestine. Non seulement je le savais, mais j'ai encouragé ta mère à t'y conduire. Nous devons passer par l'instruction si nous voulons changer notre condition. Moi aussi, j'ai appris à lire, à écrire et à compter.

– Ça fait longtemps que...

– Je suis un terroriste ? Depuis l'âge de quinze ans. J'ai commencé comme simple messager, puis je suis devenu opérationnel et enfin on m'a confié la responsabilité d'un groupe.

– Maman est au courant ?

– Je l'en avais informée avant de l'épouser. Elle a accepté de me partager avec le parti de la Démocratie Occidentale.

– C'est pour ça qu'elle a l'air toujours inquiet ? »

Les yeux de son père s'étaient emplis de tristesse.

« Elle n'a pas eu une vie facile.

– Et moi, qu'est-ce que je vais devenir maintenant ?

– Il y a plusieurs possibilités. Nous devons en discuter, et tu feras ton choix. Tu es un évadé maintenant. Un hors-la-loi. Un clandestin. Tu recevras bientôt un nom de code. Comme moi. Retourne avec les autres pour l'instant. Et, Jean, gardons notre secret pour nous. »

Jean l'avait revu à deux reprises les jours suivants. À la manière dont les autres membres du camp s'adressaient à lui, il en avait conclu que son père était un homme important au sein du parti de la Démocratie Occidentale, et il en avait éprouvé de la fierté. Bien qu'il mourût d'envie de clamer à la face du monde qu'il n'était pas le fils de n'importe qui, il avait tenu sa langue.

« Alors, tu viens ? »

Jean secoua la tête, au bord des larmes.

« Je reste. »

Jules leva la tête et resta un moment le nez en l'air, comme un animal aux abois. Le vent frais répandait une piquante odeur de poudre. Des gémissements montaient entre les crépitements des armes et les vociférations des hommes.

« T'es dingue ! Les poux sont foutus ! Crois-moi, les asticots ne lancent pas une attaque sans être certains de leur supériorité. Moi, j'ai pas l'intention de crever ici comme un rat ! »

Jean refusa d'écouter la peur qui le suppliait de partir avec Jules. Il ne pourrait jamais se pardonner s'il s'enfuyait en abandonnant son père, il ne pourrait plus regarder sa mère et ses sœurs en face.

« Vas-y, toi ! Moi je reste », lâcha-t-il d'une voix blanche.

Les quatre autres garçons, rhabillés, se regroupèrent autour de Jules et se munirent chacun d'un fusil d'assaut. L'effroi agrandissait les yeux d'André, le plus jeune. Les tirs se rapprochaient. Les défenseurs du camp cédaient peu à peu du terrain. Une explosion retentit non loin, le sol vibra, l'air se réchauffa.

« Ils ont des canons ! cria Jules. Plus de temps à perdre ! »

Il jeta un dernier regard implorant à Jean, puis il se détourna et, suivi des autres, disparut dans l'allée.

Jean attendit encore quelques instants avant de sortir à son tour de la hutte. Une fumée épaisse, âcre, estompait les formes alentour, les arbres, les habitations, les buissons. Des hommes surgissaient et disparaissaient dans la brume comme des spectres. Impossible de les reconnaître, impossible de deviner s'ils étaient des terroristes ou des assaillants. Il déverrouilla machinalement le cran de sûreté de son fusil d'assaut.

Quelqu'un surgit dans son dos.

« Reste pas là, petit ! Ils arrivent. »

Après une brève hésitation, il s'élança sur les traces de l'homme. Le souffle brûlant d'une nouvelle explosion lui lécha la nuque et le dos. Il accéléra l'allure pour ne pas perdre le contact avec la silhouette qui louvoyait cinq mètres devant lui entre les troncs et les buissons. D'autres hommes s'égaillaient dans la forêt, délogés de leurs postes ou de leurs huttes par les déflagrations répétées qui rendaient l'air irrespirable. Des corps étaient allongés dans les fougères, certains parfaitement immobiles, d'autres encore agités de tremblements. Jean repoussa la tentation de s'arrêter pour vérifier si son père ne se trouvait pas parmi eux. Les balles sifflaient maintenant autour de lui, émiettant les feuilles et les brindilles, frappant les troncs avec des bruits mats. Des grondements de moteurs enflaient rapidement, entrecoupés de craquements, comme si les véhicules se frayaient un passage en arrachant les arbres.

Jean perdit de vue l'homme qui courait devant lui. La fumée était moins épaisse, mais la végétation plus dense. Les hautes fougères, les branches basses et les buissons formaient un enchevêtrement presque inextricable. Il parvint à s'y enfoncer en abandonnant un pan de vêtement et un petit bout de peau sur une branche d'épines. Son cœur battait la chamade, il peinait à reprendre son souffle.

Aiguillonné par la panique, il continua de progresser dans le couvert, butant sur les racines, se tordant les pieds dans les anfractuosités du sol. Un sifflement déchira les feuillages. Il rentra machinalement la tête dans les épaules. L'obus explosa une vingtaine de mètres plus loin. Des éclats de terre et d'écorce transpercèrent la végétation et cinglèrent le visage de Jean. Un filet tiède, duveteux, dévala sur ses joues et son menton.

Du sang.

Sans cesser de marcher, il glissa son fusil d'assaut sur l'épaule et palpa sa blessure de l'index. Un morceau de métal s'était fiché dans sa pommette et presque incrusté dans l'os. Il parvint à le décoller. La douleur lui transperça la joue comme une épingle chauffée à blanc. Le sang coula de plus belle. Il garda la paume de sa main gauche plaquée sur la plaie et, de la main droite, continua d'écarter les branches basses et les fougères.

Il contourna le cratère profond, noir et encore fumant creusé par l'obus. Les explosions continuaient d'ébranler l'air et le sol. Le vent ne parvenait plus à disperser la fumée et, de nouveau, il évoluait dans une brume épaisse, étouffante. Il ne s'arrêta pas malgré la fatigue. Le silence absorba peu à peu le fracas de la bataille. Des tirs sporadiques répondaient aux roulements sourds des explosions qui résonnaient désormais à la façon d'un orage lointain.

Il se mit à pleuvoir. Une pluie violente, rageuse, qui semblait pressée de noyer les hommes et leur folie destructrice. Le cœur de Jean était aussi lourd que son corps. Son père était peut-être resté dans le camp. Il regrettait de ne pas lui avoir parlé, de ne pas lui avoir crié qu'il l'aimait, cet homme que les activités clandestines avaient trop souvent éloigné de la maison et de ses enfants. Le reverrait-il un jour ? Auraient-ils l'occasion de rattraper le temps perdu ? Qu'étaient devenus Jules et les autres ? La lanière de son fusil d'assaut lui meurtrissait l'épaule. Il résista à la tentation de s'en débarrasser. C'était un outil de mort, un serviteur du malheur, mais il en aurait sans doute besoin dans les jours à venir.

Il marcha de longues heures sous une pluie battante. Le silence était retombé sur la forêt, traversé de temps à autre de grondements étouffés. Les assaillants s'étaient sans doute rendus maîtres du camp. Jules avait eu raison sur un point : les terroristes n'étaient pas de taille à résister à la puissante armée du royaume. Chaque révolte, chaque insurrection s'était terminée par l'extermination des émeutiers. Les mêmes scènes s'étaient déroulées dans les diverses parties du monde, selon Magda. À quoi servait-il de prendre les armes ? Pourquoi son père et ses compagnons avaient-ils sacrifié leurs familles pour se lancer dans une action de toute façon vouée à l'échec ?

Un fracas de branches brisées le tira de ses pensées. Il déverrouilla le cran de sûreté du fusil d'assaut et s'immobilisa, les sens en alerte. Des formes sombres et furtives filèrent quelques mètres plus loin en semant des grognements dans leur sillage. Des sangliers. Ils l'ignorèrent, ils fuyaient seulement le vacarme qui, à l'aube, les avait chassés de leur territoire.

Il reprit sa lente progression jusqu'à ce qu'il débouche sur une clairière noyée de pluie.

La fille le fixait avec une expression oscillant entre effroi et espoir. La robe noire et maintes fois ravaudée qu'elle portait n'allait pas avec son visage à la finesse et à la blancheur insolites. Des mèches s'écoulaient en torrents dorés de sa chevelure blonde rassemblée en un chignon sommaire. La terreur avait agrandi ses yeux clairs lorsqu'il était entré dans la maison.

Jean avait alors pris conscience qu'il n'avait pas une allure rassurante avec le sang sur sa joue, ses vêtements crottés, déchirés, et le fusil d'assaut qu'il braquait nerveusement sur elle. Puis il avait aperçu le corps sur le lit, la tête à demi décomposée reposant sur l'oreiller, les mains jointes sur la poitrine, et il avait fait le lien avec l'odeur qui l'avait saisi lorsqu'il s'était introduit dans la maison.

L'odeur caractéristique de la mort.

« Qui êtes-vous ? Que faites-vous ici ? »

La fille ne s'exprimait pas comme les gens du peuple. Elle avait cette diction précise et cette autorité naturelle propres aux aristocrates. Elle ressemblait par bien des côtés à Lise, la fille du comte de la Roussière, même âge, même blondeur, mêmes yeux clairs.

« Et vous ? Qu'est-ce que vous fichez dans le coin ? »

Il se souvint tout à coup du timbre désastreux de sa voix s'élevant de l'enregistreur des cafards. Il s'éclaircit la gorge. Il remit également un peu d'ordre dans sa tenue et oublia sa fatigue pour se tenir droit.

« J'ai eu un accident de voiture et j'ai été séquestrée par le fils de cette femme, répondit-elle. Il m'avait enfermée dans la cave, mais la tempête a ouvert la porte au début de la nuit et je... je me suis réfugiée dans la maison.

– Drôle d'idée ! Si c'était lui qui était revenu à ma place, il vous aurait aussitôt remise dans la cave. »

Elle baissa les yeux.

« Je... je n'ai pas osé affronter la tempête. Mais si vous me ramenez chez moi, je vous promets que vous ne le regretterez pas.

– C'est où, chez vous ?

– Versailles... »

Le claquement soudain de la porte fit sursauter Jean. Il la referma et la bloqua en tirant le petit verrou intérieur. La fille leva de nouveau sur lui ses yeux limpides. Quelque chose l'agaçait chez elle. Elle lui rappelait un peu trop Lise, sans doute, et l'humiliation qui lui était associée.

« Versailles ? Vous vivez à la cour ?

– Pas vraiment. Mais mes parents reçoivent un grand nombre de courtisans. Et j'ai souvent vu le roi, ajouta-t-elle. Et j'ai été à plusieurs reprises reçue au château par la reine. »

Jean s'avança vers la table du centre de la pièce. Ses vêtements mouillés collaient à sa peau. Ses chaussures gorgées d'eau gargouillaient à chacun de ses pas.

« Qu'est-il arrivé à votre joue ? »

Il porta machinalement la main à la plaie.

« J'ai reçu un éclat.

– Il y a peut-être quelque chose dans cette maison pour vous soigner. »

Elle trouva, dans l'un des tiroirs du buffet, un flacon d'alcool à soixante-dix degrés et du coton. Elle s'approcha de lui.

« Je vais désinfecter votre plaie. Attention, ça risque de piquer. »

Elle versa de l'alcool sur le coton. Elle n'était visiblement pas familière de ces gestes. Il n'était pas rassuré de la voir ainsi hésitante et maladroite. Il éprouvait en sa présence une autre sensation, indéfinissable, une sorte de paralysie. Oublié, l'agacement qu'il avait d'abord ressenti. Il aurait voulu que le temps se suspende et qu'ils demeurent dans cette maison isolée jusqu'à la fin des temps. Il lui semblait être entré par effraction dans l'un de ces contes où les princesses vêtues de haillons se réveillaient d'un sommeil interminable et ressemblaient étrangement à la jeune fille qui le soignait. Après le fracas des explosions du matin, après la marche pénible dans le cœur sombre de la forêt, l'atmosphère paisible de cette masure le ravissait, l'enchantait. Malgré la morte qui gisait dans le lit. Ou peut-être à cause d'elle.

La fille tira une chaise derrière lui et l'invita à s'asseoir. Il posa son fusil d'assaut sur la table avant de lui obéir. Elle appliqua le coton sur la plaie au-dessus de sa joue. Il faillit décoller de la chaise et filer dehors pour apaiser la brûlure qui le dévorait. Il serra les dents. Des larmes emperlèrent ses cils. Le feu se propagea dans l'os de sa pommette, dans sa mâchoire, dans toute sa tête. Malgré ses soubresauts, elle maintint fermement le coton. Le feu ne s'éteignit pas après qu'elle l'eut retiré. Elle nettoya la plaie à l'aide d'un autre coton imbibé d'eau, puis, par mesure de précautions, elle la désinfecta une deuxième fois. La douleur, même un peu moins forte, tira d'autres larmes et un gémissement à Jean.

« Il faudrait sans doute la panser, mais je n'ai trouvé aucun bandage. »

Elle s'éloigna de Jean.

« Je ne voudrais pas vous presser, dit-elle, mais il serait prudent de partir sans tarder.

– Vous n'avez rien à manger avant ? Je meurs de faim et de soif. »

Elle sortit de la maison et revint quelques minutes plus tard avec un pain, un morceau de fromage, des fruits et une carafe d'eau.

« Les restes de mon dernier repas... »

Il mangea en s'efforçant de contenir sa gloutonnerie. La nourriture lui rendait ses forces.

« Comment c'est arrivé, votre accident ? demanda-t-il entre deux bouchées.

– Le chauffeur a perdu le contrôle, la voiture a heurté un arbre, il est mort, je suis allée chercher des vêtements chauds pour attendre les secours, c'est à ce moment que Barnabé m'a enlevée.

– Vous connaissez son prénom ?

– Il me l'a dit.

– Qu'est-ce que vous fichiez dans le coin ? »

Elle plissa les yeux, comme frappée par la question.

« Je partais pour le château de... enfin, j'allais être reçue par la famille du mari que mes parents me destinent.

– Et ce gars, là, Barnabé, il... il ne vous a pas embêtée ?

– Il m'a seulement enfermée dans la cave. J'ai réussi à m'en échapper une fois, mais je me suis perdue dans la forêt et il m'a rattrapée. Il ne m'a pas fait le moindre mal. Est-ce qu'on peut partir maintenant ? »

Jean croqua dans une pomme.

« Je... je peux pas vous emmener à Versailles, répondit-il, la bouche pleine.

– Pourquoi ? »

Il la fixa droit dans les yeux. S'ils étaient vraiment les miroirs de l'âme, comme le disait Magda, alors l'âme de cette fille devait être splendide.

« Je suis un clandestin, un hors-la-loi. »

Cette affirmation lui procura de la fierté. En sortant de sa condition de cou noir, il avait pris sa place dans le monde, il était devenu quelqu'un.

« Quel crime avez-vous commis ?

– Je suis allé à l'école.

– C'est un crime ?

– Pour quelqu'un comme moi, oui. Ils m'ont condamné à cinq ans de camp de redressement. Les terroristes ont attaqué le fourgon et nous ont délivrés, les autres condamnés et moi.

– Où sont-ils, les autres ? »

Jean haussa les épaules en croquant le trognon de la pomme.

« Le camp terroriste a été attaqué ce matin. Tout le monde s'est sauvé. Je ne sais pas où ils sont passés.

– Comment vous appelez-vous ?

– Jean.

– Ravie de vous connaître, Jean. Je suis Clara. »

Elle lui tendit la main avec un sourire. Elle était d'une délicatesse étonnante, intimidante. Il la pressa en faisant bien attention de ne pas la broyer.

« Si vous ne pouvez pas me conduire à Versailles, vous pouvez peut-être m'aider à sortir de cette forêt. »

Il but une gorgée d'eau, se souvint au dernier moment qu'on ne devait pas s'essuyer les lèvres d'un revers de manche, reposa le verre sur la table.

« C'est faisable. »

Il l'aurait accompagnée au bout du monde pour le simple plaisir de rester en sa compagnie. Clara était sans doute un peu moins jolie que Lise, mais ses yeux et sa voix l'enveloppaient d'un charme troublant, ineffable.

« Quand partons-nous ?

– Tout de suite si vous voulez. Vous n'avez rien à prendre ? »

Elle désigna le tas de vêtements jonchant le sol.

« Mes vêtements sont dans un tel état qu'il n'y a plus rien à en tirer. »

Elle choisit un ample manteau gris dans l'armoire, l'enfila, puis s'enveloppa la tête d'un fichu noir.

« Je suis prête. »

Elle fourra les pommes restantes dans les poches du manteau.

« Au cas où nous aurions une petite faim », dit-elle avec un sourire.

Jean se leva. Sa plaie à la pommette l'élança. Il récupéra le fusil d'assaut posé sur la table. Il regretta de ne pas avoir eu le temps de sécher ses vêtements et ses chaussures. De toute façon, la pluie qui continuait de tomber les aurait trempés en une poignée de secondes.

Des trombes les accueillirent à l'extérieur.

Clara pointa le bras devant elle en poussant un cri. Jean regarda dans la direction qu'elle indiquait et vit à son tour, en bas du champ d'herbes folles, une silhouette sombre qui fendait les rideaux de pluie et avançait à pas de géant vers la maison.

CHAPITRE 12

« Barnabé ! » cria Clara.

Il les avait repérés et s'était mis à courir et à sauter par-dessus les buissons.

Jean hésita sur la conduite à suivre : ou l'attendre et lui tirer dessus, ou tenter de le semer. Comme il répugnait à se servir de son fusil d'assaut, il opta pour la seconde solution. Mais la vitesse à laquelle Barnabé fendait les herbes folles ne leur laissait pas beaucoup de temps. Leur seule chance était de se réfugier dans le couvert avant qu'il ne les ait rattrapés.

« Allons-y ! »

Il prit Clara par le bras et l'entraîna vers la forêt. Ils éprouvaient les pires difficultés à garder leur équilibre sur le sol détrempé. Jean lançait sans arrêt des coups d'œil par-dessus son épaule. Barnabé avait encore accéléré l'allure et comblé une bonne partie de l'intervalle. Le canon baissé de son arme lui battait la hanche et le haut de la cuisse. Jean distinguait ses traits derrière les rideaux épais tirés par la pluie. Son visage, surmonté d'une touffe de cheveux noirs plaqués sur ses joues et son front, était difforme, effrayant. Son corps lui-même était monstrueux, d'une largeur anormale. Il portait l'uniforme vert kaki de certains militaires que Jean avait aperçus dans les rues de sa cité, des hommes arrogants pour la plupart, grossiers avec les femmes et exhibant leurs armes sitôt qu'on leur adressait un regard un peu appuyé.

L'orée de la forêt était nettement plus éloignée qu'il ne l'avait cru. Les bottines de Clara n'étaient pas adaptées au terrain. Elle glissait à chaque foulée et se raccrochait au bras de Jean pour ne pas tomber. Il se rendit compte que leur poursuivant braquait sur eux son fusil d'assaut.

« Vite ! »

Il leur fallait encore traverser un terrain hérissé de buissons bas qui ne suffiraient ni à les abriter ni à les soustraire à la vue de Barnabé. Leurs pieds s'enfonçaient profondément dans la terre meuble. Leur poursuivant lâcha une première rafale. Les balles sifflèrent au-dessus de leurs têtes. Un simple tir de semonce. À cette distance, il ne pouvait pas les rater. Il poussait des grognements de bête enragée. Il ne voulait pas blesser Clara. Elle jeta un regard affolé à Jean.

« Ne t'arrête surtout pas, souffla-t-il. Il veut juste nous effrayer, il ne prendra pas le risque de te toucher. »

Ils atteignirent enfin l'orée de la forêt. S'y engouffrèrent sans ralentir l'allure, plongeant tout à coup dans un monde obscur et silencieux. Ils parcoururent une bonne trentaine de mètres avant d'entendre, derrière eux, des craquements, des marmonnements, des bruits de pas. Des obstacles incessants se dressaient devant eux, branches, buissons, éboulis de terre. Dans un tel enchevêtrement, la corpulence de Barnabé était plus un inconvénient qu'un avantage. À en juger par les bruits qui accompagnaient sa progression, il avait perdu un peu de terrain.

Affaiblie par sa claustration et sa fièvre des jours précédents, Clara peinait à maintenir l'allure. Elle avait besoin de reprendre son souffle, de détendre ses muscles tétanisés, de reposer ses chevilles douloureuses. Seule la crainte de retomber entre les griffes de Barnabé la poussait à continuer. Même s'il ne lui faisait aucun mal, elle ne supporterait plus l'enfermement dans la cave humide et sombre.

L'irruption de Jean lui était apparue comme une réponse à ses prières. Elle n'était pas une fervente chrétienne, bien que sa mère l'obligeât deux fois par semaine à se confesser à l'aumônier de la famille, un gros homme aux joues molles et roses, mais, dans certains cas, elle en appelait machinalement à la Vierge ou à une sainte du calendrier. Autant elle détestait le latin, les messes, les vêpres et autres cérémonies officielles, autant elle cultivait avec Marie et quelques saintes une relation intime et affective. Elles étaient ses confidentes, des figures rassurantes, compatissantes, qui ne la jugeaient pas.

« Là ! »

Jean désignait des ruines prises d'assaut par la végétation. Clara s'immobilisa et tendit l'oreille. Ils n'avaient pas semé Barnabé, dont les grognements accompagnaient toujours la progression. Les hauts éboulis de pierres, habillés de lierre et coiffés de fougères, étant impossibles à franchir, ils les longèrent sur leur gauche. Sans doute le rempart d'un ancien château. On distinguait, sous la végétation, le léger dénivellement des douves remplies de terre. Ils arrivèrent devant une brèche à l'emplacement de ce qui avait sans doute été la porte d'entrée. Un linteau monumental affaissé se devinait sous le voile végétal qui le recouvrait. Çà et là gisaient des pierres taillées et les vestiges rouillés de chaînes.

« On va s'arrêter un peu, vous avez besoin de souffler. »

Jean la fixait avec attention. Elle aimait son regard franc et clair.

« Il est toujours derrière nous, chuchota-t-elle.

– Il y a sûrement des cachettes là-dedans. Et puis, s'il vient trop près... »

Il désigna d'un air résolu son fusil d'assaut. Elle hocha la tête. Même si elle ne la rassurait pas, la proposition de Jean l'arrangeait : elle n'avait quasiment plus de forces. Elle ne souhaitait pas non plus la mort de Barnabé, mais, s'il se montrait menaçant, il ne leur laisserait pas le choix.

Jean se fraya un passage par la brèche. Les fougères se refermèrent derrière Clara. Ils pénétrèrent dans ce qui était sans doute la cour intérieure de la construction, peuplée d'arbres élancés. Des petits animaux s'égaillèrent silencieusement dans les herbes. Ils explorèrent les environs, aiguillonnés par le craquement qui s'éleva non loin d'eux. Clara avait l'impression d'avoir profané un sanctuaire, un endroit qui n'avait pas été visité depuis des siècles, l'un de ces lieux secrets et magiques qui hantaient son imaginaire d'enfant.

Jean se dirigea vers un mur encore debout et percé d'une porte basse surmontée d'un arc bombé. Un monticule de terre bouchait en grande partie l'ouverture, laissant juste un passage de l'épaisseur d'un homme. Jean s'aida des branches des arbustes et des aspérités des pierres pour se hisser sous l'arc et disparaître de l'autre côté. Clara l'imita après un temps d'hésitation. Elle n'avait jamais aimé ramper sur le sol. Elle craignait toujours d'être assaillie par les minuscules créatures qu'elle avait étudiées en cours de sciences naturelles. Des halètements, des grognements dominèrent les froissements des frondaisons et balayèrent ses réticences. Elle gravit la pente humide en s'aidant, comme Jean, des aspérités, puis, arrivée au sommet, elle passa la tête et les épaules dans l'ouverture. Elle bascula de l'autre côté et dévala un lit de cailloux qui lui meurtrirent les genoux et les coudes. Jean amortit sa chute trois mètres plus bas et l'aida à se relever. Elle rabattit sa robe sur ses jambes sans se préoccuper des égratignures semées par les arêtes tranchantes.

Ils s'installèrent dans un recoin de la pièce. Ils ne voyaient pas grand-chose : les buissons épineux qui avaient poussé sur les murs, les orties hautes et urticantes qui se pressaient comme un troupeau affamé dans le rayon de lumière tombant de l'ouverture, les grosses pierres disséminées sur les dalles descellées, les vestiges d'une cheminée monumentale... Jean s'assit derrière un monticule coiffé d'herbes folles, arma son fusil d'assaut et le tint braqué vers l'entrée. Clara s'assit à ses côtés, soulagée de pouvoir enfin détendre ses jambes lourdes.

Ils gardèrent le silence, suspendus aux bruits qui se faufilaient par la mince ouverture. La lumière du jour, grise et sale, glissait elle aussi sur la pente jonchée de cailloux et s'échouait sur les feuilles des orties.

Il sembla à Clara percevoir une respiration forte dans la pénombre. Son sang se figea. Elle n'osa pas regarder Jean, de peur de découvrir sur son visage une confirmation de sa propre frayeur. Il ne bougeait pas, attentif, le doigt crispé sur la détente. Il n'avait pas le raffinement d'un habitant de Versailles, mais il n'avait pas non plus les manières rustres d'un cou noir, du moins il ne correspondait pas aux descriptions qu'on en faisait à la cour. Il avait un visage doux, presque angélique, et une gaucherie touchante. Dépourvu de la vanité dont se drapaient les garçons paradant dans les rues de la capitale et les allées du château, il n'observait pourtant pas cette humilité ni cette servilité agaçantes propres aux gens du peuple.

Une énigme. Et comme toutes les énigmes, intrigante, attirante.

« Je crois qu'il est parti… »

Le chuchotement de Clara retentit avec la puissance d'un orage dans le silence de tombe bercé par le grésillement de la pluie.

« Pas sûr, répondit Jean à voix basse. Il guette peut-être des bruits pour savoir où on est passé.

– La nuit est tombée, il a dû rentrer.

– Il pleut. Il fait noir. On est à l'abri. Je crois qu'il vaut mieux attendre demain matin. »

Elle ne s'y opposa pas. Ils étaient en sécurité dans le ventre sec de ce château oublié. Elle n'avait pas envie d'affronter la pluie, le froid, les traîtrises de la forêt. Elle n'avait plus peur de Barnabé. Il ne les avait pas trouvés, il avait perdu leur trace. Et puis, surtout, elle n'était pas pressée de quitter Jean. Ils devraient se séparer dès qu'ils arriveraient sur une grand-route ou dans un village : elle regagnerait Versailles, il retournerait dans la clandestinité. Elle se réjouissait de revoir ses petites sœurs, mais elle n'était pas pressée de reprendre le cours d'un destin que ses parents avaient tracé pour elle.

Elle proposa une pomme à Jean. Il l'accepta avec un sourire, l'essuya sur son pantalon et mordit dedans à pleines dents. Elle l'imita. La légère acidité de la pomme la fit grimacer.

« Pourquoi êtes-vous allé à l'école ? » demanda-t-elle après avoir mâché trois bouchées.

Jean, lui, en était déjà au trognon.

« Je voulais apprendre.

– Et qu'avez-vous appris ?

– L'alphabet, l'écriture, la lecture, l'arithmétique... Comme tout écolier, je suppose.

– Vous comptiez en faire quoi ? »

Il haussa les épaules.

« Je ne sais pas au juste. Ceux qui nous gouvernent savent, alors je pensais que c'était bien de savoir. Que ça améliorerait ma vie. La vie de ma famille.

– Vous vous destiniez à quoi ?

– À faire comme tous les autres : aller là où se trouve le travail. On n'a pas vraiment le choix. Si on ne m'avait pas arrêté dans le grenier, je serais parti pour l'Est, pour les mines de Lorraine.

– Ça vous plaisait ? »

Deuxième haussement d'épaules.

« Le boulot était pas trop mal payé, mais je me voyais mal passer toute ma vie dans une mine.

– Vous avez des rêves ?

– Comme tout le monde : mettre ma famille à l'abri du besoin, qu'elle mange à sa faim, qu'elle dorme dans une maison claire et propre, qu'elle se lave et change de vêtements plus souvent, qu'elle puisse se promener dans une de ces voitures qui peuvent vous emmener n'importe où, qu'elle puisse se servir de ces réseaux qui envoient des images du monde entier. Et vous ? »

Il rêvait de tout ce qu'elle possédait. Elle n'avait jamais pris conscience que sa vie, cette vie qui lui semblait tissée de banalité et d'ennui, était un rêve pour des millions de gens.

« Visiter les autres régions du monde, les autres royaumes.

– J'aimerais bien aussi ! Mais je ne gagnerai jamais assez d'argent pour ça !

– L'argent n'est pas le seul problème. » Elle baissa la tête, soudain au bord des larmes. « Avant que vous ne veniez me délivrer...

– Oh, j'ai pas eu grand mérite, coupa-t-il en écartant les bras. Vous aviez déjà ouvert la porte de votre prison.

– Sans vous, je n'aurais pas eu le courage de partir. Savez-vous où j'allais quand nous avons eu cet accident ?

– Vous en avez parlé, il me semble. Dans la famille de votre futur.

– Je ne l'ai jamais rencontré. Je dois renoncer à mes rêves pour me marier avec quelqu'un que je ne connais pas.

– Qu'est-ce qui vous y oblige ?

– Mes parents. C'est la même chose pour toutes les filles de bonne famille. Elles sont mariées à l'âge de quatorze ans, parfois plus jeunes, à l'homme qu'on leur a choisi. Vous voyez qu'il n'y a pas que l'argent. Et tout ce qu'elles ont appris avec leurs précepteurs ne sert quasiment à rien. Ce sont les hommes qui en tirent vraiment profit, les hommes qui possèdent, qui gouvernent.

– Chez nous, ya pas d'argent, mais personne oblige les gens à se marier contre leur gré.

– Que font vos parents ? »

Il marqua un temps de silence, soudain sombre et soucieux.

« Papa est ouvrier, il court là où il y a du travail, maman s'occupe de ses enfants. Je suis l'aîné. J'ai déjà eu une paie. Je suis allé cueillir les pommes dans un domaine de l'Ouest. »

Clara fixa sa pomme à demi mangée. Jamais elle ne s'était posé la question de savoir comment les fruits arrivaient dans les coupes.

« Et vous, vos parents, ils font quoi ? reprit Jean.

– Mon père est... euh... enfin il s'occupe des caisses du royaume.

– Des caisses ?

– De toutes les questions d'argent dont on parle à la cour et chez les ministres du roi.

– C'est donc un homme important ? C'est pour ça que vous avez été reçue par la reine ?

– Et vous, vous aimeriez être reçu par la reine ? »

Il eut une moue qui, à la faveur de l'obscurité, le fit ressembler quelques secondes à une gargouille de la cathédrale de Versailles.

« Je sais pas trop. Ça n'arrivera jamais de toute façon.

– Le roi non plus, vous ne l'avez jamais vu ? »

Il secoua les bras pour les détendre.

« Une fois, quand j'avais quatre ou cinq ans, il est passé dans la grande rue près de chez moi. Ma mère m'y a emmené. Il y avait plein de monde et des gendarmes royaux partout. Elle m'a juché sur ses épaules. Je l'ai vu, dans son carrosse tout doré. Je me souviens d'une main qui s'agitait par la vitre. Je l'ai salué moi aussi. J'ai même pas vu sa tête. Magda disait que...

– Magda ?

– L'institutrice qui nous donnait des cours dans le grenier. Ils l'ont arrêtée. Ils vont sûrement la fusiller. Elle disait que le roi est un homme comme les autres, elle parlait souvent de la Grande Révolution de 1789 et de ses beaux principes, liberté, égalité, fraternité. »

Clara frémit. Elle avait toujours été élevée dans la haine des révolutionnaires de 1789, des bourreaux de Louis XVI, de Marie-Antoinette et du Dauphin. De cette période noire, on ne parlait que pour dénoncer la persécution des aristocrates et des prêtres, le pillage des biens et la débauche généralisée. On disait que l'Antéchrist s'était matérialisé sous les traits de Robespierre. Il avait fallu presque cent ans pour rétablir l'ordre de façon durable, l'avènement de la Deuxième Restauration portée par les alliés des Orléans et le parti de M. Thiers.

« On ne peut pas vénérer des assassins, dit-elle.

– Ben alors, faut pas vénérer ceux qui ont fait massacrer des milliers d'hommes et de femmes pendant les émeutes de la faim ! »

Les yeux de Jean brillaient de colère dans l'obscurité. Son père avait affirmé à Clara que, si la troupe n'avait pas tiré, les émeutes auraient dégénéré en révolutions sanglantes et conduit à de longues périodes de terreur, comme en 1789 et en 1871. Il fallait se montrer inflexible avec le peuple, il ne comprenait que la force. Elle l'avait cru ; elle en était moins sûre désormais.

La lumière de l'aube réveilla Clara. Elle entrouvrit les paupières et vit que Jean, déjà réveillé, l'observait à la dérobée. Assis sur une grosse pierre, il avait posé son fusil d'assaut devant ses jambes croisées. Il détourna le regard lorsqu'elle se redressa.

« Vous avez dormi ? demanda-t-elle d'une voix embrumée.

– Un peu. Et vous ?

– Comme une masse !

– La terre est pourtant pas très confortable...

– La cave de Barnabé ne l'était pas davantage. »

Jean se releva et glissa la lanière du fusil d'assaut sur son épaule.

« Vous êtes prête ? On a encore pas mal de chemin à faire. »

Le corps de Clara était lourd, ses pieds douloureux. Quelques mouvements d'étirement lui redonnèrent un peu de vigueur.

Ils sortirent de la pièce en escaladant dans l'autre sens le monticule de terre. Un soleil radieux brillait dans un ciel d'un bleu délavé. Une brise agréable et tiède murmurait dans les frondaisons. Les chants des oiseaux tissaient une voûte musicale au-dessus de leurs têtes. Les gouttes d'eau abandonnées par la pluie de la nuit scintillaient sur les herbes et les feuilles.

Ils s'aventurèrent avec prudence hors de la cour du château, s'arrêtant régulièrement pour ausculter le murmure de la forêt. Barnabé n'avait peut-être pas renoncé. Le moindre bruit suspect leur faisait craindre le pire. Mais leur poursuivant ne se manifesta pas jusqu'à ce que le couvert s'éclaircisse et qu'ils débouchent tout à coup sur un large chemin empierré.

« Un village, là-bas... »

Des nuances de regrets traînaient dans la voix de Jean. Clara aperçut, dans les jours de la végétation, les toits et les façades des premières maisons dominées par un clocher trapu. Elle avait tellement attendu ce moment qu'elle aurait dû sauter de joie, mais elle ne s'en réjouissait pas, toujours emplie du formidable sentiment de liberté qu'elle avait éprouvé au cours de la nuit.

« Vous ne devriez sans doute pas vous montrer avec ça. »

Elle désignait le fusil d'assaut. Jean hocha la tête et jeta aussitôt l'arme dans le fossé, pas fâché de s'en débarrasser.

Lorsqu'ils s'approchèrent du village, ils discernèrent les grondements de moteurs, les claquements de bottes et les vociférations qu'ils avaient pris pour de simples rumeurs quelques instants plus tôt.

CHAPITRE 13

Jean tressaillit lorsqu'il reconnut son père parmi les hommes alignés le long d'un mur d'enceinte.

Les uniformes vert sombre et les chaussures montantes des soldats étaient identiques à ceux de Barnabé. Leurs casques luisaient comme des carapaces de scarabées. Une foule nombreuse s'était rassemblée sur la place bordée de chênes. La plupart des villageois baissaient la tête, des femmes pleuraient en silence, reniflaient, s'essuyaient furtivement les yeux d'un revers de main. Une quinzaine de camions bâchés ou équipés de canons stationnaient entre les arcs-boutants de l'église. Les ordres des officiers claquaient dans le silence déchiré par les croassements des corbeaux.

« On dirait que... »

Clara n'alla pas au bout de sa phrase. Elle se contenta de jeter un regard à Jean. Ils étaient passés devant la vitrine d'une boulangerie en entrant dans le village. La vue des pains dorés et des pâtisseries avait accentué leur faim. Les pommes acides ne les avaient pas rassasiés.

Jean croisa le regard de son père. Il y lut un tel désespoir, un tel amour, qu'il faillit courir se jeter dans ses bras. D'un mouvement de tête discret mais péremptoire, son père lui fit signe de ne pas bouger. Jean regretta d'avoir jeté son fusil d'assaut. Il aurait pu s'en servir pour tenter de délivrer les terroristes. Il n'aurait pas eu l'ombre d'une chance face aux deux cents ou trois cents soldats répartis sur la place, mais il aurait lancé l'offensive avec l'énergie du désespoir. Son père avait raison : il ne devait pas écouter sa colère, il lui fallait vivre, vivre pour que sa mère ne perde pas le même jour son mari et son fils. Il serra les poings et s'efforça de contenir ses larmes.

Un officier supérieur grimpa sur un banc et toisa la foule. Tout près de lui se tenait l'ombre noire et immobile d'un curé, un homme maigre au crâne chauve encadré de cheveux frisés.

« Ces hommes – l'officier désigna les terroristes d'un ample geste du bras – ont attenté à la sécurité du royaume et à la personne du roi. »

Les joues rouges et le double menton de l'officier tremblaient à chacun de ses mots. Il rajusta d'un geste machinal le képi blanc et doré qui avait tendance à glisser sur un côté de son crâne.

« La punition pour un tel crime est la mort. En vertu des pouvoirs qui me sont conférés, et dans un souci d'éviter au royaume des démarches et des frais inutiles, la sentence est immédiatement exécutable. Elle sera accomplie devant vous parce que ces hommes ne pouvaient pas survivre dans la forêt sans votre assistance. Nous savons que vous les fournissiez en produits de première nécessité. Il est juste – il se tourna vers le curé –, juste, n'est-ce pas, monsieur l'abbé, que vous mesuriez les conséquences de votre responsabilité. Il est juste que leur sang retombe en partie sur vos mains. Les condamnés ne recevront pas les derniers sacrements. En outre – il se tourna vers un autre homme vêtu d'une blouse grise aux cheveux blancs et aux traits creusés –, et je m'adresse particulièrement à vous, monsieur le maire, le village est condamné à creuser une fosse dans les environs où les corps de ces hommes seront ensevelis. Il n'y aura aucune marque ni, évidemment, aucune croix pour indiquer l'emplacement de la fosse. Qu'ils restent dans l'anonymat jusqu'à la fin des temps comme ils ont choisi de vivre ici-bas dans la clandestinité. Si quelqu'un dans l'assistance souhaite s'élever contre la sentence, qu'il s'exprime maintenant ou jamais. »

Le curé releva la tête et fixa les paroissiens des premiers rangs avant de prendre la parole :

« Monsieur, quelles que soient vos raisons, je ne peux pas laisser mourir ces hommes sans leur administrer les derniers sacrements. La justice de Dieu et mon devoir de prêtre l'exigent. »

Le visage rond et rougeaud de l'officier se crispa.

« À votre aise, monsieur le curé. Si vous choisissez le parti de ces hommes, vous les accompagnerez dans la fosse. »

Le curé réfléchit quelques instants, les traits défaits, les yeux dans le vague, puis il pivota sur lui-même et se dirigea d'un pas décidé vers les terroristes alignés. Jean faillit lui emboîter le pas, mais un nouveau regard de son père, tragique, implorant, l'en dissuada.

« Y en a-t-il d'autres parmi vous qui souhaitent partager le sort des ennemis du roi ? »

Aucun villageois ne bougea pendant que le curé s'arrêtait devant chaque condamné pour marmonner une rapide prière ponctuée d'un signe de croix.

« Peloton, en place ! » glapit l'officier.

Une quinzaine de soldats se répartirent à environ dix mètres des condamnés et épaulèrent leurs fusils d'assaut. Le prêtre parvint à administrer les sacrements avant de se placer au bout de la ligne.

« En joue ! »

Des femmes et des enfants se mirent à sangloter dans le silence irrespirable. Jean se mordit l'intérieur de la joue pour retenir le hurlement qui jaillissait de ses entrailles. Les larmes brouillèrent sa vue, mais il sentit sur son front, sur ses joues, la brûlure du regard de son père. Le désespoir le recouvrit comme une ombre. Il espéra jusqu'au dernier moment qu'un événement imprévu ou un revirement soudain de l'officier n'empêche cette exécution absurde.

« Feu ! »

Le crépitement des armes éclata comme un roulement d'orage. Une odeur de poudre se répandit dans l'air alangui par le doux soleil d'automne. L'un après l'autre, les condamnés s'affaissèrent sur le tapis de feuilles. Puis le sous-officier qui commandait le peloton s'avança vers les corps enchevêtrés pour achever les blessés d'une balle dans la tête. Les détonations de son pistolet résonnèrent comme des répliques décroissantes de la première salve.

Secoué par les larmes, Jean se maudit de son impuissance, il maudit les hommes autour de lui pour leur silence, pour leur lâcheté. Les villageois commencèrent à se disperser. Clara et lui furent bientôt seuls au milieu de la place. Les soldats convergeaient en riant et en plaisantant vers les camions sans prêter attention aux cadavres. L'officier supérieur, descendu de son banc, observait la dispersion de la foule d'un air satisfait.

Jean s'essuya les yeux et s'avança vers les corps ensanglantés. Son père, touché au cœur, était resté assis contre le mur. Ses yeux étaient clos, son visage détendu, paisible, comme celui d'un dormeur. Jean prit tout à coup conscience de sa beauté. La fixité faisait ressortir la régularité de ses traits, la grâce encore juvénile qui transparaissait sous la barbe et les taches de terre. La proximité des soldats interdit à Jean de se coucher contre lui et de le serrer dans ses bras. Fallait-il donc que son père meure ainsi, comme un chien, anonyme parmi les anonymes dans un village perdu d'une campagne de France ? N'y aurait-il personne pour lui rendre hommage, pour proclamer à la face du monde quelle vie bonne et courageuse il avait menée ?

« Tu connais cet homme, mon garçon ? »

Jean sursauta. L'officier aux joues rouges se tenait près de lui aux côtés de Clara.

« Ça fait un moment que tu le regardes... »

Jean se souvint des signes et des regards désespérés de son père et garda la tête penchée pour dissimuler ses larmes.

« Non... non... c'est juste que... j'ai pas... j'ai pas trop l'habitude de voir des morts...

– Tu en verrais bien d'autres si tu avais la bonne idée de t'enrôler dans l'armée. Surtout ne plains pas ces hommes : ils savaient ce qu'ils risquaient en s'engageant dans un groupe terroriste. Tes parents habitent ce village ? »

Jean secoua la tête.

« Je... je viens de la banlieue de Paris, j'ai trouvé de l'embauche dans un domaine agricole pas loin d'ici. »

L'officier le considéra avec perplexité avant de se tourner vers Clara.

« Et toi, jeune fille, d'où viens-tu ? »

Elle ne répondit pas, visiblement prise au dépourvu. Voyant que l'officier s'impatientait, Jean intervint :

« Elle peut pas vous répondre, elle est muette.

– Tu la connais ?

– C'est la fille du domaine où je suis embauché, elle est venue me chercher sur la place du village pour m'y conduire.

– À pied ?

– Oh, il y a que trois ou quatre lieues. »

L'officier dévisagea Clara.

« Elle n'a pas l'air d'une campagnarde, pourtant. Enfin, on dit que les plus jolies fleurs poussent sur les tas de fumier. » Il renfonça son képi sur son crâne avant de s'éloigner d'un pas lourd et de rajouter : « Vous ne devriez plus perdre de temps. Les prévisions météo annoncent de la pluie avant la fin de la matinée. »

« Pourquoi vous n'avez pas répondu à l'officier ? »

Un épais rideau de pluie occultait en partie l'entrée de la grange.

« J'ai paniqué. Si je lui avais dit qui j'étais, il se serait empressé de me conduire chez mon père pour en tirer un bénéfice. Et je n'avais vraiment pas envie de rendre service à cet homme.

– Pourquoi ? »

Clara rassembla une partie de ses cheveux dans ses deux mains et se pencha sur le côté pour les essorer. La pluie les avait surpris à la sortie du village. Poussés par un vent soudain, les nuages s'étaient amoncelés au-dessus de leurs têtes à une vitesse sidérante.

« Je suppose que c'est en rapport avec ce qui s'est passé sur la place.

– Vous auriez peut-être pu intervenir pour empêcher ça. Si votre père est aussi important que vous le dites, l'officier vous aurait écoutée.

– Je suis désolée, j'étais... paralysée. Ce condamné que vous avez pleuré, vous le connaissiez, n'est-ce pas ? »

Les jambes de Jean fléchirent. Une source d'amertume se déversait en lui, transformant la colère et la détresse des premiers temps en une peine immense.

« C'était... mon père. »

Les yeux bleus de Clara s'agrandirent d'horreur.

« Il m'a fait signe de ne pas bouger, continua Jean d'une voix éteinte, de nouveau au bord des larmes. Il savait qu'il allait être fusillé et il ne voulait pas m'entraîner avec lui dans la mort.

– Je suis désolée… Désolée… »

Le fracas de la pluie sur les tuiles était assourdissant. Du toit de la grange abandonnée tombaient par endroits de véritables cataractes.

« Je croyais que vous étiez pressée de rentrer chez vous », reprit Jean.

Il lui fallait parler, se raccrocher aux mots pour ne pas sombrer.

« Je le croyais aussi. Et puis je me suis dit que mes parents s'empresseraient de me renvoyer chez mon futur mari. C'est que j'ai pris goût à la liberté, moi !

– Qu'allez-vous faire ?

– Je ne sais pas encore. Et vous ?

– J'en sais trop rien non plus. Je suis un clandestin maintenant. Un hors-la-loi. »

Elle marqua un petit temps d'hésitation.

« Et si nous partions, vous et moi, pour un royaume lointain ?

– Faut de l'argent pour voyager. Et aussi un permis. Et puis, même si j'avais tout ça, je me ferais arrêter aux douanes. Magda nous a expliqué qu'on ne pouvait pas entrer dans les autres royaumes aussi facilement que ça.

– Ma sœur, qui passe son temps sur le réseau, dit qu'il y a des endroits sur terre qui ressemblent au paradis. J'aimerais les visiter.

– Alors, retournez chez vous et demandez à votre père de vous payer le voyage.

– Je sais déjà ce qu'il me dira : je ne suis pas sur terre pour satisfaire mes caprices, mais pour remplir mes obligations. Chez nous, nous ne faisons que perpétuer les coutumes. Toutes nos inventions, toute notre technologie ne sert à rien. Nous avons des richesses, des voitures, des avions, l'électricité, le réseau virtuel, mais plus la vitesse de nos déplacements et de nos échanges augmente et plus nous nous réfugions dans le passé. »

À la fin de l'averse, ils s'aventurèrent de nouveau sur la route qui serpentait entre les collines d'un bocage verdoyant. Les flaques scintillaient sous les rayons du soleil qui se faufilaient entre les nuages et soulevaient d'éphémères arcs-en-ciel.

« Je dois retourner chez moi et prévenir ma mère avant les asticots, dit Jean.

– Les asticots ?

– Les gendarmes royaux, c'est comme ça que certains les surnomment.

– Je vous accompagne. »

Jean s'arrêta de marcher et dévisagea Clara.

« Chez moi, c'est pas Versailles, vous risquez d'être déçue...

– Oh ! vous savez, chez Barnabé non plus, ce n'était pas Versailles, et j'en suis sortie vivante.

– Admettons, mais c'est pas bon pour une fille de votre condition de se promener en compagnie d'un hors-la-loi.

– Je ne risque pas grand-chose avec vous. Vous avez des réflexes : vous m'avez impressionnée tout à l'heure avec le coup de la fille muette. Et puis, avec moi à vos côtés, vous aurez davantage de chances. On se méfie moins d'un couple.

– Tout le monde ne sera pas aussi facile à berner que cet officier... »

Clara haussa les épaules d'un air fataliste.

« Vous ne comprenez pas, n'est-ce pas ?

– Quoi donc ?

– Qu'une fille de ma condition ne songe pas à retourner dans sa jolie cage dorée.

– Sans doute que si vous viviez quelques jours chez nous, vous seriez pressée d'y retourner. »

Le grondement d'un moteur les interrompit. Un camion surgit d'un virage et les dépassa avant de s'arrêter une trentaine de mètres plus loin dans un affreux couinement de freins. Il transportait des troncs d'arbres dont les plus longs dépassaient de l'extrémité de la remorque. Le chauffeur, un homme d'une quarantaine d'années vêtu d'une tenue et d'une casquette bleu marine, descendit et s'approcha d'eux en roulant des épaules. Le mégot éteint d'une cigarette roulée était resté collé au coin de sa lèvre inférieure.

« Qu'est-ce que vous fichez dehors par un temps pareil ? »

Sa voix était aussi rocailleuse que l'annonçait son visage couturé de rides et de cicatrices.

« Faut qu'on aille dans la banlieue de Paris et on n'a plus d'argent pour se payer le train ou l'autocar, répondit Jean, sur ses gardes.

– Où ça, en banlieue ?

– À Châtillon. »

L'homme se gratta les cheveux sous sa casquette.

« J'vais pas jusque-là, mais j'peux vous avancer jusqu'à Colombes. C'est là que j'dois livrer ce bois. On devrait y être au milieu de l'après-midi. »

L'homme s'appelait Pierre-André. Il parlait d'une voix forte pour dominer le ronflement du moteur. Les nombreux cahots de la route arrachaient sans cesse les passagers à la banquette habillée d'un tissu rêche. Le camion franchissait au ralenti les côtes les plus raides.

Jean avait d'abord satisfait la curiosité dévorante du chauffeur : Clara et lui étaient cousins, ils étaient venus voir une vieille tante qui habitait dans le coin, ils retournaient maintenant chez eux, lui partait bientôt dans les mines de l'Est où il avait été embauché, elle continuerait de faire des petits boulots dans le coin en attendant de trouver un mari et de fonder une famille.

« Vous ne vous ressemblez guère. Vous êtes vraiment cousins ? avait demandé Pierre-André avec une moue sceptique.

– Elle ressemble à ma tante, la sœur de ma mère, et je ressemble à mon père. »

L'explication de Jean avait semblé convenir au chauffeur, qui, dès lors, avait parlé de lui sans se faire prier. Parisien d'origine, il avait passé dix ans de sa vie dans les colonies d'Afrique noire. Comme le bois exotique était en vogue à la cour et dans les grandes familles du royaume, il avait fait partie de ces hordes de bûcherons expédiés dans les forêts tropicales. Il y avait attrapé le paludisme, une maladie incurable inoculée par un moustique et qui, une fois par an, le plongeait dans une fièvre délirante. Il avait vécu au milieu des populations nègres qui allaient nues comme des vers et que les missionnaires avaient le plus grand mal à rhabiller. Il ne s'était pas marié à son retour. Il n'avait pas trouvé de femme à sa convenance, et puis, il était un peu vieux pour intéresser une jeune fille. Il aurait voulu finir sa vie en Afrique. Il préférait tout là-bas, le climat, la nourriture, les épices, les odeurs, la végétation, l'indolence rieuse et complice des femmes, mais, à cause de cette fichue maladie, le médecin lui avait ordonné de repartir en métropole. La CFA, la Compagnie forestière d'Afrique, lui avait trouvé un travail à la Colombine, une filiale installée à Colombes. Pas que le boulot lui plaisait, mais, comme il n'avait pas économisé un sou vaillant, il n'avait pas le choix s'il ne voulait pas crever de faim et dormir dans la rue comme tous ces pauvres bougres réduits au chômage. Emmuré dans son chagrin, immergé dans le souvenir de son père, Jean laissait à Clara le soin d'entretenir la conversation.

Aux alentours de midi, ils s'arrêtèrent dans un minuscule village regroupé comme un troupeau frileux autour de son église trapue. Il y avait là une auberge, qui, selon Pierre-André, servait la meilleure blanquette de veau de la région. Clara protesta qu'ils n'avaient pas assez d'argent pour se payer un déjeuner dans une auberge. Le chauffeur balaya son argument d'un revers de main.

« Je gagne à peine dix francs royaux par jour, mais comme j'ai pas d'autre bouche à nourrir que la mienne, j'peux encore vous offrir un repas à tous les deux. Ça m'fera plaisir, même si ça rattrapera jamais les enfants que j'ai pas eus. »

Plusieurs véhicules stationnaient devant le restaurant. Jean se rendit compte un peu trop tard qu'ils étaient frappés des insignes de la gendarmerie royale.

CHAPITRE 14

La plupart des clients étaient des gendarmes répartis dans la grande salle par tables de six. Deux serveuses se démenaient dans les allées, portant plats, corbeilles, assiettes et pichets. Jeunes et vives, elles esquivaient avec adresse les gestes déplacés des hommes en uniforme blanc brodé d'or.

Jean avait eu un mouvement de recul en entrant dans l'auberge. Puis, comme il ne voulait pas attirer l'attention de Pierre-André ni celle des gendarmes, il s'était installé en compagnie du chauffeur et de Clara à l'une des tables indiquées par une serveuse. Il baissait la tête, estimant qu'il serait moins exposé aux regards. Un réflexe stupide : ce n'était pas la gendarmerie royale qui avait attaqué le camp des terroristes la veille, il n'y avait donc aucune chance pour que les asticots le reconnaissent.

Pierre-André continuait de parler, de l'Afrique noire, son sujet de prédilection, mais également de ses soixante-douze heures de travail par semaine à la Colombine. Il lui arrivait de s'assoupir au volant et de se réveiller en sursaut alors que son camion roulait déjà sur le bas-côté. Il parlait toujours aussi fort, comme si le grondement du moteur continuait de résonner en lui.

Jean était de temps à autre tiré de ses rêveries par la voix rugueuse du chauffeur. Des scènes de sa petite enfance, qu'il croyait à jamais oubliées, resurgissaient dans sa mémoire, d'une netteté saisissante. Elles concernaient son père, sa tendresse bourrue, les jeux et les rires partagés, les coups de gueule également, parfois saisissants mais toujours atténués par un sourire ou un clin d'œil complice. Il doutait de l'avoir vu mort contre le mur d'enceinte. Il regrettait de ne pas avoir eu la possibilité de poser la tête sur sa poitrine pour vérifier que son cœur ne battait plus. Il ne connaissait même pas le nom du village où il serait enterré. Il n'avait pas pris le temps de lire le panneau à l'entrée du bourg. Il n'osait pas le demander à Pierre-André : il avait raconté qu'il était venu voir une tante dans le coin, comment aurait-il pu ignorer le nom de l'endroit où elle habitait ? Il se promit de revenir, quitte à explorer la région tout entière. Il reconnaîtrait les rues, les vitrines, l'église, la place, le mur, les chênes, il interrogerait le maire et les habitants jusqu'à ce que quelqu'un lui indique l'emplacement de la fosse commune.

Il mangeait machinalement, parce que son corps le réclamait, sans vraiment apprécier le goût de la nourriture. On leur avait pourtant servi un plat exceptionnel : du veau de lait, une viande habituellement réservée aux repas de fête, accompagné de riz ; Jean n'avait encore jamais goûté la céréale blanche venue des lointaines colonies. Il ne lui trouvait pas de saveur particulière et ne comprenait pas pourquoi elle était considérée comme un mets de choix.

Pierre-André poussait après chaque bouchée un soupir de satisfaction. Il buvait également de généreuses gorgées d'un vin rouge légèrement âpre. Le repas était cher, vingt francs royaux par tête, mais il s'offrait une fois par mois ce petit plaisir réservé aux gens fortunés.

Le premier jour d'ailleurs, l'aubergiste, un homme obséquieux et rondouillard, n'avait pas voulu de ce cou noir comme client, puis, lorsque Pierre-André avait posé l'argent sur le comptoir, il n'avait pas pu s'empêcher d'empocher les billets et de l'installer à une table à l'écart. Depuis, le chauffeur était devenu un habitué, et même le préféré des filles de salle qui s'arrangeaient pour lui servir de larges portions et du supplément de dessert.

Clara mangeait de bon appétit. Depuis combien de temps n'avait-elle pas fait un vrai repas ? Le pain noir, le fromage de chèvre, les noix, les pommes et les poires fournis par Barnabé l'avaient maintenue en vie, mais ne l'avaient pas empêchée de maigrir. Ses hanches et ses côtes saillaient ; elle avait à peine reconnu son visage creusé par les privations dans les miroirs des vitrines et des fenêtres des maisons du village. Elle levait de temps à autre un regard furtif sur Jean, assis en face d'elle. Elle croisait ses yeux embués, se rappelait l'exécution sur la place du village et se demandait, elle qui n'avait jamais été confrontée à la mort, elle qui avait toujours vécu dans un environnement calme et voluptueux, comment son monde en était arrivé là. Pour elle et ses amies, les terroristes étaient des spectres grinçants qui hantaient les ruines et menaçaient la sécurité du royaume. Elle ne les avait jamais envisagés comme des êtres de chair et de sang. Elle avait pourtant vu leur dignité face au peloton d'exécution, elle avait vu couler leur sang, elle avait vu un brave curé les accompagner dans la mort, elle avait vu la détresse et la honte des villageois, elle voyait maintenant l'inconsolable chagrin de Jean, et elle éprouvait un sentiment de compassion et de culpabilité mêlées qui laissait dans sa gorge un goût d'amertume.

Même si, contrairement à sa sœur Christa, Clara n'était pas une adepte forcenée du Réseau Informatique International, elle avait parfois regardé sur les écrans muraux les images des autres royaumes du monde. Des images toujours rassurantes, toujours édifiantes. Qui pouvait savoir ce qui se passait réellement dans l'empire de Chine, dans le califat du Moyen-Orient, dans les royaumes occidentaux d'Amérique ? Quelles images leurs populations recevaient-elles des pays d'Europe ? On ne leur montrait sûrement pas ce genre d'exécution sommaire. Elle-même, qui habitait à quelques dizaines de mètres du château de Versailles, qui avait accès aux moyens de communication les plus modernes, ne savait pas ce qui se passait dans les campagnes de France.

Les gendarmes se levèrent et sortirent de la salle, escortés par les deux filles de salle et les sourires obséquieux de l'aubergiste. Leur capitaine passa devant le comptoir en tendant négligemment un bon du trésor royal. L'aubergiste s'en saisit et fit observer, d'une voix blanche, que la somme mentionnée sur le bon ne suffisait pas à régler l'addition. Le capitaine se raidit et toisa son vis-à-vis avec dédain.

« Vous devrez vous en contenter, mon vieux, c'est tout ce que je peux vous donner. Qui allez-vous prévenir si ça ne vous convient pas ? La gendarmerie ? »

L'officier ponctua sa question d'un rire sec. L'aubergiste pâlit et s'essuya les lèvres d'un geste nerveux.

« Je m'en satisferai, monsieur.

– À la bonne heure ! Félicitations au chef pour la qualité de sa cuisine. Je n'en dirais pas autant pour le vin. »

Le capitaine se dirigea d'un pas légèrement titubant vers la porte de l'auberge restée entrouverte. Dehors il avait recommencé à pleuvoir. Les gendarmes couraient vers les véhicules garés sur la place. L'officier s'arrêta sur le seuil et scruta le ciel.

« Une simple averse, précisa l'aubergiste figé derrière le comptoir. Elle va vite passer. »

Le capitaine hocha la tête. Ses yeux vinrent se poser sur les trois derniers clients de l'auberge, s'arrêtant quelques secondes sur Pierre-André, sur Jean, puis sur Clara. Elle se sentit fouillée par son regard sombre, inquisiteur. Il n'avait sans doute pas atteint la trentaine, et pourtant il semblait vieux, comme si le temps s'était accéléré en lui. Il la dévisagea longuement tandis que les trombes balayaient la place. Bien qu'elle évitât de le regarder en face, elle eut la certitude de l'avoir déjà croisé. Dans la réception de l'hôtel particulier de son père, peut-être, ou encore dans les couloirs ou le parc du château de Versailles. Il paraissait également se souvenir d'elle, du moins essayer de lui associer un souvenir, mais, par chance, le vin ou la digestion brouillait sa mémoire. Lorsque la pluie s'arrêta et que le capitaine franchit enfin le seuil de la porte, elle ressentit un immense soulagement.

Les filles de salle apportèrent à Pierre-André et à ses deux invités un assortiment de desserts auxquels ni Clara ni Jean ne touchèrent. Le chauffeur engloutit la quasi-totalité du plateau, demanda un café et la note, qu'il régla avec de bons et solides billets de dix francs royaux, puis ils se levèrent et sortirent à leur tour. Les véhicules de la gendarmerie avaient disparu. La pluie avait cessé, le vent pourchassait les nuages encerclés d'un bleu de plus en plus large et précipitait les feuilles mortes sur les troncs d'arbres et les murs.

Au moment où ils grimpaient dans le camion, une voix puissante retentit derrière eux.

« Halte ! »

Le capitaine surgit d'une ruelle étroite et s'avança vers eux. Clara aperçut les véhicules de gendarmerie stationnés un peu plus loin sur le côté droit de la route principale.

« Qu'est-ce qui se passe ? » demanda Pierre-André.

Le capitaine s'arrêta à deux mètres d'eux et sortit de la poche intérieure de sa veste une feuille de papier qu'il déroula.

« Votre famille vous recherche depuis longtemps, mademoiselle Clara Barrot, dit-il. Votre visage me disait quelque chose. J'ai dû vous voir à Versailles. J'ai effectué une recherche par le réseau mobile, et on m'a envoyé ce portrait de vous. Bien que vous ayez maigri, on vous identifie, sans contestation possible. »

Clara reconnut le portrait que le photographe de la cour avait pris d'elle un mois plus tôt – pour l'envoyer à la famille de l'homme qu'on lui destinait. Elle avait détesté son image lorsqu'on lui avait montré le résultat, mais, comme ses parents avaient jugé la photographie convenable, elle n'avait pas eu son mot à dire.

Elle accrocha son regard à celui de Jean, l'implorant silencieusement de la tirer de ce mauvais pas. L'idée la révoltait de retourner chez elle, d'affronter le mépris de sa mère et les sarcasmes de ses sœurs, de repartir les jours suivants pour le château de la Romagne. Elle voulait poursuivre l'exploration d'un monde qu'elle ne connaissait pas et qui s'étendait à sa porte. Nul besoin de s'envoler pour les royaumes et empires lointains pour assouvir sa soif de découverte.

« Je vais vous demander de bien vouloir me suivre, mademoiselle », reprit le capitaine.

Il gardait la main droite posée sur la crosse du pistolet qu'il portait à la ceinture et dont il avait dégrafé le haut de l'étui.

« Je vous raccompagne seulement chez vous, ajouta-t-il, les yeux brillants. Je laisserai à vos parents le soin de vous demander pourquoi vous ne vous êtes pas présentée de vous-même dans une gendarmerie. » Il désigna Pierre-André et Jean d'un mouvement de menton. « Sans doute parce qu'on vous en empêchait...

– Et si je vous dis, moi, que je n'ai pas... envie de vous suivre, bredouilla Clara.

– Je crains fort que vous n'ayez pas le choix, mademoiselle. Quant à vos deux accompagnateurs, je les fais arrêter pour séquestration. »

Clara se redressa et soutint le regard de l'officier.

« Il n'en est pas question, monsieur ! Je les ai suivis de mon plein gré. Ils ignoraient tout de mon identité. Ils n'ont commis aucun délit. Emmenez-moi si vous voulez, mais laissez-les partir. »

Le capitaine enroula la feuille de papier avec une moue et la glissa dans la poche intérieure de sa veste.

« Je suis persuadé qu'un interrogatoire en règle aurait démontré le contraire, mais je serai magnanime et me contenterai de votre parole. »

D'un geste raide, l'officier invita Clara à passer devant lui. Elle mit toute la force de son espoir dans le dernier regard qu'elle adressa à Jean. Ils se reverraient, elle en avait la conviction, il l'emmènerait dans son monde, elle l'introduirait dans le sien, elle ferait tout ce qui était en son pouvoir pour que leurs chemins se croisent à nouveau, elle, la fille de bonne famille, et lui, le cou noir condamné à la clandestinité. Elle lut dans ses grands yeux clairs qu'il partageait le même désir, la même volonté. Leur fuite dans la forêt et leur nuit dans le ventre sec de la terre avaient tissé entre eux des liens qu'aucune loi, aucune coutume ne briserait. Elle sourit, se détourna et, suivie du capitaine, marcha d'un pas chancelant vers les véhicules stationnant une cinquantaine de mètres plus loin.

« Tu savais pour cette fille ? »

Jean ne répondit pas, les yeux rivés sur le paysage noyé de pluie qui défilait sur le côté de la route.

« Bien sûr que tu savais, reprit Pierre-André. Sinon tu m'aurais pas raconté tes boniments. J'parie que t'as pas de tante, là-bas ?

– Je ne sais même pas comment s'appelle le village...

– Beaufort-la-Forêt... Qu'est-ce que vous fichiez tous les deux dans le coin, alors ? »

Jean hésita. L'attitude résignée des villageois avant l'exécution montrait qu'on ne pouvait compter sur personne. Pierre-André les avait pris dans son camion, Clara et lui, et leur avait offert un bon repas. Était-ce une raison suffisante pour lui accorder sa confiance ?

« Je suis un clandestin », finit-il par répondre. Parler le soulageait, les larmes coulaient pendant que les mots glissaient de ses lèvres. « J'ai suivi une classe interdite, et on s'est fait prendre, l'institutrice et quatre de ses élèves. Ils m'ont condamné à cinq ans de camp de redressement. Les terroristes ont arrêté le fourgon qui nous emmenait dans les camps, cinq autres gars et moi. Ils nous ont délivrés et conduits dans leur campement. On a été attaqués par l'armée hier matin. Ça tirait de partout, des fusils, mais aussi des canons. J'ai réussi à me sauver. Je suis arrivé dans une clairière où il y avait une vieille maison. J'y ai trouvé Clara, avec une femme morte depuis un moment. Elle avait eu un accident de voiture sur la route du château de la Romagne, son chauffeur était mort, elle avait été enlevée par un gars appelé Barnabé, un fou. On est partis ensemble. Barnabé nous a poursuivis dans la forêt, on s'est cachés dans des ruines, puis, le matin, on a repris notre chemin. On est arrivés dans ce village...

– Beaufort-la-Forêt.

– ... où les soldats ont fusillé les terroristes. J'ai décidé de rentrer chez moi, Clara a voulu venir avec moi, vous nous avez trouvés sur la route.

– Pourquoi elle voulait venir avec toi ? D'après ce que j'ai compris, elle est la fille d'une grande famille.

– Son père est l'argentier de la cour. Il s'occupe des finances du royaume.

– T'aurais dû la ramener chez elle, mon gars. On t'aurait sûrement donné une belle récompense.

– Ou ils m'auraient jeté en prison. Je ne suis qu'un cou noir, comme vous. Vous avez vu comment l'asticot nous regardait tout à l'heure ?

– Ils vont tout de même pas mettre tout le monde en prison ! Qui les nourrirait ? Qui bâtirait leurs maisons ? Qui entretiendrait les routes ? Qui fabriquerait leurs engins ?

– Ils n'ont que le choix pour la main-d'œuvre. Dès qu'ils peuvent, ils expédient le travail dans les colonies où les gens travaillent pour rien.

– Crois-moi, ils auront toujours besoin de nous ici. Pourquoi tu pleures, mon gars ? C'est à cause de la fille ? »

Jean ne répondit pas. Il n'avait pas la force de préciser que son père avait fait partie des terroristes fusillés à l'aube.

« Bah, pas la peine de t'en faire : t'avais aucune chance. Même si vous avez des sentiments l'un pour l'autre, va surtout pas t'imaginer qu'une fille de sa condition pourrait s'marier avec un gars comme toi. Chacun s'en retourne chez soi, et c'est mieux comme ça. »

Le chauffeur vitupéra une charrette chargée de choux et tirée par deux bœufs qui l'obligea à rouler au pas dans une succession de virages en épingle. Il s'arrêta deux kilomètres plus loin dans une station-service. Un pompiste en combinaison et casquette vertes sortit de sa guérite et s'avança vers la portière. Pierre-André baissa la vitre.

« Le plein de carburant ?

– Lequel est le plus avantageux ?

– Y a presque plus d'essence depuis que le Califat a chassé les prospecteurs pétroliers de son territoire. On vient de recevoir une grosse quantité d'alcool de sucre de bonne qualité. À moins d'un franc royal le litre.

– Tu es sûr pour la qualité ? J'tiens pas à abîmer mon moteur. La Colombine serait bien capable de me le faire payer.

– Garanti.

– Alors va pour l'alcool de sucre !

– Garez-vous près de la troisième pompe. »

Pierre-André roula une cigarette pendant que le pompiste enfonçait le pistolet de la pompe dans l'orifice placé au-dessus de la roue avant gauche.

« Moi aussi, j'ai cru qu'on pouvait choisir la femme avec qui on s'marie, reprit le chauffeur. J'ai vécu pendant deux ans avec une négresse au Dahomey, Félicité qu'elle s'appelait. Une sacrée belle femme. C'est une pratique courante là-bas, tout le monde l'accepte, même les missionnaires qui sont pas les derniers à en profiter. J'aimais Félicité, j'veux dire qu'entre elle et moi, c'était pas qu'une question de... enfin, tu me comprends. Quand elle est tombée enceinte, j'ai décidé d'en faire mon épouse. J'suis donc allé voir le missionnaire pour lui demander de nous organiser une belle cérémonie de mariage. Le regard qu'il m'a lancé ! J'ai cru que ses yeux allaient me perforer le crâne. Il m'a dit que j'avais perdu la boule : les colons pouvaient se mêler aux populations indigènes, c'était humain et compréhensible, mais il ne fallait surtout pas légaliser ces unions. Surtout pas ! Ou les indigènes se mettraient à revendiquer les mêmes droits que les colons, et la barrière finirait par céder entre eux et nous. Et l'enfant qu'elle porte, j'ai demandé, qu'est-ce qu'il va devenir ? Un métis et un bâtard, il m'a répondu. C'était une belle petite fille toute brune aux grands yeux noirs. Une merveille. On lui a donné le prénom d'Ève. »

Pierre-André s'interrompit pour allumer sa cigarette avec un briquet à amadou. Comme il tremblait légèrement, il n'y parvint qu'au bout de trois tentatives.

« Ça fera soixante francs royaux tout rond. »

Le pompiste se tenait de nouveau devant la portière. Pierre-André tira trois billets de vingt francs d'une enveloppe où Jean lut le mot Colombine et se pencha par la vitre pour les remettre au pompiste.

« Merci, et bonne route. »

L'âpre fumée rejetée régulièrement par Pierre-André piquait les narines et la gorge de Jean. Il se demandait pourquoi les hommes fumaient, y compris son père et son oncle Michel. Il ne trouvait aucun agrément au tabac dont il détestait l'odeur et l'aspect, mais la pratique en était très répandue chez les cous noirs. On disait pourtant le tabac responsable de cette terrible maladie qu'on appelait la fleur noire et qui fauchait un grand nombre d'hommes aux alentours de la cinquantaine.

« Vous avez sorti trois billets de vingt pour faire soixante francs royaux, dit Jean. Vous savez donc compter ?

– Non, mais j'ai appris à reconnaître les billets et les pièces. Vaut mieux si on veut pas se faire berner. »

Ils roulèrent un moment sans dire un mot.

« Je n'ai jamais su qui a tué ma petite Ève, reprit Pierre-André d'une voix sourde. On l'a retrouvée à l'entrée du village. Son pauvre petit corps cloué à un poteau... »

CHAPITRE 15

On dit qu'à chaque chose malheur est bon, et Clara commençait à croire que l'adage avait un fond de vérité. Elle s'était attendue au pire lorsque le capitaine l'avait ramenée à Versailles, mais, outre l'accueil chaleureux de ses petites sœurs, elle avait eu la bonne surprise d'apprendre, de la bouche de sa mère, que Christa la peste avait été envoyée à sa place au château de la Romagne.

« Comprenez, ma fille : nous vous croyions à jamais disparue et, comme nous avions conclu une alliance importante avec les Romagne, nous avons estimé que Christa devait vous remplacer. Elle a reçu l'agrément d'Edmond et de ses parents. C'est donc elle qui épousera Edmond au printemps prochain. Nous en sommes désolés pour vous. Mais nous continuerons de vous chercher un bon mari... Vous êtes certaine que ce monstre ne vous a pas fait subir d'outrages ? Vous n'avez pas été profanée ?

Nous n'avons pas besoin de vous soumettre à un examen... spécial ?

– Il m'a seulement enfermée dans une cave. Il ne m'a jamais touchée. »

Clara avait dissimulé de son mieux son soulagement. Son père lui avait posé une série de questions distraites sur l'accident, sur l'homme qui l'avait enlevée, sur les circonstances de sa fuite. Il s'était étonné qu'elle ne se fût pas d'elle-même présentée aux gendarmes. Elle avait prétexté une amnésie temporaire occasionnée par les mauvaises conditions de sa claustration. Il avait validé l'explication d'un hochement de tête et promis que les gendarmes allaient tout mettre en œuvre pour arrêter son ravisseur en se basant sur ses indications. Il lui avait assuré qu'il était heureux, vraiment, de la retrouver vivante et en bonne santé, mais il n'avait manifesté aucune émotion et ne l'avait pas serrée dans ses bras. Le capitaine avait reçu une prime de dix mille francs royaux ainsi que la promesse d'intégrer dans l'année la garde personnelle du roi. Ses yeux de rapace avaient brillé avec l'éclat de diamants noirs.

L'accident et son séjour prolongé dans la cave humide de la maison de Barnabé avaient offert à Clara un sursis qu'elle comptait bien mettre à profit pour conquérir sa liberté définitive et partir à la recherche de Jean. Qu'était-il devenu, le charmant cou noir qui lui avait donné la force de fuir ? Elle espérait qu'il n'avait pas été arrêté et enfermé dans l'un de ces camps de redressement où, d'après les informations qu'elle avait glanées çà et là, les détenus subissaient de terribles châtiments corporels. Si le capitaine l'avait reconnue grâce à son réseau mobile, elle avait peut-être la possibilité de retrouver Jean par le R2I.

Le médecin de famille avait déclaré, après l'avoir examinée, qu'elle avait besoin de calme et de repos. Elle passait donc la majeure partie de ses journées dans sa chambre. De temps à autre, ses petites sœurs Josépha et Lætitia surgissaient comme des tornades blondes, grimpaient sur son lit et la couvraient d'une affection débordante. La gouvernante, la girafe à tête de corneille, venait les chercher quelques minutes plus tard et leur interdisait de déranger la convalescente.

Le reste du temps, Clara essayait de se familiariser avec le réseau. Elle n'avait plus envie de lire les revues luxueuses consacrées à la cour et aux grands du royaume. Elle en avait raffolé autrefois, commentant avec Hélène et Ursule les tenues de ces dames et l'élégance de ces messieurs. Les fastes de la Couronne ne la faisaient plus rêver. Ni les potins versaillais qui alimentaient l'essentiel des conversations courtisanes.

Le roi Jean IV revenait d'un voyage en Chine où, déclarait-il, l'empereur l'avait accueilli avec tous les égards dus au souverain d'un royaume aussi prestigieux que la France. Clara avait vu sur l'écran mural les trois avions frappés de la couronne et des armes d'Orléans se poser l'un après l'autre avec la légèreté de libellules sur l'ARIV, l'aéroport royal international de Versailles. En haut de la passerelle, le roi, la reine Astrid et le prince héritier Philippe avaient salué d'un geste de la main la foule des conseillers et des grands courtisans rassemblés sous un grand dais blanc.

Clara avait reconnu son père parmi les ministres alignés au pied de l'escalier. Elle regardait cette scène avec un détachement qui la surprenait. Elle avait l'impression de visionner un reportage sur une contrée lointaine aux mœurs inexplicables. Elle ne se sentait plus battre avec le cœur du royaume de France. Pas avec le cœur rutilant qui brillait sur l'écran en tout cas. Pas depuis qu'elle avait vu couler le sang des terroristes. Pas depuis qu'elle avait croisé la route de l'autre Jean.

On frappa à la porte de sa chambre.

« Entrez. »

Deux silhouettes familières s'introduisirent dans la pièce, précédées de leurs parfums. Hélène et Ursule. Vêtues de robes somptueuses ornementées de volants. Têtes surmontées de ces coiffures extravagantes en vogue chez les courtisanes. Poudrées et maquillées avec l'excès des jeunes filles qui veulent passer pour de vraies femmes. Elles embrassèrent Clara en veillant soigneusement à ne pas dégrader leur fard et s'assirent de chaque côté de son lit.

« Tu nous as fait tellement peur, Clara.

– Nous avons cru que tu étais morte !

– Et nous avons versé toutes les larmes de notre corps.

– Tu as dû vivre des moments terribles.

– Ta mère a dit à la mienne que tu avais été enlevée par un fou.

– Est-ce qu'il a essayé de t'embrasser ?

– Est-ce qu'il s'est montré... brutal ?

– Il paraît que tu as perdu la mémoire.

– Il paraît qu'on t'a retrouvée, errante, sur le bord de la route en compagnie de deux cous noirs.

– Il paraît qu'ils sont grossiers et violents, eux aussi. Est-ce qu'au moins ils t'ont respectée ?

– Ta mère a aussi dit à la mienne que ta sœur Christa t'avait remplacée pour le mariage avec Edmond de Romagne. Vraiment dommage pour toi, Clara, il est follement beau !

– Tu sais que je me marie l'été prochain ? Je suis officiellement fiancée au marquis de Vigogne. Il est un peu vieux, mais c'est un excellent parti, et sa première femme est morte sans lui donner d'héritier.

– Bah, trente-neuf ans, ce n'est pas si vieux pour un homme. Moi, on parle de me marier avec l'un des fils du comte de Thiers. Adolphe, l'aîné, serait celui qui me plairait le plus, mais ni ses parents ni les miens n'ont encore décidé lequel m'échoirait.

– Ne t'inquiète pas, Clara, on va te trouver un beau parti.

– Il faut que tu grossisses, les hommes n'aiment pas les femmes maigres. Est-ce que tu manges bien au moins ?

– Demain soir il y a bal au château pour fêter le retour du roi. Nous y sommes conviées.

– Je mettrai ma plus belle robe.

– Dommage que tu ne sois pas encore remise.

– On reviendra te voir et on te racontera.

– Reprends des forces et du poids en attendant.

– Au revoir, Clara. »

Hélène et Ursule sortirent de la chambre en remballant leurs babillages et leurs parfums. Clara les entendit encore bavarder dans le couloir. Elle n'avait éprouvé en leur compagnie qu'ennui ou agacement. Avant son départ pour le château de la Romagne, elles étaient pourtant ses meilleures amies, les deux personnes avec lesquelles elle adorait perdre du temps. Elle ne leur trouvait désormais plus aucun intérêt. Elles lui semblaient insignifiantes et puériles avec leurs pépiements de moineaux et leurs projets de mariages grandioses. Elles ne faisaient que reproduire les rêves de leurs mères et de leurs grands-mères, figées dans une tradition absurde.

Clara s'installa à son bureau et fixa le clavier dont elle ne connaissait que les fonctions basiques : allumer l'écran et passer sur l'une ou l'autre des trois chaînes officielles. Elle s'était parfois connectée au réseau, elle avait aussitôt battu en retraite, incapable de se repérer dans les symboles affichés sur la page, craignant de bloquer le système par une fausse manœuvre. Le R2I n'avait aucun secret pour Christa, mais Clara rechignait à réclamer de l'aide à sa cadette, qui se serait empressée de l'écraser de sa supériorité. De toute façon, Christa était repartie pour deux semaines au château de la Romagne où elle devait se familiariser avec les lieux et les mœurs de sa future famille.

Il fallait donc qu'elle se débrouille seule.

À moins que...

Elle essaya jusqu'à la fin de la journée, mais elle ne progressa pas. Des messages s'affichaient sans cesse sur l'écran, qu'elle ne comprenait pas. Elle finissait toujours par se retrouver sur l'une des trois chaînes officielles, la première entièrement consacrée au roi, à la cour, aux affaires du royaume, la deuxième aux autres royaumes d'Europe, la troisième aux contrées lointaines. Les films qui venaient de temps à autre interrompre la monotonie des reportages racontaient presque tous des histoires de rois renversés de leur trône par d'affreux conspirateurs, de princes exilés qui prenaient les armes et, à l'aide du peuple dévoué, reconquéraient leur royaume, puis se mariaient à la fin avec une belle princesse ou une jeune femme méritante de la noblesse.

À la fin de la journée, Clara se dirigea vers la petite bibliothèque où elle avait passé une grande partie de ses journées. Elle croisa dans un couloir Louise, la vieille servante, qui prit de ses nouvelles avec sa rudesse habituelle. Elle s'en débarrassa aussi rapidement que possible.

Arrivée devant la petite bibliothèque, elle colla son oreille à la lourde porte de bois. Elle entendit, malgré le capitonnage, la voix de son ancien précepteur. Il dispensait désormais son enseignement à Odeline et Maria. Les deux aînées n'avaient plus besoin de suivre des cours. Or jamais depuis son retour Clara n'avait eu une telle soif d'apprendre. Elle en avait touché quelques mots à son père, qui lui avait répondu, sans lever les yeux de l'écran serti dans le bois de son bureau, que les précepteurs coûtaient cher et qu'elle en savait bien assez pour ce qu'elle aurait à faire. Elle avait décelé du mépris dans sa réponse. Un mépris qui s'écoulait tout seul de sa bouche, comme une source venue du fond des âges. Elle l'avait tout à coup détesté, cet homme qu'elle avait tant aimé.

Odeline et Maria jaillirent en bruissant de la petite bibliothèque et embrassèrent leur grande sœur avant de disparaître dans le couloir. Clara entra. Le précepteur rangeait ses livres et ses cahiers dans une serviette de cuir. Il était toujours aussi maigre, toujours aussi mal fagoté, mais Clara lui trouva un certain charme. Il leva la tête et la fixa quelques secondes avec un sourire chaleureux.

« Bonsoir, mademoiselle Clara. J'ai appris ce qui vous était arrivé. C'est vraiment terrible. Terrible.

– Ça m'a au moins permis d'échapper à ce mariage que je ne souhaitais pas, monsieur.

– C'est dommage pour mademoiselle Christa. C'était une élève brillante.

– Elle n'a pas l'air de se plaindre de son sort. »

Il continua de ranger son matériel dans sa serviette. Son crâne dégarni luisait par intermittences à la lumière des appliques.

« La résignation est, je crois, la notion la plus répandue dans notre monde, murmura-t-il.

– Je n'ai pas été une bonne élève, mais mon aventure m'a donné à réfléchir, et je voudrais rattraper mon retard.

– Vos parents estiment hélas ! que c'est une perte d'argent et de temps. »

Clara s'avança le long des rayonnages couverts de livres aux couvertures brunes, rouges et dorées. La pièce sentait le vieux papier, la cire et le renfermé. Les servantes avaient reçu pour consigne de ne pas écarter les voilages ni d'ouvrir les fenêtres : la vue de la rue ou du jardin aurait pu distraire les filles.

« Avez-vous accès au R2I, monsieur ? »

Le précepteur leva sur Clara un regard étonné.

« Je n'en dispose pas chez moi, car mes moyens ne me le permettent pas, mais je sais à peu près l'utiliser. De là à le maîtriser...

– Pourriez-vous... pourriez-vous m'apprendre à m'en servir ? »

Le précepteur referma sa serviette et resserra son nœud de cravate.

« Ici ? Je ne suis pas certain que vos parents apprécieraient.

– Ici ou ailleurs. Je me charge d'obtenir l'autorisation de mes parents.

– Pourquoi vous intéressez-vous subitement au réseau de communication ? Vous n'en aurez guère besoin quand vous serez mariée.

– Je ne suis pas pressée de me marier. Et puis, comme je n'ai plus accès à vos cours, il me semble que c'est une autre façon d'apprendre, de découvrir... »

Le précepteur réfléchit, la tête penchée, les yeux rivés sur le bureau.

« Certaines connaissances peuvent être dangereuses, mademoiselle, dit-il à voix basse.

– Je suis prête à prendre des risques. »

Il hocha la tête. Une flamme nouvelle brillait dans son regard, comme lorsqu'il parlait des Indes et des autres empires lointains.

« Je ne suis pas un grand spécialiste, mais je connais quelqu'un qui pourrait vous guider dans les arcanes du réseau. Le problème est qu'il n'habite pas Versailles.

– Loin ?

– Pas très : il vit dans le cœur de Paris. »

Clara frissonna. Elle n'avait de Paris que des souvenirs pénibles. Elle s'imaginait mal retourner dans l'immense cité aux tentacules sales et sombres. En outre, ses parents ne l'autoriseraient pas à s'y rendre seule.

« Quand serait-il possible d'aller chez votre ami ?

– Les jours où je ne fais pas la classe à vos sœurs. Le mardi après-midi, le jeudi matin et le samedi toute la journée...

– Vous viendriez avec moi ?

– C'est plutôt vous qui m'y rejoindrez : j'y suis tous les jeudis matin et tous les samedis. Le train vous amènera en trente minutes à Paris, à la gare de l'Ouest. Ensuite, il vous suffit de marcher une dizaine de minutes de la gare jusqu'à son appartement. Je dois partir, mademoiselle Clara. À très bientôt j'espère. »

Le précepteur rouvrit sa serviette et y plongea la main avant de la tendre à Clara. Il lui glissa un petit bout de papier dans la paume, puis sortit de la bibliothèque en laissant derrière lui des vagues senteurs de savon et de parfum bon marché.

Il fallut trois jours à Clara pour élaborer un scénario crédible.

Pour le jeudi matin, ce n'était pas compliqué : il lui suffirait de prétendre qu'elle allait chez Hélène ou chez Ursule. Ses parents ne songeraient pas à vérifier. Pour le samedi, en revanche, il fallait se creuser les méninges.

Elle exploita une petite annonce qu'elle lut par hasard dans l'une des revues qui traînaient dans la salle d'attente. Une ancienne dame de compagnie de la reine proposait aux jeunes filles de bonne famille de s'initier à l'art traditionnel de la broderie. Les leçons, données à titre gracieux, avaient lieu le samedi de dix heures à seize heures. Il convenait seulement d'emmener des gâteaux et autres douceurs que les participantes partageraient à midi autour d'un thé. L'ancienne dame de compagnie habitait à environ quinze minutes à pied de l'hôtel particulier des Barrot.

Clara en parla lors d'un dîner. Son père, accaparé par son écran portable, parut à peine l'entendre. Sa mère lui posa quelques questions de principe avant de déclarer que c'était une excellente façon pour sa fille de reprendre contact avec le monde. Elle demanderait à Thérèse, l'une des cuisinières, de préparer des gâteaux le samedi matin. Elle proposa de mettre voiture et chauffeur (on avait embauché un jeune Breton pour remplacer le chauffeur décédé lors de l'accident) à la disposition de Clara, mais cette dernière déclina l'offre, affirmant que la marche lui ferait le plus grand bien.

« Vous avez raison, ma fille : vous avez besoin d'exercice. »

C'est ainsi que Clara conquit la journée du samedi. Elle devrait maintenant s'initier discrètement à la broderie au cas où sa mère aurait l'idée de vérifier ses progrès. Elle apprit par cœur l'adresse sur le bout de papier que lui avait remis le précepteur : 6, rue de Vaugirard, près du jardin du Luxembourg. Le nom du spécialiste du réseau, Portarius, l'intrigua : on aurait dit un personnage de ces contes populaires enfantins que lui fredonnait sa nourrice pour l'endormir. Elle jeta ensuite le papier dans une cheminée et ne le quitta pas des yeux jusqu'à ce qu'il soit transformé en une minuscule boule noire. Elle décida, malgré son impatience, de ne pas utiliser le jeudi matin les premiers temps. Elle préférait le garder en réserve, voulant d'abord s'assurer que la compagnie de Portarius et de ses disciples lui conviendrait.

La nuit du vendredi au samedi, elle ne dormit pas, excitée, inquiète également à l'idée de se rendre à Paris seule. Elle faillit renoncer à plusieurs reprises, se raccrocha à l'idée qu'elle n'avait pas d'autre façon de retrouver Jean et raffermit sa détermination. Elle avait survécu dans la cave noire et sordide de Barnabé. Que risquait-elle en plein jour dans les rues de Paris ?

Le matin, après sa toilette, elle choisit la tenue la plus neutre possible. Une robe bleu marine qui ne se distinguait des robes des femmes du peuple que par la qualité du tissu ; un imperméable clair dont elle maintint le large col relevé. Elle emprisonna ses cheveux dans un foulard entièrement noir avant de se rendre à la cuisine pour récupérer les gâteaux confectionnés par Thérèse. La cuisinière, une femme aux rondeurs généreuses, lui remit un petit panier, un parapluie, et l'obligea à manger une énorme tranche de pain beurré avant de sortir.

Clara gagna la rue par la porte de service. Dehors il tombait un crachin froid et tenace qui posait sur les arbres et les toits une mantille aux mailles grises et serrées. Une voiture frappée des armes de la famille royale dépassa Clara à vive allure en projetant une gerbe d'eau sur un massif de buis.

Elle ouvrit le parapluie. Le temps maussade ne réussit pas à éteindre le feu qui lui réchauffait le corps et l'âme.

CHAPITRE 16

On trouvait toujours un petit quelque chose à manger dans le quartier des Halles. Des fruits trop gâtés pour être vendus, des restes de charcuterie, des viennoiseries, du pain rassis sur lesquels les nécessiteux s'abattaient comme une volée de moineaux.

Tous les jours, Jean proposait ses services aux commerçants qui avaient besoin de main-d'œuvre. Il transportait, pour une poignée de centimes, des cageots de légumes, des brassées de fleurs, des quartiers entiers de bœuf ou de porc, accumulant entre deux et quatre francs royaux à la fin de la matinée. Ils étaient nombreux à essayer, comme lui, de gagner leur pain quotidien, mais Jean ne manquait jamais de travail. Les femmes des commerçants, qui s'occupaient le plus souvent de l'embauche, l'appréciaient, sans doute parce qu'il avait un aspect avenant et ne rechignait pas à la tâche.

Ses rivaux malchanceux lui lançaient des regards haineux, menaçants. Il craignait parfois qu'ils ne l'attendent à la fermeture des Halles, aux alentours de treize heures, pour lui régler son compte.

Il s'empressait de regagner la gare de l'Est, où il avait trouvé refuge depuis trois semaines. Il changeait de trottoir chaque fois qu'il apercevait les uniformes blanc et doré des asticots dans le lointain. Il lui était relativement facile de passer inaperçu dans les rues de Paris, grouillantes à toute heure du jour et de la nuit. De temps à autre un convoi militaire, des fourgons de gendarmerie, les tramways à gaz ou des voitures particulières fendaient au ralenti la foule en faisant hurler leurs sirènes. Les piétons s'écartaient avec des grognements ou des gestes agressifs. Une tension permanente régnait dans la ville, qui pouvait à tout moment dégénérer en émeute. Les déploiements réguliers des troupes et des véhicules blindés dans les grandes avenues et sur les places rappelaient à la population parisienne les risques encourus si elle cédait à la tentation de la violence.

Jean partageait le refuge d'Athanase, qui vivait depuis plus de quarante ans dans la rue et connaissait tous les recoins de Paris. Le vieil homme l'avait interpellé un soir qu'il s'était collé contre un mur pour se cacher d'un bataillon de gendarmerie.

« T'as pas la conscience tranquille, mon gars, on dirait ! »

Jean avait failli lui crier de s'occuper de ses oignons. Les yeux d'Athanase, assis sur le trottoir, brillaient de malice sous ses sourcils broussailleux. Avec ses longs cheveux gris, sa barbe blanche et ses rides profondes, il ressemblait à saint Nicolas, un saint Nicolas vêtu de hardes et dépourvu de hotte.

« J'connais un endroit où les asticots fourrent jamais leur nez. Si le cœur t'en dit... »

Athanase s'était levé et, d'une démarche claudicante, s'était dirigé vers la gare de l'Est dont l'immense hall éclairé brillait comme un phare au bout de l'avenue de Strasbourg. Jean l'avait suivi après un temps d'hésitation.

Il fallait, pour atteindre le refuge d'Athanase, parcourir une venelle sinueuse et ténébreuse de jour comme de nuit. Franchir une porte cochère qui supportait comme elle le pouvait le poids des siècles. Traverser une cour pavée cernée d'immeubles insalubres. Se glisser dans un passage entre deux bâtiments. Se faufiler par le soupirail d'un sous-sol. Suivre une galerie d'une vingtaine de mètres qui donnait sur une cave voûtée datant, d'après le vieil homme, du temps des Romains.

« Des... Romains ?

– Ben oui, les gars qui sont venus de Rome pour envahir la Gaule, enfin, le territoire qui est maintenant devenu la France. Le français vient du latin, leur langue. T'as jamais entendu parler de Jules César ? Ni de Vercingétorix ? »

La rumeur de la ville s'échouait en murmure lointain dans la cave. Le refuge d'Athanase offrait un certain confort. Cinq ou six lits en bon état, des draps, des couvertures, une table, des chaises, un réchaud à alcool, des étagères, et même de l'eau : le vieil homme avait conçu un système ingénieux de récupération des eaux de pluie dans deux bassins en pierre communicants fabriqués eux aussi par les Romains, « des obsédés de la propreté et des bains ». De même, comme l'abri ne disposait pas de fenêtres ni d'aucune aération, il avait installé des tuyaux qui traversaient la voûte ou les parois et dont les extrémités débouchaient à l'air libre. Il devait seulement les purger de temps en temps, à l'aide de longues tiges en fer souple, de la terre et des autres déchets qui s'y accumulaient.

Manquait bien sûr la fée électricité.

« Comme partout à Paris, soupirait Athanase. L'électricité est réservée à une toute petite minorité de privilégiés. Ils croient sans doute, à Versailles, que donner l'électricité au peuple risquerait de provoquer une révolution. Ils n'ont pas tort d'ailleurs. Les choses s'accéléreraient, pour sûr. »

Jean s'était aménagé un coin à lui, séparé du reste de la cave par une cloison de bois, de tissu et de carton. Il y avait mis un lit, des draps et des couvertures au préalable nettoyés, une chaise sur laquelle il posait ses vêtements, un vieux tapis, des étagères rudimentaires et une cuvette de faïence avec laquelle il puisait de l'eau dans l'un des bassins.

Il lavait une fois par semaine ses vêtements. Il avait pris deux tenues complètes lorsqu'il était revenu à la maison. Pierre-André l'avait déposé devant le portail d'entrée de la Colombine et lui avait fait promettre de revenir le voir en cas de besoin. Jean avait parcouru à pied le trajet entre Colombes et Châtillon, s'abritant des averses où il le pouvait.

Il n'avait pas eu besoin d'annoncer la funeste nouvelle à sa mère et à ses sœurs : les gendarmes s'en étaient chargés avec leur brutalité coutumière. Ils avaient vissé sur la façade de la maison un écriteau informant les passants de la mort de Daniel Marchicourt, trente-huit ans, jugé et fusillé le 24 octobre 2008 pour atteinte à la sûreté du royaume. Sa mère avait serré Jean à l'étouffer, heureuse de le savoir vivant, inquiète de sa situation de clandestin, désespérée par la mort de son mari. Il n'avait dormi qu'une nuit dans son ancienne chambre. À l'aube, deux gendarmes avaient frappé à la porte. Perquisition : ils recherchaient le dénommé Jean Marchicourt, évadé le 23 octobre du fourgon cellulaire qui le conduisait au camp de redressement des Vosges. Pendant que sa mère s'efforçait de gagner du temps, il s'était rhabillé, avait fourré une tenue de rechange dans un sac et filé par la fenêtre, puis par le toit. Il avait sauté dans la ruelle arrière et couru jusqu'à la gare ferroviaire distante d'environ trois cents mètres. Il s'était jeté dans le premier train à destination de Paris sans argent ni billet, jouant à cache-cache avec les contrôleurs.

Jean n'était pas retourné chez lui. Un gendarme en civil traînait probablement du côté de la maison, ou bien les asticots avaient soudoyé un voisin pour leur signaler son retour. Il refusait de faire courir le moindre danger à sa mère et ses sœurs. Il s'inquiétait pour elles : l'argent cessant de rentrer, elles ne pourraient plus payer le loyer de la maison et seraient tôt ou tard mises à la porte. Que deviendraient-elles ? Sa mère réussirait-elle à éviter la dispersion de sa famille ? Iraient-elles grossir la foule de ces filles prêtes à toutes les compromissions, toutes les humiliations, pour simplement manger à leur faim ? Il cherchait un moyen de subvenir à leurs besoins, mais sa situation de clandestin lui interdisait tout travail officiel. Les pièces qu'il glanait aux Halles lui permettaient seulement de manger à sa faim et de rapporter de la nourriture pour Athanase, qui ne pouvait plus travailler.

Le vieil homme ne lui posait aucune question sur son passé. Ils passaient leurs soirées à deviser ou à lire aux lueurs des bougies et de la lampe à huile. Athanase avait récupéré quelques livres anciens dans les appartements désertés pendant les grandes émeutes de 1982. Il avait appris à lire seul à l'aide d'un manuel rédigé par un instituteur du nom d'Augustin Layrot, condamné à mort au début du XXe siècle pour avoir voulu transmettre le savoir au peuple.

« Doit pas en rester beaucoup, de ces manuels ! Y en a pourtant eu plus de cent mille en circulation. Les asticots ont fouillé le royaume de fond en comble pour les retrouver et les faire brûler sur les places publiques avec d'autres ouvrages interdits. Celui-là leur a échappé. »

Jean l'avait parcouru avec avidité. Le manuel complétait parfaitement l'enseignement de Magda. Augustin Layrot, orphelin et homme du peuple, proposait une méthode originale pour initier les analphabètes à la lecture. Il utilisait le dessin ou le symbole pour illustrer les sons produits par les lettres, les syllabes et les mots. Avec un minimum de logique, on pouvait facilement établir les correspondances entre les sons et les lettres, puis, en emboîtant les syllabes, reconstituer et prononcer les mots.

Jean restait le nez plongé dans les livres jusqu'à ce que ses yeux se ferment. Le sens de certaines phrases lui échappait encore, mais il n'avait plus besoin du dictionnaire pour comprendre un texte. Il avait déniché deux ouvrages qui retraçaient l'histoire du royaume, de la Gaule jusqu'au XXe siècle : l'invasion romaine (il connaissait maintenant les noms de Jules César et de Vercingétorix), Clovis le Franc, les rois fainéants, les Carolingiens, Charlemagne, les Capétiens, les Valois, la guerre de Cent Ans, les Bourbons, la Révolution (présentée ici comme la période la plus noire de la France, aucune mention de la maxime chère à Magda : Liberté, Égalité, Fraternité...), le Premier Empire, la Première Restauration, la Deuxième République, le Second Empire, la Troisième République et, enfin, la Seconde Restauration, l'avènement des Orléans avec l'accession au trône de Philippe VII.

Jean s'apercevait que l'histoire du royaume n'était pas figée. Le trône de France avait fait l'objet d'incessantes guerres de succession. Des héritiers avaient été écartés ou tués, des prétendants s'étaient imposés par la force ou par la ruse, on avait entraîné plusieurs pays dans des guerres sanglantes pour d'obscures querelles de légitimité.

Un matin, il en avait discuté avec Athanase.

« Les rois disent que c'est Dieu qui les a installés sur leurs trônes, mais quand on lit le livre, on voit bien qu'ils s'y sont installés tout seuls.

– Ils appellent ça le droit divin. Ça veut dire qu'ils ont reçu l'appui de l'Église. Ça a commencé avec Clovis et sa conversion, ça s'est poursuivi avec le premier Carolingien, Pépin le Bref, consacré par le pape Étienne II. Un arrangement entre les pouvoirs spirituel et temporel. L'un donne sa bénédiction à l'autre, l'autre lui accorde en échange sa protection. Regarde ce qui s'est passé au début de l'année 1882, quand le coup d'État du Parti de l'Ordre a renversé le président Grévy et le gouvernement Gambetta. Le pape de l'époque, Léon XIII, s'est empressé de reconnaître Philippe VII comme roi légitime de France. On le disait progressiste pourtant... Bah, c'était un faible, une girouette, il a fait ce que ses cardinaux lui ont dit de faire. »

Quand il ne lisait pas, Jean pensait à Clara. Il valait mieux que chacun reste dans son monde, comme le lui avait affirmé Pierre-André avec sa franchise brutale, mais elle continuait de hanter son esprit. Il ne ressentait pas le désir un peu vain de briller dans son regard, comme cela s'était passé avec Lise, la jolie petite peste du domaine de la Roussière, il aspirait seulement à mieux connaître Clara, à faire un bout de chemin à ses côtés. Il se sentait bien en sa compagnie, elle lui donnait de la force, du courage. Ils ne se reverraient sans doute jamais, parce que leurs mondes ne se rencontraient pas, alors il cultivait son souvenir.

Alerté par ses accès de mélancolie, Athanase lui demandait parfois en riant s'il n'était pas amoureux. Jean ne répondait pas, masquant sa gêne d'un sourire crispé. L'ombre de Clara le recouvrait, et il ne voulait pas qu'elle sorte de sa vie.

« Tiens, mon gars. T'as bien travaillé aujourd'hui. »

La bouchère, une femme mince et frêle aux cheveux bruns rassemblés en chignon, tendit à Jean une pièce de deux francs royaux et une autre de cinquante centimes. Il retira l'ample blouse grise tachée de sang, prit l'argent avec un mot de remerciement et l'enfouit dans la poche de son pantalon. Il avait passé deux heures à porter de lourds quartiers de bœuf de la cave froide où ils étaient suspendus jusqu'à l'étal où le boucher et son apprenti les découpaient sous les yeux des clients – cuisinières, servantes, régisseurs des grandes maisons.

La commerçante lui offrit également un bout de pain dans lequel elle avait glissé des rillons de porc et un morceau de viande enrobé dans du papier. Immobile derrière le comptoir, elle l'observa en train de manger, avec, dans ses yeux noisette, une expression indéchiffrable. Son mari se retournait de temps à autre pour lui jeter des regards courroucés et l'inciter à s'occuper des clients qui attendaient plutôt que de bayer aux corneilles. Jean n'attendit pas d'avoir terminé son casse-croûte pour battre en retraite. Pas question d'être un objet de dispute entre ces deux-là : le boucher pourrait se saisir du prétexte pour embaucher quelqu'un d'autre, et c'était l'un des boulots les mieux payés des Halles.

« Reviens demain ! cria-t-elle tandis qu'il se jetait dans l'allée noire de monde. C'est dimanche, y aura du travail. Sept heures. »

L'Église autorisait les commerçants à travailler le dimanche, une dispense que réclamaient en vain d'autres professions.

Jean s'éloigna du quartier de la boucherie et de son entêtante odeur de sang. La grande horloge de l'allée centrale indiquait onze heures. Avec les deux francs cinquante royaux, plus la pièce d'un franc qu'il avait gagnée au début de la matinée, il achèterait du pain, des fruits, un fromage et des œufs. En ajoutant le morceau de viande offert par la femme du boucher, Athanase et lui auraient de quoi tenir deux ou trois jours. Il réussirait peut-être à mettre quelques sous de côté et à constituer une petite cagnotte qu'il se débrouillerait pour remettre à sa mère. Il fit ses emplettes dans les différents commerces qui se succédaient le long des allées et gagna peu à peu la sortie des Halles.

Dehors, il pleuvait. Un vrai temps de novembre, froid, gris, sinistre. Il glissa le sac en tissu sous sa veste, remonta son col et s'engagea dans une rue que le temps exécrable avait vidée de ses passants.

Il parcourut une cinquantaine de mètres avant de s'apercevoir qu'il était suivi. Une petite troupe, déployée sur toute la largeur de la rue. Il reconnaissait certains d'entre eux, des nécessiteux vêtus de hardes, aux trognes ravagées par l'alcool et la misère. Quelques femmes parmi eux, aussi déterminées que les hommes. Les goulots de bouteille aux bords ébréchés dont ils étaient munis jetaient des éclats. Ils ne couraient pas, comme s'ils ne cherchaient pas à le rattraper. Il accéléra l'allure sans cesser de lancer des coups d'œil par-dessus son épaule. Son pied s'enfonça dans une flaque d'eau.

Il comprit soudain pourquoi ils ne se pressaient pas. Une deuxième troupe barrait la route un peu plus loin, en partie estompée par les rideaux de pluie. Une dizaine d'hommes, formant un filet aux mailles serrées. Il chercha une issue des yeux, mais il ne repéra aucun passage, aucune porte, aucun soupirail ouvert entre les façades. Il était pris au piège.

Athanase avait prévenu Jean qu'il risquait les pires ennuis avec les « charognards », les mendiants des Halles. Leur réseau puissant, parfaitement structuré, contrôlait les emplacements et les petits boulots à l'intérieur et à l'extérieur du ventre de Paris. On ne pouvait ni mendier ni travailler sans l'aval de l'organisation et on devait lui reverser une bonne part de ses gains. Jean n'avait pas tenu compte de l'avertissement de son vieux compagnon. Il le regrettait. L'organisation des charognards n'appliquait qu'un seul châtiment : la mort.

« Ne compte pas sur les gendarmes ou les militaires pour te donner un coup de main en cas d'ennuis avec eux, avait ajouté Athanase. Ça arrange bien les asticots, que les mendiants se débrouillent entre eux, ça leur évite du travail. Qu'un miséreux crève de temps en temps, ça n'empêche personne de dormir. »

Jean s'arrêta et s'adossa à un mur pour avoir une vue d'ensemble des deux troupes qui, telles les pinces d'un crabe, se refermaient inexorablement sur lui. Les gouttes de pluie hérissaient les rigoles qui s'écoulaient de chaque côté de la rue. Il examina rapidement la façade de l'immeuble. Impossible de l'escalader : les fenêtres étaient un peu trop éloignées les unes des autres, et les rebords glissants. Pour se défendre, il ne disposait que d'un couteau pliant à manche de bois. Il n'avait aucune chance contre plus de vingt adversaires, mais il ne se laisserait pas égorger sans combattre. Il posa son sac de tissu sur le trottoir et tira de la poche de sa veste le couteau dont il déplia la lame. Les autres approchaient lentement, se réjouissant déjà de saigner le morveux qui avait osé bafouer leurs règles.

L'un d'eux, un grand costaud au visage couturé de cicatrices, se détacha de la pince de gauche et s'avança vers lui.

« C'est pas ton foutu couteau qui nous empêchera de t'régler ton compte, mon gars. »

Une salve de ricanements ponctua sa déclaration.

« Ici, y a des lois, et celui qui les respecte pas vit pas longtemps dans l'coin.

– J'ai rien fait de mal », protesta Jean.

Son cœur battait la chamade. Une autre ombre, une ombre froide, l'imprégnait jusqu'aux os. Les regrets, déjà, le dépeçaient. Il ne reverrait plus sa mère ni ses sœurs, il ne reverrait plus Clara. Clara... Où était-elle en cet instant ? L'avait-elle oublié après avoir retrouvé son monde ?

« T'as cru que tu pouvais t'passer d'l'organisation, et ça, mon gars, c'est considéré comme un crime.

– Je ne savais pas...

– Quand on arrive quelque part, on s'renseigne pour connaître les règles.

– Laissez-moi partir, et je les respecterai, vos fichues règles ! »

L'homme le fixa avec une telle haine que Jean vacilla. Ses cicatrices couleur lie-de-vin palpitaient comme des veines à vif. Il portait un long manteau gris et ravaudé dont le col de fourrure gorgé d'eau pendait piteusement de chaque côté de son torse. Il n'était pas muni d'un goulot de bouteille, contrairement aux autres. Il se servait sans doute de ses poings, énormes, de véritables massues au bout de ses longs bras. La pluie plaquait ses cheveux poivre et sel sur son crâne, son front et sur ses tempes.

« Trop tard. Faut de temps en temps un bon exemple pour tenir les autres à carreau. Ça vaut toujours mieux qu'un discours. Mais j'te donne un choix : soit tu t'laisses faire, et ta fin s'ra pas trop pénible, soit tu t'défends, et on f'ra durer l'plaisir. »

Le cœur de Jean se serra. Il ne voulait pas mourir, pas maintenant, pas avant d'avoir revu sa mère, ses sœurs et Clara. Pas avant d'avoir commencé à vivre. Ses pensées s'entrechoquaient sous son crâne. Il s'efforça de maîtriser les tremblements de ses jambes.

Il entrevit, sur sa droite, un petit passage entre les charognards.

Fonça tout à coup, le couteau en main, la tête en avant, comme un bélier se précipitant sur une horde de loups.

CHAPITRE 17

Le vent et la pluie s'acharnaient sur la toiture du grand hall de la gare de l'Ouest.

Personne n'avait prêté attention à Clara dans le compartiment bondé. Elle s'était retrouvée coincée entre deux femmes imposantes dont l'une s'était endormie et avait fini le trajet la tête posée sur son épaule.

Première fois qu'elle prenait le train de banlieue. Elle s'était toujours déplacée en voiture. Sa mère détestait les transports en commun, où, disait-elle, on est sans cesse agressé par les odeurs et les microbes des autres. Clara avait longtemps pensé que d'affreuses petites bêtes grimpaient sur les passagers et se glissaient à l'intérieur des têtes par les narines ou les oreilles. Elle n'avait rien vu de tel dans le compartiment aux banquettes habillées d'un tissu épais et rugueux. Seulement des hommes, des femmes et des enfants, aux visages mornes. Ils ne parlaient pas. Quelques-uns, comme la forte femme à ses côtés, essayaient de grappiller des minutes de sommeil supplémentaire. Beaucoup serraient un panier-repas contre leur flanc ou sur leurs genoux. Ils allaient, comme tous les jours, travailler à Paris, où les emplois étaient plus nombreux qu'en banlieue. Deux garçons aux mines sombres l'avaient fixée du coin de l'œil. Elle ne savait pas si elle devait se sentir flattée ou salie par leurs regards.

Le train crachait régulièrement ses panaches de fumée avec des sifflements prolongés. C'était l'une de ces locomotives tout droit surgies du début du XXe siècle. On les avait remplacées dans les années 1960 par des motrices à essence ou à alcool, mais, depuis que le Califat avait interdit l'exploitation des puits de pétrole sur son territoire, on avait ressorti les vieilles locomotives à charbon de leurs ateliers. Leur inconvénient principal était les escarbilles qu'elles projetaient et qui interdisaient l'ouverture des vitres des compartiments, même pendant les chaleurs écrasantes de l'été. Les saisonniers, eux, préféraient se percher sur les toits des wagons pour respirer à leur aise.

Le grand hall de la gare de l'Ouest résonnait des sirènes graves des trains annonçant leur arrivée. Clara fut étonnée par le nombre de pigeons ayant élu domicile dans l'enchevêtrement des poutrelles métalliques. Elle se laissa porter par la foule jusqu'à la sortie de la gare, où stationnaient les tramways, les taxis et les bus à gaz. Des escaliers s'enfonçaient dans les bouches de métro qui avalaient et régurgitaient les flots de voyageurs. Elle ouvrit son parapluie sur le parvis détrempé. L'air de Paris, cet air reconnaissable entre tous qu'elle avait respiré enfant, la ramena sept ou huit années en arrière.

Malgré la pluie, elle décida de se rendre à pied rue de Vaugirard. Elle avait besoin de marcher après avoir été comprimée pendant une demi-heure. Elle longea les stands de crêpes, les merceries, les cantines ouvrières, les boutiques de tissus, les tailleurs, les cordonniers, les épiceries, les restaurants de rue et les étals sommaires disséminés sur les trottoirs de la rue de Rennes. Des passants mangeaient des marrons grillés sur des braseros et servis dans des cornets en papier journal. Les marchands et les clients s'abritaient sous un enchevêtrement de grands parapluies et de prélarts tendus par des cordes. Des hommes et des femmes vêtus de hardes récupéraient dans des seaux ou des cuvettes l'eau qui débordait par endroits des bâches alourdies. Les voitures et les bus peinaient à se frayer un chemin au milieu de la cohue.

Clara entrevit des visages blêmes et crispés par les vitres embuées de véhicules frappés des armoiries de grandes familles. Ils lui rappelaient sa mère, le regard à la fois méprisant et terrorisé qu'elle portait sur les foules. Une frayeur immense dont les racines plongeaient dans le terreau soigneusement cultivé de la Révolution de 1789 et de ses répliques, 1830, 1848, 1871, 1905, 1955, 1982. L'Histoire enseignait que le peuple se soulevait régulièrement, comme un chien enragé, et que ses colères dévastatrices pouvaient entraîner la chute de la monarchie. C'était toujours la même peur que Clara discernait dans les yeux des passagers des voitures, la peur viscérale que les piétons ne se jettent soudain sur le véhicule et ne massacrent ses occupants.

Des hommes la suivirent un moment en lui lançant des réflexions égrillardes. Bien que son cœur s'affolât, elle feignit de n'avoir rien entendu. Ils finirent par abandonner après avoir lâché une dernière bordée d'insultes. Elle tourna à droite dans la rue de Vaugirard. Un amoncellement de baraques en tôle occupait le jardin du Luxembourg. Des bandes d'enfants criards jouaient dans les allées boueuses et sous les arbres qui avaient perdu leurs feuilles.

Clara chercha un moment avant de trouver le numéro 6 à peine visible sur un côté de la porte cochère. Elle passa dans une cour pavée envahie de mauvaises herbes. Elle hésita un moment entre les escaliers A, B et C, consulta les boîtes aux lettres, finit par repérer le nom de Portarius, escalier B, deuxième étage. Elle ferma son parapluie et gravit les marches de pierre usées et glissantes, se demandant tout à coup ce qu'elle fichait dans cet escalier insalubre. Il lui sembla improbable de trouver la moindre étincelle de connaissance dans le cœur sinistre de Paris. Elle se sentait en territoire hostile. Perdue. Stupide avec son petit panier rempli des friandises préparées par Thérèse. Elle s'arrêta avant de poser le pied sur le palier du deuxième étage, faillit rebrousser chemin, retourner à Versailles, se rendre chez l'ancienne dame de compagnie afin de s'initier à l'art de la broderie, revenir dans ce monde rassurant où les filles se mariaient avec de parfaits inconnus sans se plaindre ni même se poser de questions.

Après avoir refoulé une subite envie de pleurer, elle pensa à Jean. C'était pour lui, pour le retrouver, qu'elle avait menti à ses parents, pris le train de banlieue, affronté la pluie et la rue parisienne. Elle avait fait le plus difficile. Que risquait-elle à franchir la porte de Portarius ? Son ancien précepteur serait là, elle avait confiance en lui. Et puis elle n'avait rien perdu de sa curiosité, elle avait envie de voir à quoi ressemblait un homme au nom aussi bizarre. Envie de plonger dans les secrets du réseau. Elle raffermit sa résolution, gravit les trois marches qui la séparaient du palier, s'avança vers l'unique porte massive à la peinture écaillée et donna trois coups à l'aide du heurtoir de bronze en forme de main.

On vint lui ouvrir. Elle faillit s'enfuir en courant lorsque la tête de l'homme se glissa dans l'entrebâillement. D'immenses yeux ronds derrière d'énormes lunettes. Des cheveux blancs et dressés dans tous les sens tout autour de la tête. Une peau parcheminée, des joues creuses, une bouche aux lèvres si minces qu'elles ne se voyaient presque pas, des dents noires qui se chevauchaient, une barbiche misérable à la pointe du menton.

« Vous désirez, mademoiselle ? »

Sa voix douce rassura Clara.

« Je suis...

– Ta ta ta ! Pas de nom ici. Seulement des pseudonymes. » Il précisa, devant le regard interrogateur de Clara : « Des noms de code, pour éviter d'avoir à prononcer les vrais noms. Les murs ont des oreilles dans le royaume de France. Portarius n'est pas mon véritable nom.

– C'est que... je n'ai pas prévu d'autre nom. »

Portarius dévisagea Clara avec une insistance qui la troubla.

« Avec votre air angélique et votre panier, vous me faites penser, oui, au Petit Chaperon rouge. Si vous entrez ici, vous vous présenterez toujours sous ce pseudonyme : Chaperon Rouge. D'accord ? »

Clara, interloquée, acquiesça d'une brève inclination du torse. La tête disparut de l'entrebâillement et la porte s'ouvrit plus largement. Elle entra d'un pas hésitant dans l'appartement. Une odeur de renfermé lui sauta aux narines, lui rappelant le grenier de l'hôtel particulier de Versailles. Portarius était grand, d'une maigreur effrayante, doté d'une pomme d'Adam saillante et de longs bras qui remuaient avec la souplesse de tentacules. Il portait une veste de velours informe par-dessus une chemise verte, un ample nœud papillon pourpre à pois blancs, un pantalon d'un jaune éclatant et des chaussons de cuir fourrés.

« Bienvenue chez moi, Petit Chaperon rouge, je vous attendais.

– Mais, vous ne me connaissiez pas...

– On m'a fait de vous un portrait tellement précis que je vous ai reconnue au premier coup d'œil.

– On ?

– Orphée.

– Orphée ?

– L'homme qui vous a donné mon adresse.

– Ah, le...

– Pas de nom, et pas non plus d'indication. L'anonymat est, chez moi, obligatoire. Donnez-moi votre parapluie. Je vais le mettre à sécher. »

Elle lui tendit le parapluie. Il le piqua dans un cylindre posé dans un grand récipient en fer-blanc.

« Je récupère toute l'eau que je peux. Mes plantes n'aiment pas l'eau du robinet : elle est de plus en plus polluée. Et de plus en plus chère. Suivez-moi. »

Il la précéda dans une grande pièce sombre dont les murs étaient tapissés d'écrans sur lesquels défilaient en permanence des images de toutes sortes. L'un d'eux, partagé en quatre carrés égaux, montrait des plans fixes de l'escalier qu'elle venait de gravir, de la cour pavée, de la porte cochère de l'immeuble.

« Surveillance, précisa Portarius. Vous avez failli repartir, n'est-ce pas ? »

Gênée d'avoir été épiée, Clara se renfrogna.

« Je suis obligé de me montrer indélicat, ajouta-t-il. Certains individus, qui ne sont pas les bienvenus, essaient de s'introduire chez moi. Je ne peux faire confiance à personne, vous comprenez ?

– Pourquoi m'avez-vous laissée entrer en ce cas ?

– Vous m'avez été recommandée par quelqu'un qui m'est très cher. C'est d'ailleurs la première fois que j'accueille la fille d'une grande famille. Je vais vous poser la question qu'il vous a sans doute déjà posée : pourquoi vous intéressez-vous au réseau ? »

Clara ne répondit pas, oppressée.

« Je manque à tous mes devoirs, reprit Portarius. Je ne vous ai pas débarrassée de votre imperméable et de votre panier. Qu'y a-t-il d'ailleurs à l'intérieur de ce panier ?

– Des gâteaux... »

Portarius saisit l'anse du panier et souleva le couvercle.

« Hum, ça m'a l'air délicieux ce que je vois là. »

Il plongea la main dans le panier, s'empara d'une madeleine et l'engloutit sans autre forme de procès.

« Une merveille. Je ne suis pas votre mère-grand, mais c'est gentil de m'avoir apporté vos douceurs, Chaperon Rouge. »

Il éclata de rire, un rire aigu, enfantin. Clara n'eut pas le cœur de lui révéler que les pâtisseries de Thérèse ne lui étaient pas destinées.

« Venez, je vais vous présenter aux autres. »

Sans lâcher le panier, Portarius l'introduisit dans la deuxième pièce en enfilade, sombre et tapissée d'écrans elle aussi. À la différence de la première, elle était meublée de chaises et de bureaux sur lesquels étaient posés des claviers. Deux hommes et une femme, assis face aux écrans, s'interrompirent dans leurs activités pour observer la nouvelle arrivante.

« Je vous présente Chaperon Rouge », dit Portarius.

Une lueur d'intérêt s'alluma dans l'œil du plus jeune des deux hommes, âgé environ d'une vingtaine d'années. Un beau garçon d'ailleurs, malgré sa chevelure en broussaille, son allure débraillée et sa barbe de plusieurs jours.

« Voici Spartacus. »

Clara le salua d'un hochement de tête. Portarius désigna ensuite l'homme plus âgé, tempes grisonnantes, longues mains blanches, costume gris, cravate de soie, soigné de sa personne.

« Christophe Colomb... »

La femme se leva et s'avança vers Clara, la main tendue.

« Moi, c'est Lilith, la vraie première femme de la Bible, la femme rebelle, la femme cachée d'avant Ève. »

Sa poignée de main était aussi ferme que celle d'un homme. Son visage en revanche, mis en valeur par ses cheveux bruns tirés en arrière et rassemblés en queue-de-cheval, était d'une finesse cristalline. Ses yeux avaient la clarté d'un ciel matinal. « Je suis bien contente que vous veniez vous intégrer à notre petit groupe. Quoi qu'en pensent mes condisciples masculins, ça manque de femmes, ici ! »

Le précepteur – Orphée – n'arriva qu'une heure plus tard, pâle, les traits tirés. Son train avait subi une attaque terroriste et avait été immobilisé en pleine voie. Pendant plus d'une heure, les troupes de la Régie des chemins de fer, accourus sur les lieux à une vitesse étonnante, et les assaillants avaient échangé des tirs nourris, faisant de nombreuses victimes parmi les passagers. Les balles avaient sifflé à ses oreilles.

« Un miracle, un vrai miracle, qu'elles ne m'aient pas touché... »

Les terroristes avaient battu en retraite lorsque les chars de l'armée s'étaient déployés sur les quais.

Portarius entraîna le précepteur dans la minuscule cuisine aussi sombre que le reste de l'appartement, le fit asseoir sur une chaise, lui servit un verre d'alcool, puis avala d'une bouchée le dernier gâteau du panier.

« Pour vous dire la vérité, je ne pensais pas que vous viendriez », dit le précepteur à Clara, venue prendre de ses nouvelles.

Il but un deuxième verre d'alcool. Ses yeux flamboyèrent et ses joues creuses recouvrèrent leur teinte habituelle. Il avait troqué ses vestes et ses pantalons raccommodés pour un costume noir un peu étriqué. Il paraissait plus jeune que dans la petite bibliothèque de l'hôtel particulier de Versailles, peut-être parce qu'il n'était plus investi de son rôle officiel de précepteur.

« Vous pouvez encore repartir, mademoiselle... enfin, Chaperon Rouge. Vous ne serez plus jamais la même après votre séjour dans l'antre de Portarius. Est-ce bien ce que vous voulez ? »

Elle n'était déjà plus la même depuis qu'elle avait croisé la route de Jean.

Pendant que les autres s'installaient devant leurs bureaux et commençaient à pianoter sur leurs claviers, Portarius expliqua à Clara les grands principes et le fantastique potentiel du R2I.

« R pour réseau, deux I pour International et Informatique. »

Le système était apparu à la fin des années 1980, après que des chercheurs du royaume occidental d'Arcanecout eurent mis au point les computeurs, les appareils programmés pour mémoriser et traiter à grande vitesse les masses d'informations. Ils avaient découvert qu'on pouvait transférer d'un computeur à l'autre ces mêmes informations de façon quasi instantanée en utilisant les impulsions électriques. Le réseau s'était peu à peu étendu aux autres royaumes américains, puis à l'Europe, au Moyen-Orient, à l'Afrique, à l'Australie et à l'Asie, si bien qu'on pouvait échanger en temps réel avec des correspondants habitant à plusieurs milliers de kilomètres. Il suffisait pour cela de posséder un CP, un computeur personnel, et de vivre dans un territoire alimenté par l'électricité.

Les chercheurs pensaient que leur invention permettrait à l'humanité de faire un gigantesque bond en avant, mais les têtes pensantes des royaumes et empires en avaient décidé autrement. Elles craignaient de perdre tout contrôle sur leurs sujets si le réseau continuait de se développer. Les royaumes et empires s'étaient donc accordés pour le placer sous contrôle en adoptant, en 1992, la loi dite d'Index

Universel. Les flots d'informations étaient tous dirigés vers les officines de censure qui triaient les images et les textes avant leur remise en circulation sur le réseau, y compris les échanges virtuels entre deux correspondants.

« On vous écoute en permanence quand vous êtes relié par l'image et le son à un lointain cousin de Chine ou d'Amérique. Et si on juge que vos paroles outrepassent la bienséance ou colportent des idées subversives, on vous coupe instantanément et on envoie des gendarmes à votre domicile le jour même. Tant que le réseau n'est utilisé que par une poignée de privilégiés, il reste facile à surveiller. Il est relié en permanence aux ballons stratosphériques équipés de caméras qui forment une trame serrée au-dessus de nos têtes. »

Sur les écrans muraux défilaient des images que Clara n'avait encore jamais vues. Rien à voir avec les scènes édifiantes proposées par les trois chaînes officielles. Ici, des hommes et des femmes coiffés de chapeaux de paille pointus en train de repiquer des plantes dans des champs emplis d'eau ; là, les artères d'une immense métropole où se pressait une population encore plus dense que celle de Paris ; là, un désert ocre et mauve hérissé de rochers aux formes torturées ; là, un port où se balançaient mollement d'immenses navires alignés ; là, une étendue blanche aveuglante traversée par un curieux engin traîné par des chiens...

« Ce que n'a pas prévu la loi d'Index Universel, c'est qu'un jour des petits malins trouveraient le moyen de se servir du réseau sans laisser de traces. Ou plutôt de créer un réseau parallèle qui utilise les mêmes conducteurs, les mêmes lignes électriques, les mêmes computeurs, les mêmes programmes. Je suppose que vous n'êtes pas venue jusqu'ici pour vous promener dans le réseau officiel, Petit Chaperon rouge ? »

Comment Clara aurait-elle pu se poser la question, puisqu'elle ignorait l'existence d'un réseau parallèle ?

« Alors, si vous le souhaitez, je vais vous montrer comment vous glisser dans le deuxième monde sans laisser d'empreintes. Comment rejoindre la communauté de plus en plus importante des humains libres. Comment participer à la plus grande révolution jamais entreprise par l'humanité. Une révolution silencieuse, invisible, indétectable. Voulez-vous être des nôtres, Petit Chaperon rouge ? »

Clara frissonna ; elle eut enfin l'impression d'avoir trouvé sa place.

CHAPITRE 18

Les coups pleuvaient sur Jean.

Les charognards bourdonnaient autour de lui comme des mouches sur un cadavre. Il avait failli les surprendre et transpercer leurs rangs, mais, au dernier moment, quelqu'un lui avait agrippé le pied et il s'était étalé sur les pavés après un vol plané de trois ou quatre mètres. Il n'avait pas eu le temps de se relever, ils s'étaient abattus sur lui et l'avaient roué de coups.

Il ne criait pas. À quoi auraient servi des hurlements ? Personne ne viendrait à son secours. Il allait mourir sous la pluie de novembre. Des souvenirs oubliés remontaient à la surface et s'arrimaient les uns aux autres pour reconstituer la chaîne de sa vie. Une vie si courte qu'elle était passée comme un souffle. Un souffle de bonheur malgré les difficultés, la pauvreté.

La parenthèse avait commencé à se refermer avec la mort du père. L'étoffe familiale s'était effilochée.

C'était maintenant son tour. Que deviendraient sa mère et ses sœurs ? Il n'avait plus la force de se révolter. Il acceptait son sort avec résignation. La douleur déployait en lui ses pétales vénéneux. L'eau des rigoles s'infiltrait dans ses narines, entre ses lèvres entrouvertes. Les vociférations de ses bourreaux planaient au-dessus de lui comme des cris de rapace, haut dans le ciel. L'odeur du sang les excitait. Il attendait le coup fatal.

Il se fit soudain un grand calme. Jean se demanda s'il était passé sur l'autre rive. Il garda les yeux clos. Au bord de l'inconscience, il eut la vague sensation des gouttes de pluie sur le visage. Il lui sembla entendre des voix étouffées, comme si elles lui parvenaient depuis un lointain espace. Puis il eut l'impression d'être soulevé, de voler dans une lumière aveuglante.

Les anges étaient venus le chercher.

Il n'eut pas la force de soulever ses paupières. Il lâcha prise et se laissa enfin tomber dans un abîme apaisant.

L'endroit était sombre, avec, tout là-haut, un carré de lumière ténue.

Jean ressentait toujours la douleur dans son corps, mais sourde, atténuée. Ses mains reposaient sur une surface lisse et chaude qui était sans doute un drap. Il était allongé dans un lit. On avait remplacé ses vêtements par des bandes serrées qui lui couvraient une partie du torse et du bassin. Il recouvra peu à peu la mémoire. Le piège tendu par les charognards. Il eut le réflexe de se recroqueviller, de se protéger la tête de ses bras. La douleur se réveilla en sursaut. Il se raisonna. Il n'était plus dans la rue, il n'y avait plus de cris, plus de coups, plus d'agresseurs autour de lui. Ceux qui l'avaient recueilli ne lui voulaient aucun mal, ou ils ne l'auraient pas installé dans un lit, ils ne l'auraient pas soigné. Il se détendit et sombra presque aussitôt dans un sommeil agité.

Ce fut une sensation de brûlure dans l'œil qui le réveilla. Un rayon de lumière tombait de la lucarne et frappait la moitié de son visage, éclairant également les lieux. La pièce était nettement plus petite et basse qu'il ne l'avait d'abord cru. Elle contenait, outre le lit et les tables de chevet, une armoire, une commode, une table et deux chaises, tous du même style. Un détail attira l'attention de Jean : le radiateur mural, haut et large, peint en blanc. Rares étaient ceux qui pouvaient s'offrir le chauffage central. Le coût prohibitif du pétrole ou du gaz incitait les gens du peuple à utiliser les cheminées, les poêles à bois ou à charbon. Pour réchauffer les lits, on utilisait la vieille technique de la brique enfouie quelques instants dans les braises, enroulée dans un papier ou un tissu et glissée dans les draps cinq minutes avant le coucher. Il remarqua aussi les appliques murales et la lampe au plafond. La pièce était alimentée par l'électricité. Il localisa les interrupteurs près du lit et, machinalement, appuya sur le premier bouton. Une applique s'emplit de lumière. Fasciné, il joua un petit moment avec les va-et-vient, allumant tour à tour le plafonnier et les appliques. Difficile de résister à la magie de la fée électricité. Des paroles de son père lui revinrent en mémoire : un jour, tous les hommes pourront bénéficier du progrès ; pour ça il faudra leur faire comprendre, là-haut, par la force au besoin, que le partage est le seul avenir de l'humanité...

Des bruits de pas et de voix précédèrent de quelques secondes l'ouverture de la porte. Trois individus s'engouffrèrent dans la chambre. Un homme maigre d'une cinquantaine d'années aux cheveux blancs soigneusement coiffés. Un autre un peu plus jeune, vêtu d'un manteau de cuir noir, aux épaules larges, au cou massif.

Le troisième s'assit sur le bord du lit et fixa Jean avec un large sourire.

« Salut, vieux. »

Jean resta quelques secondes figé par la stupeur.

« Jules ?

– Eh oui, Jules. Tu me croyais resté là-bas, dans cette forêt de malheur ? » Il tendit le bras en direction des deux hommes. « Je te présente M. Bernier, dit l'Anguille, le chef de mon clan – l'homme aux cheveux blancs s'inclina –, et son second, Vantera, dit le Désosseur. »

Jules et ses dents pointues, ses joues hâves, ses cheveux noirs et fous, Jules paradant dans un costume bien coupé et une chemise à col amidonné.

« T'as réussi à t'en sortir, toi aussi, à ce que j'vois. Les autres n'ont pas eu cette chance. Ils ont été cueillis tous les quatre par un obus. Moi, le souffle m'a seulement renversé sans me blesser. Juste des égratignures. Je me suis retrouvé couvert de terre et de brindilles. Après j'ai réussi à regagner Paris et je suis retourné dans mon clan. M. Bernier a arrangé mon histoire avec la justice, et me voilà de retour dans les affaires. »

M. Bernier ponctua d'un sourire les propos de Jules. Apercevant ses dents pointues elles aussi, Jean comprit que ce n'était pas un caprice de la nature, mais un signe d'appartenance au clan.

« Comment... comment... »

Jean n'eut pas la force d'aller au bout de sa question.

« ... on a su que t'avais des ennuis avec les charognards ? intervint Vantera, le Désosseur. On sait presque tout ce qui se passe dans Paris. Jules t'a reconnu sur un écran, il a vu que t'avais maille à partir avec l'organisation des charognards et on a envoyé nos hommes les plus proches. On n'a même pas eu besoin d'élever la voix. Ces parasites n'existent que parce que nous leur permettons d'exister.

– Tu es ici en sécurité, renchérit M. Bernier. Personne ne viendra te chercher, ni les charognards, ni les asticots. Tu as tout ton temps pour te remettre. Tu as trouvé une nouvelle famille, mon garçon. »

Sa nouvelle famille se montra très prévenante avec Jean. Paule, une femme brune à la peau claire et aux yeux couleur d'ambre, lui apportait trois plateaux-repas par jour et refaisait soigneusement ses pansements après avoir étalé une pommade parfumée sur ses plaies. Les tessons de bouteille avaient laissé de profondes entailles sur son dos, ses cuisses et son flanc. Le docteur venu l'examiner avait dit que, par chance, aucune artère, aucun organe vital n'avait été touché, mais qu'il devait observer au minimum un repos de quinze jours afin que les plaies puissent cicatriser.

Jules venait le voir tous les matins avant de se consacrer aux affaires. Il était finalement reconnaissant aux terroristes d'avoir attaqué le fourgon : ils lui avaient permis de couper court à deux ans de camp de redressement, deux ans à subir une discipline de fer, deux ans à supporter des gardiens qui guettaient le moindre faux pas pour vous fouetter ou vous enfermer trois jours sans boire ni manger dans une cellule exposée au gel ou à la canicule.

« Un des membres du clan a tiré cinq ans là-bas et m'a raconté comment ça se passait. J'aurais sûrement pas tenu deux ans. J'en aurais étripé un avant. »

Jules restait évasif sur les affaires. De ses explications confuses il ressortait que les clans se battaient pour le contrôle de certains quartiers. Quand l'Anguille avait pris la tête de son clan, il avait décidé de sortir de son territoire de la banlieue nord pour conquérir Paris. Les factions en place ne l'entendaient évidemment pas de cette oreille et opposaient une forte résistance. Alors la guerre faisait rage, les alliances se nouaient et se dénouaient entre les chefs, les règlements de comptes se multipliaient. Et Jules, quand il ne jouait pas son rôle de soldat sur le champ de bataille, s'occupait des affaires qui ne pouvaient pas attendre.

« Je t'emmènerai, tu verras, ça vaut le coup d'œil. »

Jean se leva au bout de six jours et esquissa ses premiers pas vacillants le long de son lit. Ses forces lui revenaient, et, avec elles, son appétit pour la vie. Clara, sa mère et ses sœurs occupaient l'essentiel de ses pensées. Il demanda à Jules s'il connaissait un moyen d'avoir des nouvelles de sa famille.

« Donne-moi l'adresse, je m'en charge.

– Et puis tu ne saurais pas où trouver des livres, pour m'aider à passer le temps ?

– Des livres ? T'aimes plutôt le perdre, ton temps ! J'crois en avoir vu dans un coin de la maison. »

Une demi-heure plus tard, Jules était de retour avec une pile d'une dizaine de livres aux couvertures passées et aux pages jaunies.

« Ça fera ton affaire ? »

Il épousseta délicatement la poussière accumulée sur sa veste. Il était particulièrement élégant aujourd'hui avec son costume bleu marine, sa chemise blanche et ses chaussures vernies.

« Je te laisse, vieux, j'ai pas mal à faire aujourd'hui.

– Merci pour tout, Jules.

– Tu parles, on peut bien se rendre service entre frères d'armes. »

Jules parti, Jean s'adossa à un coussin posé contre la tête du lit et examina les livres. L'un d'eux l'attira. Le titre en était : *Les Hommes trahis,* et l'auteur, un certain Victor Hugo. Le roman mettait en scène des familles parisiennes qui avaient participé à la Commune de 1871 et qui, après la répression de l'armée versaillaise, vivaient dans les éclats de leur rêve brisé. Le personnage principal, Jacques Mancorger, un père de famille arrêté après avoir dérobé le sac d'une vieille dame, se voyait proposer un marché : ou il écopait de vingt ans de bagne, ou il devenait l'agent du Parti de l'Ordre et des Orléans qui préparaient un coup d'État destiné à rétablir la monarchie. Jean croyait se souvenir que le coup d'État avait eu lieu au début de l'année 1882. Le roman de Victor Hugo, publié en 1881, annonçait donc quelques mois à l'avance les événements qui allaient changer la face de la France.

Jean en éprouva un sentiment de vertige. Il dévora le livre jusqu'au soir, touchant à peine au plateau que posa Paule sur la table de chevet. À l'histoire de Jacques Mancorger s'ajoutaient celle de Christine, sa fille aînée, amoureuse d'un garçon recherché pour meurtre, celle de Passevent, un ami de Mancorger empêtré dans la faillite de sa boutique et ses ennuis avec la pègre, celle de Lucille, une jolie orpheline en proie aux intentions malveillantes du policier Goulard...

« Eh ben, lève un peu le nez ! »

Jean sursauta. Il n'avait pas entendu Jules entrer par la porte restée entrouverte.

« J'ai des nouvelles pour toi ! » Jules s'assit à l'envers sur une chaise, posa les coudes sur le dossier et le menton sur ses mains jointes. « Des mauvaises et des bonnes. Je commence par les mauvaises. Ta mère et tes sœurs ont été expulsées de leur maison de Châtillon. On les a retrouvées dans l'un de ces hangars abandonnés où se regroupent les miséreux. Des rabatteurs commençaient à leur tourner autour, de ceux qui cherchent des filles pour approvisionner les maisons closes. Ceux-là, il suffit de leur faire les gros yeux pour les éloigner comme une volée de moineaux. Les bonnes nouvelles, maintenant. On est allés voir le propriétaire de la maison. Elle était encore libre. On lui a donc proposé gentiment de la relouer à ta mère. Il n'avait pas l'air très chaud, alors on lui a payé le loyer d'avance pour deux ans et on lui a dit qu'on reviendrait s'il leur cherchait des poux. J'connais pas un homme capable de refuser une offre pareille. Ta mère et tes sœurs auront un toit pendant au moins deux ans. Ça leur laissera largement le temps de se retourner. »

Jean aurait volontiers sauté au cou de Jules, il se contenta de lui serrer la main avec ferveur. Il se doutait bien qu'il devrait rembourser le clan d'une manière ou d'une autre, mais il lui suffisait pour l'instant de savoir sa mère et ses sœurs à l'abri, hors de danger.

« Ça sert finalement, la lecture, poursuivit Jules. Quelqu'un m'a lu ce qu'il y avait d'écrit sur le panneau que les asticots ont cloué sur le mur de ta maison. Ton père a été fusillé le 24 octobre 2008. J'crois bien que c'est le lendemain de l'attaque du camp terroriste. Il y était, ton père, hein ? C'est lui que tu es allé voir, le jour de notre arrivée, pas vrai ? »

Jean acquiesça silencieusement, la tête baissée, au bord des larmes.

« J'me demandais pourquoi les terroristes avaient attaqué notre fourgon, j'comprends maintenant. Ils n'en auraient rien eu à fiche de six petits délinquants si l'un d'eux n'avait pas été le fils d'un des leurs. Ce que j'comprends toujours pas, c'est comment ils ont su qu'on passerait par là et à quelle heure.

– Ils disposaient d'un réseau.

– En pleine brousse ?

– Tu as vu comme moi les écrans.

– T'as sans doute raison. Ça veut dire que les terroristes sont capables de pirater le réseau des asticots. J'suis content en tout cas de constater que tu vas mieux. »

Jean marcha normalement une semaine plus tard. Le docteur examina ses plaies et déclara qu'elles étaient désormais refermées, qu'il pouvait maintenant, s'il le souhaitait, se laver et s'habiller. On continuerait cependant d'enduire les cicatrices de pommade et de les protéger par des bandages légers.

Il prit sa première douche chaude dans la salle de bains proche de la chambre. La sensation était tellement merveilleuse qu'il la prolongea un long moment. Il se rendait compte que rien n'avait changé pour les gens du peuple depuis l'époque de Victor Hugo. Le cours du progrès s'était arrêté en 1882, ou plutôt, à partir de cette date, les classes gouvernantes l'avaient annexé à leur seul profit. Elles avaient interdit l'école aux enfants du peuple, maintenu les inventions et l'énergie à un prix tellement élevé qu'elles étaient réservées aux seuls gens fortunés. Pourquoi avaient-elles ainsi enfermé les classes laborieuses dans l'ignorance ? Quel était leur intérêt de bloquer le progrès ? Le bonheur des uns dépendait-il du malheur des autres ?

Il se sécha et passa les vêtements préparés par Paule à son intention. Sous-vêtements, chemise, pantalon, veste, chaussures, tout lui allait à la perfection. Il n'avait jamais porté de tissus aussi souples et agréables.

« Eh ben, te voilà propre et brillant comme un sou neuf ! » siffla Jules lorsqu'il sortit de la chambre.

Il fit visiter à Jean l'immeuble où le clan avait élu domicile, rue de Tanger. Le chef, M. Bernier, son second et ses proches occupaient le quatrième étage ; les responsables de section et les hommes de confiance, le troisième ; les hommes de main, les apprentis et les auxiliaires, le deuxième. Jules appelait le premier étage, désert, le « sas ».

« Il est bourré d'alarmes. Si un autre clan nous attaque, tu comprends, ça nous laisse du temps pour nous organiser. M. Bernier est difficile à saisir. Une vraie anguille. »

De chaque côté de la porte cochère, le rez-de-chaussée se divisait en deux commerces, une boutique de vêtements et une quincaillerie dont les arrière-salles se transformaient en salles de jeux le soir. Jules éclata de rire et donna une bourrade sur l'épaule de Jean.

« Pas seulement en salles de jeux, mais t'es encore trop jeune pour certaines choses », ajouta-t-il.

Ils parcoururent les rues de Paris, arrosées d'or froid par le pâle soleil de décembre. Les piétons se pressaient en grand nombre dans le quartier. Une multitude de camions de livraison stationnaient sur les trottoirs. Des débardeurs portaient sur leurs épaules d'énormes rouleaux de tissus ou des caisses de bois, se frayant un passage à coups de hurlements. Les débits de boissons aux salles étroites débordaient de monde. Certains clients buvaient leurs bières ou leurs verres de vin debout contre les murs.

Jean ralentit l'allure lorsqu'il aperçut des uniformes blancs un peu plus loin. Sa réaction n'échappa pas à Jules.

« T'as aucune raison d'avoir la trouille. Tant que t'es sous la protection du clan, les asticots te ficheront la paix. »

Jean se détendit. Il avait frôlé la mort de si près qu'il savourait ce supplément de vie. Les odeurs, les couleurs, les frôlements de l'air sur sa peau l'étourdissaient. Il se sentait encore faible et peinait à suivre le rythme de Jules. Le ventre de Paris résonnait de mille bruits, hurlements des marchands, des colporteurs et des cochers, rugissements des voitures et des bus, sifflements lointains des trains, coups de marteau sur les enclumes, claquements de roues des tramways sur les rails.

« On arrive », dit Jules.

Il se dirigea vers un café, le Tregomeur, selon l'enseigne ovale peinte au-dessus de la vitrine, poussa la porte et entra, suivi de Jean. Le patron, un homme massif, essuyait des verres derrière le comptoir. Peu de clients dans la salle, un vieil homme accoudé au comptoir, deux autres assis au milieu de la mer de tables recouvertes de toile cirée rouge et blanc.

« Qu'est-ce que je vous sers ? » demanda le patron.

Il n'avait pas l'air commode avec ses sourcils épais, ses cheveux en brosse, son front plissé et ses mâchoires carrées. Des manches courtes de sa chemise saillaient des avant-bras aussi épais et noueux que des branches d'arbre.

« Pour moi ce sera un demi, répondit Jules. Et toi, Jean ?

– Euh, pareil... »

Jean n'avait encore jamais bu de bière. Il n'y en avait pas à la maison, parce que son père n'en buvait pas et que, de toute façon, elle coûtait trop cher.

« Je suis envoyé par quelqu'un que vous avez déjà rencontré », reprit Jules à voix basse quand le patron déposa les deux chopes devant eux.

Il but une première gorgée de bière et essuya la mousse blanche d'un revers de main. Les yeux globuleux et noirs du patron s'injectèrent de méfiance.

« Qui donc ?

– M. Bernier, plus connu sous le nom de l'Anguille. Vous savez, au sujet de la protection que... »

Le cafetier se pencha vers l'avant et empoigna Jules par le col.

« Écoute-moi, petit salopard, va dire à ton patron que je ne lui verserai pas un sou. Pas un sou, tu m'entends ! »

Le vieil homme accoudé au comptoir battit prudemment en retraite. Jean trempa les lèvres dans sa bière, dont l'amertume lui plissa les yeux. Jules n'essaya pas d'échapper à la pression de son interlocuteur. Il glissa calmement la main dans l'échancrure de sa veste et la ressortit quelques secondes plus tard avec un objet noir que Jean identifia comme un pistolet.

CHAPITRE 19

Clara passait une grande partie de son temps à explorer l'espace que Portarius qualifiait de « deuxième monde » ou d'« autre monde ».

Elle avait mis un peu de temps à comprendre comment s'y introduire, comment effacer ses traces, comment voguer de site en site, de discussion en discussion, de correspondant en correspondant. Du temps, également, pour maîtriser le rétiaire, la langue du réseau, un mélange d'anglais, de français, de latin, de grec, d'espagnol, de hindi et de mandarin conçu par les utilisateurs eux-mêmes. Un programme automatique assurait l'essentiel de la traduction. Il transformait en lettres romaines les idéogrammes orientaux ou les autres formes d'écriture telles que l'arabe, le hindi, l'hébreu ou le cyrillique, et restituait la signification globale des textes. Il lui arrivait assez souvent de se tromper et de proposer des versions absurdes, parfois hilarantes,

ara, par déduction, parvenait à reconstituer
ns originel.

Les utilisateurs du réseau s'appelaient entre eux les Virtuels, parce qu'ils n'avaient pas d'existence réelle et aussi parce que le mot venait du latin *virtus*, vertu. Ils ne s'étaient jamais rencontrés, parfois séparés par quinze mille kilomètres de distance, et pourtant, entre eux, s'établissait un lien immédiat et fraternel, comme s'ils se connaissaient depuis la nuit des temps.

« Nous sommes tous des citoyens du nouveau monde ! », s'exclamait Portarius dans l'une de ces envolées lyriques dont il avait le secret.

Clara était Chaperon Rouge dans le nouveau monde, et elle avait choisi pour code d'accès secret le prénom de Jean. Elle entretenait des correspondances avec des Virtuels aux pseudonymes aussi saugrenus que Yéti, Geronimo, Gilgamesh, Nuage Bleu, Ulysse, Cheval Fou, Achille, Clochette, César, Rama, Attila, Kahina, Lakshmi, Saladin, Abraham, Cachalot, Lune Rousse, Atlantide... Elle avait parfois l'impression d'être admise dans un royaume fabuleux où les légendes étaient devenues réalité. Elle avait dû jurer solennellement devant Portarius et ses disciples de ne jamais révéler les secrets du deuxième monde à quiconque, de ne pas compromettre la sécurité de la fraternité virtuelle par imprudence ou maladresse.

Clara se rendait chaque jeudi matin et chaque samedi chez Portarius. Il lui apprenait à déjouer la surveillance et la censure, puis à se diriger dans les labyrinthes à la complexité infinie du deuxième monde. Rentrée chez elle, elle se précipitait dans sa chambre dont elle fermait la porte à clef. Bien que le matériel dont elle disposait fût nettement moins performant que celui de Portarius, elle se fondait de plus en plus rapidement dans le flux des informations qui circulaient sur le même canal que le résoff (le réseau officiel). Elle frappait une suite de lettres, de chiffres et de symboles sur le clavier. L'écran mural redevenait noir un court instant avant de proposer une première arborescence. Elle choisissait, à l'aide des flèches directionnelles, l'une des branches, saisissait son nom de Virtuelle et son code secret, se retrouvait quelques secondes plus tard dans un centre de tri. Là, elle pouvait sélectionner l'une des rubriques proposées : nouvelles, correspondance, discussions, histoire, arts, recherches, cartes, paysages... sous forme de petits rectangles ressemblant aux plaques des rues.

Clara commençait toujours par la rubrique : Nouvelles. Des témoignages en provenance de différents pays s'affichaient sur l'écran. Expédiés par des Virtuels qui avaient eux-mêmes enregistré les images et écrit les textes. Elle battait alors avec le cœur du monde, le vrai, pas le cœur doré et empesé de la Couronne, mais celui, à vif, des habitants de la planète.

Un Virtuel du nom de La Fayette relatait la révolte d'une tribu indienne d'Amérique massacrée par l'armée du royaume de Nouvelle-Angleterre. L'anglais était largement majoritaire dans le rétiaire, et le logiciel automatique traduisait le tout en un français imprécis. Clara découvrait, par les mots et les images de La Fayette, que les Indiens des Amériques n'étaient pas des sauvages nus et sanguinaires, des créatures sans âme sauvées de la damnation éternelle par les missionnaires, mais des êtres humains emplis de dignité et de grandeur.

Shéhérazade, une femme du Califat, racontait sa vie quotidienne. Vivant recluse dans un harem, elle avait appris à se servir du réseau que son mari, un cheik fortuné, avait fait installer dans sa maison. Elle était la seule des vingt-trois femmes du cheik à s'y intéresser, à ne pas se contenter des images insipides des chaînes officielles du Califat. Selim, son fils âgé de neuf ans, lui avait montré comment « aller de l'autre côté de l'écran », comment s'y diriger comme dans les allées sinueuses d'un souk mystérieux, comment accéder à l'univers interdit. Selim l'avait implorée, avec de la frayeur dans les yeux, d'être prudente et, surtout, de ne rien dire à son père. Ou elle serait lapidée et lui abandonné seul et sans eau au cœur du désert. Elle gardait son secret comme le plus précieux des trésors, trop heureuse de pouvoir s'évader par cette fenêtre merveilleuse qu'était le réseau. Elle utilisait un rétiaire sommaire dans lequel se glissaient des expressions arabes traduites de façon approximative par le programme automatique. Shéhérazade exprimait ses rêves, sa joie parfois teintée de mélancolie, ses espoirs et ses colères. Elle demandait à Clara comment vivait une jeune femme à Versailles, la ville dont rêvaient toutes les courtisanes du Califat. Elle était déçue d'apprendre que les filles en Europe étaient, comme les filles orientales, mariées à des hommes qu'elles ne connaissaient pas. Dans son pays, c'était à partir de sept ou huit ans, selon les intérêts de la famille, même si la future épouse ne rejoignait la maison de son époux qu'à partir de douze ou treize ans.

Ïai, un jeune homme de l'empire du Japon, parlait de l'art du sabre, dont il était un adepte assidu. Il suivait la voie ouverte quelques siècles plus tôt par le grand Myamoto Mushashi. Il espérait défier les champions des différentes écoles et devenir comme son illustre prédécesseur le plus grand sabreur de tous les temps. Les sujets de l'empire du Soleil-Levant suivaient avec le plus grand intérêt les duels qui entraînaient souvent la mort de l'un des deux combattants et faisaient l'objet de grandes joutes annuelles à Kyoto, la capitale impériale. Il évoquait également les rumeurs de guerre entre le Japon et la Chine. Il se disait prêt à mettre sa lame au service de son pays, même si les soldats utilisaient désormais les armes à feu, nettement moins glorieuses. Il aurait aimé rencontrer des habitants d'autres pays, mais les frontières étaient fermées, les avions cloués au sol, les bateaux consignés dans les ports. Il réclamait un portrait à ses différents correspondants ; lui-même se ferait une joie de leur offrir en retour une photo de lui en tenue traditionnelle. Son rétiaire était d'une précision et d'une clarté exemplaires.

Ses différents correspondants permettaient à Clara de progresser à grands pas dans la langue du réseau. Elle répondait de son mieux, même si le français restait nettement majoritaire dans ses messages. Elle envoyait d'elle les photos réalisées par le portraitiste de la famille. Elle ne les aimait pas, mais elle n'en disposait pas d'autres. Elle avait appris à les reproduire à l'aide du duplicateur d'images branché à son clavier. Ïai la trouvait très jolie – mais n'était-ce pas une expression de la légendaire politesse orientale ? –, La Fayette disait qu'elle ressemblait à un ange, Shéhérazade enviait sa blondeur et sa blancheur, des caractéristiques très recherchées dans le Califat.

Clara avait déjà reçu deux demandes en mariage, l'une en provenance de Russie, l'autre du Mexique. Elle s'en était sortie sans vexer ses soupirants en leur affirmant que son cœur était déjà pris (ce qui n'était pas un mensonge). Ïai lui avait, comme promis, envoyé une photo de lui en pied. Très élégant dans son kimono bicolore, il portait sur l'épaule un sabre à la lame légèrement courbe et au long manche ouvragé. Son visage était encore juvénile. Il jouait à l'homme avec conviction, mais il n'avait sans doute guère plus de dix-sept ans.

Le glissement se faisait naturellement de la rubrique Nouvelles à la rubrique Correspondance. Clara entrait systématiquement en contact avec les auteurs des témoignages qui l'intéressaient. Il lui suffisait de se rendre dans la minuscule fenêtre placée en bas du texte pour que s'affiche une page vierge sur laquelle elle saisissait son nom de code et son mot de passe. Quand elle avait fini de rédiger et de corriger son message, elle appuyait sur la fonction « poster », et il était instantanément expédié à l'adresse voulue. Elle allait régulièrement sur sa page personnelle pour relever son courrier. Elle ne pouvait s'empêcher de ressentir une vive déception quand sa boîte aux lettres était vide. Elle aimait se sentir reliée au reste du monde, découvrir que des mots clandestins avaient franchi des milliers de kilomètres pour s'échouer sur son écran. Pendant qu'elle dormait, des hommes et des femmes des royaumes orientaux et occidentaux pensaient à elle, lui écrivaient, lui confiaient leurs peines et leurs espoirs.

Elle avait le sentiment d'appartenir à la grande communauté des êtres humains. Les frontières n'existaient plus dans le deuxième monde, toutes les barrières s'abaissaient, les océans, les montagnes, les distances, l'âge, la langue...

L'enthousiasme contagieux de Portarius et de certains de ses disciples avait contaminé Clara. Les classes dirigeantes avaient arrêté le cours de la vie pendant plus de cent ans. Mais la vie, comme l'eau qu'on tente de juguler, avait suivi d'autres voies. Elle s'était répandue dans les arcanes du réseau en cours souterrains, invisibles, attendant son heure pour resurgir à la surface et affirmer sa puissance.

Portarius disait qu'il était illusoire, absurde, de prétendre priver de progrès l'écrasante majorité de la population mondiale.

« L'évolution est un phénomène naturel. Si on essaie de briser le mouvement, alors on risque tout simplement la fin de la civilisation, la fin de l'humanité. »

La liste était impressionnante des inventions qui n'avaient pas vu le jour parce que les classes dirigeantes craignaient de perdre le contrôle sur la population. Entre autres, la communication instantanée à distance appelée le téléphone.

« Le principe en est pourtant simple : le son est conduit par des fils qui relient des émetteurs et des récepteurs. De sorte qu'on peut entendre quelqu'un qui se trouve à plusieurs centaines, voire milliers, de kilomètres, comme s'il se tenait tout près. Comme le réseau, mais sans qu'il n'y ait besoin d'appareils sophistiqués ni d'électricité, donc accessible au plus grand nombre. Henri VII, le père de Jean IV, souhaitait équiper le royaume du téléphone dans les années 1960, mais ses conseillers l'en ont dissuadé en affirmant que les mouvements terroristes s'en empareraient et en profiteraient pour préparer une révolution pire que celle de 1789. Il a abandonné le projet, à contrecœur je crois, car il était amateur de progrès, bien plus que notre actuel souverain. »

De même, on avait refusé une autre merveilleuse invention : la machine à laver. On avait pensé que les femmes, désœuvrées, pousseraient leurs maris à se révolter, à réclamer des droits. On se souvenait des furies de la Révolution, ces harpies braillardes et cruelles qui réclamaient le sang des aristocrates dans les allées de l'Assemblée. Il fallait donc occuper les femmes, et il n'était pas question de mettre sur le marché une machine qui leur ferait gagner du temps.

« Les familles riches non plus n'en veulent pas. Leurs domestiques leur suffisent. Et puis elles assimilent tout ce qui est progrès à la perte des valeurs.

À l'image du serpent de la Genèse, où la connaissance est associée au mal. Pourtant, quand je vois certaines lavandières prématurément usées, les reins et les genoux brisés, je me dis qu'il est vraiment cruel de les priver d'une telle invention. »

Portarius était lui-même le rejeton d'une grande famille. Il avait passé son enfance dans les couloirs du château de Versailles, où son père, pair du royaume et gardien de la tradition, siégeait en permanence. Alors qu'il se dirigeait vers une carrière prestigieuse d'officier supérieur de l'armée royale, il était tombé de cheval pendant une chasse à courre. L'accident l'avait cloué au lit pendant plus d'un an. Un an pendant lequel il avait eu tout le loisir de réfléchir. Il avait pris conscience qu'il n'était pas fait pour l'armée, ni pour une vie courtisane. Il s'en était ouvert à ses parents, qui étaient entrés dans une colère noire et l'avaient chassé du domicile familial avant la fin de sa convalescence. Déshérité, il s'était installé à Paris où il avait fréquenté les mouvements terroristes, puis quelqu'un lui avait parlé du réseau et il y avait consacré toute son énergie, devenant l'un des plus grands spécialistes français du deuxième monde.

On venait le consulter de tout le royaume, pour des motifs très différents. Quelqu'un comme Spartacus, par exemple, était chargé de surveiller les déplacements de la gendarmerie royale ou des armées afin de prévenir le mouvement terroriste auquel il appartenait. Il avait cru bon de s'en vanter auprès de Clara, dont il essayait par tous les moyens d'attirer l'attention.

Christophe Colomb, lui, utilisait le réseau pour découvrir les régions du monde qu'il n'aurait ni le temps ni les moyens de visiter. Il n'avait pas de femme, pas d'enfant, il vivait seul et tentait de mettre de l'argent de côté pour acquérir son propre matériel. Il n'avait pas répondu à Clara lorsqu'elle lui avait demandé quel était son métier.

De son côté, Lilith recherchait la fille qu'elle avait eue dix ans plus tôt et que le père, un Américain du royaume du Centre, avait emmenée avec lui lorsqu'il était retourné dans son pays. Elle en appelait aux Virtuelles du royaume pour retrouver leurs traces. Une femme de la région de Denver affirmait les avoir aperçus quelques jours plus tôt sur une route des montagnes Rocheuses. Elle précisait dans son message que la fille pleurait et que le père, une brute, la traitait avec une rudesse révoltante.

« C'est bien lui. Une grande brute à la main leste. Pourquoi me l'a-t-il volée si c'est pour la maltraiter ? Il avait l'air très amoureux quand on s'est mariés. J'ai vite déchanté. Quand son travail s'est achevé ici, il est reparti sans me prévenir, ni me donner la moindre explication, en enlevant notre fille. Ça fait maintenant trois ans que je suis à sa recherche. Je ne savais pas lire ni écrire. J'ai dû apprendre pour pouvoir me servir du réseau. Pendant plus d'un an, j'y ai passé mes jours et mes nuits.

– Que ferez-vous quand vous l'aurez retrouvée ?

– J'irai la chercher, tiens ! Je mets de l'argent de côté pour me payer la traversée.

– Vous croyez que les autorités vous accorderont un permis de voyager ?

– Je me débrouillerai pour l'obtenir. Une fois sur place, je ferai comme lui : je prendrai ma fille sous mon bras et je repartirai dans l'autre sens.

– Une vie entière de travail ne suffirait pas à payer une traversée en bateau ! » Christophe Colomb était intervenu après avoir écouté avec une grande attention la conversation entre Lilith et Chaperon Rouge. « Quant à l'avion, n'en parlons même pas. »

Les yeux bleu pâle de Lilith étaient restés un long moment rivés sur ceux de son interlocuteur.

« Les femmes ont des atouts que les hommes n'ont pas. »

Christophe Colomb avait hoché la tête d'un air soudain mélancolique.

« Découvrir l'Amérique est le grand rêve de ma vie, mais je ne crois pas que j'aurai un jour cette chance.

– Ce que je crois, moi, c'est que vous faites en sorte que ça reste un rêve, avait rétorqué Lilith.

Sinon vous seriez devenu marin, ou vous auriez choisi un autre de ces métiers qui permettent de voyager. Vous, les hommes, vous avez déjà cette chance, mais vous ne la saisissez pas, parce que vous avez peur. »

Christophe Colomb avait haussé les épaules et repris ses explorations solitaires du deuxième monde.

De nombreux visiteurs fréquentaient occasionnellement l'appartement de Portarius. Ceux-là venaient de différentes provinces de France et profitaient de leur séjour à Paris pour commencer ou parfaire leur formation de Virtuel. Comme Lilith, tous avaient appris à lire et à écrire, condition indispensable pour se familiariser avec le réseau.

Orphée avait confié à Clara que les précepteurs et instituteurs étaient de plus en plus nombreux à donner des cours clandestins. Lui-même, outre les leçons officielles qu'il dispensait aux filles de la famille Barrot, s'occupait deux nuits par semaine d'une classe dans la ville de Nanterre. Il risquait la prison, voire la mort, s'il était dénoncé et arrêté, mais sa conscience ne l'aurait pas laissé en paix s'il n'avait pas partagé son peu de savoir avec les déshérités du royaume.

Comme chaque jeudi matin, Clara sortit de l'hôtel particulier à huit heures dix. Un froid vif et sec était descendu avec le mois de décembre. Un rêve l'avait tirée du sommeil vers quatre heures, et elle n'avait pas pu se rendormir. Jean lui était apparu, très faible. Ses yeux grands ouverts imploraient de l'aide. Elle essayait de se rapprocher de lui, mais à chaque fois il se reculait, comme effrayé, et elle ne pouvait jamais l'atteindre.

Elle frissonna, referma son manteau de laine et marcha à grands pas vers la gare, bien résolue à demander à Portarius s'il était possible de retrouver quelqu'un par le réseau.

Sa mère ne l'avait encore jamais interrogée sur les cours de broderie qu'elle était censée suivre avec l'ancienne dame de compagnie de la cour (elle aurait été bien incapable de répondre, n'ayant pas pris le temps de s'intéresser au sujet). De même, on ne lui posait aucune question sur ses visites hebdomadaires chez Hélène ou Ursule. Clara priait le ciel et tous ses saints pour que ses deux anciennes amies n'aient pas l'idée saugrenue de venir la voir à son domicile le jeudi matin. Peu probable : ces deux-là ne sortaient jamais de chez elles avant le début de l'après-midi.

Clara n'avait pas besoin de puiser dans ses économies pour payer son train. D'abord le billet était peu cher, un franc royal l'aller-retour ; ensuite, son père lui avait remis en toute discrétion plus de mille francs royaux, pour, avait-il précisé avec un sourire embarrassé, lui permettre de se changer les idées après la rude épreuve qu'elle avait subie. Sans doute était-ce pour lui une façon de se dédouaner de son détachement, de son indifférence.

Elle arriva à huit heures vingt-cinq, prit son billet au guichet, eut tout juste le temps de se jeter dans le premier wagon avant le départ du train. Elle resta debout dans le couloir bondé jusqu'à la gare de l'Ouest, agrippée à la barre fixée au plafond. Elle ne prêta pas attention aux regards appuyés des hommes ni à leurs frôlements insistants.

Un soleil encore pâle l'accueillit à la sortie de la gare. Une foule énorme se pressait dans les rues environnantes. L'activité de Paris battait déjà son plein. Clara se fraya un passage difficile entre les étalages, les restaurants, les marchands ambulants, les débardeurs, les charrettes à bras et les véhicules englués dans la cohue. Les effluves de vin chaud, de pain frais et de friture estompaient la puanteur de la ville.

Quatre fourgons de la gendarmerie royale stationnaient sur le trottoir de la rue Vaugirard, de chaque côté de la porte cochère frappée du numéro 6. Elle eut l'intuition que la présence des gendarmes avait un lien avec Portarius, avec le réseau, et, inquiète tout à coup, elle se glissa à pas prudents dans la cour intérieure de l'immeuble.

CHAPITRE 20

Les yeux du patron du café s'agrandirent de frayeur. Il se recula contre les étagères, bousculant des bouteilles dans son mouvement. Un sourire fleurit sur les lèvres de Jules. Il tendit le bras en direction du cafetier et le maintint quelques secondes en joue. Les deux derniers clients s'éclipsèrent comme des ombres. Le cœur de Jean battait à tout rompre.

« Et maintenant ? cracha Jules. Quelle réponse je dois donner à M. Bernier ? »

Le cafetier ne réagit pas. Ses yeux fixaient régulièrement le sol, comme s'ils cherchaient une issue.

« Il me faut une réponse, reprit Jules. Libre à toi de ne pas verser ta part, mais ça équivaut à une déclaration de guerre. »

Le patron ne réagit pas, pâle, hagard.

« Écoute-moi bien : je repasserai dans deux jours, même heure. Et dans deux jours, il me faudra un premier versement. Mille francs royaux pour commencer. Débrouille-toi pour les avoir. Est-ce que c'est bien compris ? »

L'homme acquiesça d'un hochement de tête à peine perceptible. Jules se dirigea vers la porte à reculons, sans baisser le bras. Jean le suivit, soulagé d'échapper à la tension presque palpable qui régnait sur les lieux. Au moment où Jules se retournait pour saisir la poignée de la porte, le patron plongea subitement derrière le comptoir et réapparut presque aussitôt en épaulant un fusil de chasse.

« La voilà, ma réponse ! vociféra-t-il.

– Attention ! » hurla Jean.

Jules se jeta de tout son long sur le carrelage une fraction de seconde avant le premier coup de feu. Les plombs hachèrent le bois de la porte et firent voler les vitres en éclats. Le patron tira une deuxième fois. Jules roula sur lui-même, renversant une chaise au passage. Les plombs percutèrent l'endroit où il s'était tenu quelques instants plus tôt. Le cafetier hurla de rage, ouvrit un tiroir, saisit deux cartouches et, fébrilement, les inséra dans le canon. Jean renversa une table et se recroquevilla derrière en espérant qu'elle était assez épaisse pour arrêter les plombs. L'odeur de poudre lui rappela l'attaque du camp terroriste dans la forêt. Il entendit le claquement de la culasse du fusil qui se refermait.

Un troisième coup de feu. Plus sec, moins tonitruant. Puis un bruit sourd, terminé par une deuxième détonation, assourdissante.

« Remue-toi, mon vieux, on se tire. »

La voix de Jules.

Jean se releva. Jules tenait toujours le pistolet à bout de bras. Un trou béant aux bords noircis et déchiquetés s'était ouvert dans le bois du comptoir. Jean aperçut par la brèche la tête du cafetier ; elle formait un angle insolite avec ses épaules. L'écho des détonations planait toujours dans le silence funèbre retombé sur la salle.

« Cet idiot l'a bien cherché. Les autres comprendront à qui ils ont affaire. Quand un clan veut s'imposer dans un secteur, un bon exemple vaut mieux qu'un long discours. Allez, on lève le camp. »

Ils regagnèrent la rue de Tanger. Jules ne semblait pas perturbé le moins du monde par ce qui venait de se passer. Donner la mort était pour lui une action aussi anodine que respirer ou boire une gorgée d'eau. Il espérait grimper rapidement dans la hiérarchie du clan. Il s'efforçait d'être inflexible et efficace dans les missions qu'on lui confiait. Et l'une d'elles consistait à récupérer l'argent de la protection auprès de certains commerçants situés sur le territoire du clan.

« Je m'occupe principalement des cafés. L'Anguille me laisse cinq pour cent de l'argent que je lui rapporte. Rien que le mois dernier, j'ai gagné près de quatre mille francs royaux. T'imagines ? Il aurait fallu que je bosse presque un an pour gagner la même somme. Et encore, j'en suis qu'au début, je pense pouvoir gagner rapidement plus de dix mille francs royaux par mois. Avec ça, je compte m'acheter bientôt mon appartement. Investir dans la pierre, quoi. C'est que j'espère bien prendre femme et avoir des enfants. »

Et le cafetier, faillit rétorquer Jean, il avait sans doute une famille lui aussi.

« Tu peux avoir un bel avenir dans le clan, continua Jules. Si tu veux, je t'apprendrai le métier. De toute façon, je vois pas ce que tu pourrais faire d'autre. À part trimer pour quelques sous par jour pour les commerçants des Halles. Et encore, tu finirais par te faire prendre un jour ou l'autre. Tandis qu'avec nous, tu bénéficies d'une protection, et les asticots te ficheront la paix.

– Je... je ne crois pas que je serai capable de tuer quelqu'un, protesta Jean.

– T'inquiète pas pour ça, dit Jules avec un sourire. Y a que le premier pas qui coûte. Après on s'habitue. On s'habitue à tout. Et puis, tu as vu : c'était lui ou moi. Quand on défend sa peau, on n'a pas de scrupules. »

Jean ne répondit pas. Il ne savait plus quoi penser. Jules avait raison : il n'y avait aucun avenir pour lui dans le monde ordinaire. En tant qu'évadé, il risquait vingt ans de bagne si les gendarmes l'arrêtaient. Il devait maintenant vivre dans les marges, et c'était ce que lui proposait le clan de l'Anguille, une existence relativement confortable dans les zones obscures, là où la loi du royaume ne s'appliquait pas. Mais il lui fallait commettre un premier meurtre, puis d'autres, devenir, comme Jules, une implacable machine à tuer, franchir une frontière d'où l'on ne revenait pas. Cette même frontière franchie par les terroristes commandés par son père quand ils avaient tué de sang-froid les gendarmes qui escortaient le fourgon cellulaire.

« Voilà, comme ça. »

Jules visa un long moment la cible placée à trente mètres et tira. La balle perfora le mannequin de carton avant de percuter le support métallique avec un tintement prolongé. Il actionna ensuite le mécanisme qui ramena le mannequin et le tint suspendu devant lui. La balle avait frappé en plein centre du cercle dessiné à l'emplacement du cœur.

« Pas mal, hein ? Mais, comme les adversaires portent parfois un gilet pare-balles, il vaut mieux viser le cercle du front. À toi d'essayer. »

Jules tendit son pistolet à Jean. La crosse était encore brûlante.

« Il faut que t'apprennes à t'en servir vite et bien. Dans notre milieu, c'est la seule garantie de survie. »

Jean leva le bras, ferma un œil et visa le mannequin placé trente mètres plus loin en face de lui, s'efforçant de maîtriser ses tremblements. Il eut l'impression, lorsqu'il pressa la détente, de commettre un geste irréparable. Le pistolet tressauta dans sa main moite, comme un petit animal rétif.

« Voyons ça. »

Jules renvoya le mannequin qui lui avait servi de cible et ramena celui de Jean devant le pas de tir.

« Hé, pas si mal pour un début ! »

La balle avait frappé le creux de l'épaule droite du mannequin.

« Moi, à mon premier tir, j'l'ai même pas touché, poursuivit Jules. Et chaque arme est différente. Celle-ci a besoin d'une légère correction sur la gauche. Il te faudra t'habituer à la tienne. Au fait, M. Bernier m'a demandé de te former. Si t'es d'accord, bien sûr... »

Jean ânonna un son qui pouvait passer pour un oui.

« Bien, à partir d'aujourd'hui, tu m'accompagnes dans chacun de mes déplacements. Enfin, faut d'abord que je te remette ton arme et que tu t'exerces avec jusqu'à ce que tu saches parfaitement viser. On y passera toute la journée s'il le faut. Tiens, cadeau de l'Anguille. »

Jules sortit de la poche de sa veste un étui en cuir passé dans une ceinture. De l'étui dépassait une crosse bombée, noire et rainurée.

« C'est un Legrand, le modèle PF.140. Il tire des balles de neuf millimètres. Vingt par chargeur. Un modèle assez rustique. Il est sans doute moins précis que d'autres automatiques de son genre, mais il est solide et fiable. Il te laissera jamais en rade. Parfait pour un début. On verra plus tard si on peut te confier un modèle plus sophistiqué. »

Jean s'en empara et le tira doucement de sa gaine. Le poids de l'arme le surprit ; elle était nettement plus lourde que celle de Jules. Son canon était court, trapu, dépourvu d'élégance. Son index se glissa dans le pontet et se replia sur la détente, verrouillée par le cran de sûreté.

« Le mieux, c'est de l'essayer tout de suite », proposa Jules.

Jean eut besoin d'un chargeur entier pour corriger l'angle de tir et toucher là où il le décidait. La fumée âcre lui piquait la gorge et l'oppressait. Le mannequin était criblé de trous à la fin de l'exercice. Ils se resserraient autour des cercles du front et du cœur comme des insectes autour de sources lumineuses.

« Ya pas à dire, t'es doué ! apprécia Jules. L'Anguille sera content de récupérer une aussi bonne recrue. »

Ils sortirent en chahutant de la cave humide et sombre qui servait de pas de tir aux hommes du clan.

Le soir même, l'ancienne chambre de Jules, située au deuxième étage de l'immeuble, fut allouée à Jean. Elle disposait d'une salle d'eau avec douche et toilettes, ainsi que du chauffage central. Il trouva des costumes, des chemises et des chaussures dans la penderie et des sous-vêtements dans les tiroirs d'une commode.

Jules, lui, déménagea au troisième dans un appartement de quatre pièces doté de tout le confort moderne, y compris d'écrans muraux du réseau S2I. Il devenait de fait, et malgré son jeune âge, le numéro cinq de la hiérarchie du clan de l'Anguille. Une ascension fulgurante qui ne lui valait pas que des amis. Jean surprit les regards haineux de certains hommes sur le passage de Jules dans les couloirs. Les autres lui avaient donné un surnom, le Bref, une façon de célébrer sa vivacité et sa réussite rapide, mais aussi de l'avertir que sa vie risquait d'être courte.

« Le Bref, c'est pas un surnom très glorieux, maugréa-t-il en ouvrant la porte de son appartement.

– Y a pourtant eu un roi de France qui s'appelait comme ça, précisa Jean. Pépin le Bref.

– T'es sûr ?

– Sûr et certain. »

Jules retrouva sa bonne humeur.

« Alors, ça ira... »

Le soir, ils célébrèrent l'enrôlement de l'un et la promotion de l'autre dans un restaurant des environs.

« Enfin, t'es pas tout à fait admis, déclara Jules avant le dessert. Il te faut encore signer le pacte de sang. Après, tu pourras te faire tatouer l'animal de ton choix. C'est le rituel. »

Jean hocha la tête, mais il éprouva une curieuse sensation de froid et d'obscurité à l'intérieur de lui, comme si une entité sombre et glacée tentait de prendre possession de son corps et de son âme.

Sa formation commença le lendemain. À huit heures, Jules vint frapper à la porte de sa chambre.

« Habille-toi chaudement. Il fait un froid de canard. D'après le réseau S2I, il risque de neiger. C'est génial, le réseau. Je l'ai regardé jusqu'à trois heures du matin. On voit des images du monde entier. »

Jean choisit des chaussettes et un maillot de corps épais, un costume et un ample manteau de laine. Il n'oublia pas de glisser la ceinture et l'étui du pistolet dans les passants de son pantalon.

« On prendra un café et un croissant dehors, dit Jules.

– Où est-ce qu'on va ?

– On a un compte à régler à l'est de Paris, sur les bords de Marne. »

Ils prirent le bus à gaz jusqu'à la porte de Vincennes. Là, ils burent un café et mangèrent un beignet avant de monter dans le train de banlieue qui desservait les villes des bords de la Marne jusqu'à Meaux. Le ciel était bas, l'air humide et froid.

Le temps était l'exact reflet des sentiments de Jean, conscient qu'il s'engageait dans une expédition dont il reviendrait à jamais changé. À jamais séparé de Clara. Ils seraient alors trop loin l'un de l'autre, leurs deux mondes ne pourraient jamais plus se rejoindre. Il s'en consolait en se disant qu'elle l'avait certainement oublié, que leurs mondes, de toute façon, n'étaient pas destinés à se rencontrer. Jules était silencieux, plus grave et sombre que d'habitude. Le train s'arrêta une première fois à Saint-Maurice. Les mouvements des passagers qui montaient ou descendaient ne parvenaient pas à réchauffer l'air froid qui se faufilait par la portière ouverte.

Il se mit à neiger lorsqu'ils arrivèrent à Charenton-le-Pont. Deux gendarmes royaux montèrent et s'installèrent aux côtés de Jules et Jean. Ils arboraient tous les deux des moustaches conquérantes. Ils portaient, par-dessus leur uniforme, une ample cape aux mêmes couleurs que leur képi, blanc et or. Jean se tassa sur la banquette. Il avait l'impression que les deux asticots avaient remarqué la bosse de son pistolet sous sa veste et les plis de son manteau. Ils allumèrent des cigarettes blondes à l'odeur sucrée écœurante. Leur cape s'entrouvrait à chacun de leurs mouvements. On entrevoyait leurs armes, des fusils d'assaut identiques à ceux du peloton qui avait exécuté les terroristes à Beaufort-la-Forêt.

Fort heureusement, ils descendirent à Créteil où ils furent remplacés par deux jeunes filles aux joues rouges et aux rires contagieux. La neige continuait de tomber. Les toits et les rues disparaissaient sous la blancheur. Des péniches voguaient sur la large rivière, parfois tirées par des chevaux. Depuis la fermeture des frontières du Califat et la raréfaction du pétrole, on avait rouvert les anciens chemins de halage ; ils passaient parfois tellement près des pavillons que les attelages donnaient l'impression de les traverser. Les sabots creusaient des sillons sombres dans la terre voilée de dentelle blanche. Les barques des riverains glissaient silencieusement sur le miroir figé de l'eau. Les flocons de plus en plus épais estompaient par endroits les paysages verdoyants des bords de Marne.

« Vous allez où, les filles ? » demanda Jules, sortant soudain de son mutisme, avec son plus beau sourire.

Elles pouffèrent et gloussèrent avant de lever sur lui un regard plein de hardiesse.

« À Noisy-le-Grand, répondit celle des deux qui avait les cheveux les plus clairs et les joues les plus rouges.

– Qu'est-ce que vous allez y faire ?

– On est embauchées, elle comme femme de ménage et moi comme cuisinière, au château de Guermantes.

– C'est quoi, vos petits noms ? »

Elles gloussèrent de nouveau. Leurs rires et leurs chuchotements se perdirent dans le sifflement du train.

« Moi, c'est Laure, et elle c'est Agnès, répondit l'autre, celle aux cheveux plus foncés et aux yeux noisette. Et vous ?

– Je suis Jules, et lui c'est Jean.

– Qu'est-ce que vous faites dans le coin ? »

Jules laissa errer son regard par la vitre du wagon. Son souffle dessina un cercle de buée sur le verre.

« On est là pour affaires.

– Vous ? Dans les affaires ? Si jeunes ? »

Jules se retourna et les fixa avec une soudaine intensité tempérée par son sourire charmeur.

« Y a pas d'âge pour les affaires.

– Vous êtes pas habillés comme des cous noirs en tout cas. »

Jules se redressa.

« On est habillés comme des hommes d'affaires, logique, non ? »

Jean remarqua que les regards des deux filles étaient maintenant admiratifs, envieux. Elles qui, comme lui quelques semaines plus tôt, ne portaient que des vêtements ayant appartenu à leurs sœurs ou à leurs mères étaient fascinées par les costumes et les manteaux parfaitement coupés de leurs vis-à-vis.

« On arrive bientôt à Nogent, reprit Jules. On pourrait peut-être se revoir, un de ces jours ?

– J'aimerais bien, mais à partir d'aujourd'hui, on n'aura plus qu'un jour par semaine, soupira Agnès.

– Bah, vous resterez pas bonniches toute votre vie !

– Qu'est-ce qu'on pourrait faire d'autre ? »

Jules se pencha vers elle et baissa le son de sa voix :

« Il y a plein d'autres métiers, bien plus rentables et moins fatigants. J'vous dirai ça quand on s'reverra.

– Quand ?

– Venez me voir quand vous voulez à Paris. Au 20, rue de Tanger. Vous vous souviendrez ? 20, rue de Tanger...

– Comment on saura qu'on est arrivées ? objecta Laure. On ne sait pas lire.

– Vous demanderez votre chemin. Et puis, une fois rue de Tanger, vous demanderez l'immeuble de l'Anguille. Tout le monde le connaît. Sur place, vous monterez à l'appartement de Jules. »

Il se leva tandis que le train, après un long sifflement, ralentissait pour entrer en gare de Nogent.

« 20, rue de Tanger. Vous vous souviendrez ? »

Les filles acquiescèrent avec un étonnant synchronisme. Jules les salua d'un mouvement de tête, s'éloigna dans l'allée et se dirigea vers la portière du wagon. Jean le suivit.

Un froid glacial les attendait sur le quai balayé par les flocons et un vent violent.

« Où est-ce qu'on va ? demanda Jean.

– Sur les bords de Marne, répondit Jules. Et même en plein milieu de la Marne. »

Au sortir de la gare, ils s'engagèrent dans une ruelle qui descendait en pente raide vers la rivière. La neige fraîche crissait sous leurs semelles.

« Pourquoi tu as dit à ces filles qu'il y avait des métiers plus rentables et moins fatigants ? »

Jules marcha un moment avant de répondre. Son souffle semait devant lui de minuscules nuages de buée.

« Parce que c'est vrai...

– Quel genre de métier ?

– Une autre fois. On doit d'abord régler nos comptes. »

Jean ne tira rien de plus de son compagnon jusqu'à ce qu'ils arrivent au bord de la Marne.

CHAPITRE 21

Portarius fit son apparition dans la cour, encadré par deux gendarmes royaux. Clara avait entendu du bruit dans les étages et, indécise, était restée au pied de l'escalier. Les nuages avaient soudain occulté le soleil et les premiers flocons s'étaient mis à tomber. Une vieille femme, sortant d'une porte du rez-de-chaussée, avait levé les yeux au ciel et grommelé que le temps était détraqué.

Les gendarmes avaient passé les menottes à Portarius. Ils l'entraînaient sans ménagement vers la porte cochère. Le prisonnier n'avait visiblement pas eu le temps de s'habiller. Il était vêtu d'une robe de chambre aux couleurs enfuies et d'un pantalon de pyjama rayé. Il n'était pas seul : le suivaient Spartacus et Orphée, également menottés et encadrés par des gendarmes.

Le précepteur lança un regard désespéré à Clara. Il ressemblait à un hibou avec ses grands yeux agrandis par la peur et la douleur. Sa vie venait de se briser pour la deuxième fois. La maladie avait eu raison de sa soif de découverte en Inde ; une dénonciation anonyme ou une imprudence anéantissait son rêve virtuel et lui confisquait sa liberté. Il croupirait en prison pour un bon bout de temps, entre quinze et vingt ans, la sentence habituelle pour les « ennemis de la Couronne ». Spartacus, lui, gardait la tête haute et arborait une expression de défi. Son visage était cependant plus pâle que d'habitude et son sourire, légèrement crispé.

Pétrifiée, Clara songea qu'elle aurait pu connaître le même sort si elle était arrivée quelques minutes plus tôt. Les gendarmes passèrent devant elle sans lui accorder la moindre attention. Deux hommes vêtus d'un manteau noir fermaient la marche ; deux policiers en civil que les gens du peuple surnommaient les cafards et que son père, lui, appelait les chiens enragés du royaume. L'un était grand et sec, l'autre petit et rond, mais ils se ressemblaient par leur mine féroce, leurs mâchoires saillantes et leur allure sournoise. Leurs yeux volaient sans cesse d'un point à l'autre, comme s'ils voulaient saisir les moindres détails. Les braises du soupçon s'allumèrent instantanément lorsqu'ils se posèrent sur Clara. Elle eut peur que les deux hommes ne fondent sur elle pour l'interroger. Elle aurait été bien en peine d'expliquer ce que fichait au pied de cet escalier, à cette heure-ci, une fille d'une grande famille de Versailles. Elle baissa la tête. Surtout ne pas offrir aux cafards une occasion de s'intéresser à elle.

Elle comprenait maintenant ce que ressentaient les cous noirs face à la police du royaume. Un sentiment de peur, d'impuissance, d'humiliation. Les policiers étaient toujours recrutés dans les classes laborieuses, enlevés à leurs familles à l'âge de sept ou huit ans, formés et conditionnés pendant plus de dix ans. Grassement payés, ils bénéficiaient de nombreux avantages sociaux. Ils changeaient d'identité à la fin de leur carrière et déménageaient dans une autre région afin de ne pas subir la vengeance de ceux qu'ils avaient persécutés. Lorsqu'ils étaient reconnus par l'une de leurs anciennes victimes, ils connaissaient parfois une fin de vie très difficile.

Clara éprouva un soulagement indicible lorsqu'ils disparurent par la porte cochère. Elle se rendit dans la rue quelques instants après leur départ. La neige continuait de tomber, de plus en plus dense. Les rues et les trottoirs se couvraient d'un épais tapis blanc qui, dans d'autres circonstances, aurait ravi Clara. Elle n'avait pas le cœur à s'émerveiller. Elle venait de perdre ses frères en virtualité, une famille d'adoption qui l'avait mieux accueillie et respectée que sa famille de sang.

Les fourgons de gendarmerie s'éloignaient dans la rue Vaugirard en creusant des sillons noirs dans la neige. Elle entrevit par la vitre grillagée le visage tragique d'Orphée. Elle ne connaissait pas le vrai nom de son précepteur, et elle le regrettait. Elle aurait pu intervenir en sa faveur auprès de son père. Non, c'était un espoir vain, une pensée stupide : elle aurait dû au préalable avouer qu'elle fréquentait avec assiduité l'appartement de Portarius, qu'elle était, elle aussi, une ennemie de la Couronne. Ses pieds se glaçaient dans ses bottines. Le froid s'engouffrait sous sa robe et son jupon.

Elle décida de monter au deuxième étage. Peut-être la porte de l'appartement était-elle restée ouverte ? Peut-être Portarius avait-il laissé un ultime message sur le réseau ? Elle revint sur ses pas et gravit quatre à quatre l'escalier en espérant que des gendarmes n'étaient pas restés dans les lieux. La porte de l'appartement du deuxième était fermée par des scellés. Elle craignit tout à coup d'être trahie par les caméras de surveillance, se traita d'idiote et battit aussitôt en retraite.

Elle croisa Lilith en bas de l'escalier. Elle la mit brièvement au courant des événements du matin. Son interlocutrice pâlit et se mordit la lèvre inférieure. Elle avait apporté des gâteaux qu'elle avait elle-même confectionnés.

« Il n'y a pas de raison que ce soit toujours toi qui t'en charges, Chaperon Rouge. Enfin, je parle au passé, tout ça ne sert plus à rien. Je me demande comment je vais faire maintenant. Il me fallait encore une ou deux séances pour trouver l'adresse où ce scélérat séquestre ma fille. »

Elles décidèrent d'aller boire un vin chaud dans une brasserie de la rue Vaugirard. La neige continuait de tomber. Clara espéra qu'elle ne bloquerait pas les trains et ne l'empêcherait pas de rentrer à l'heure habituelle. Les clients se pressaient en grand nombre devant le comptoir et autour des tables. Des colporteurs, des livreurs et des badauds surpris par l'averse de neige. Clara apprécia le vin chaud assaisonné de citron et de cannelle. C'était la première fois qu'elle en buvait, et elle sentait monter en elle une douce euphorie.

« À quoi me sert d'avoir un permis de voyager si je ne sais pas où aller ? maugréa Lilith, assise sur la banquette d'en face.

– Vous avez déjà obtenu votre permis de voyager ? »

Les yeux clairs de Lilith s'assombrirent.

« Je leur ai pourtant dit, à Portarius et aux autres, que les femmes disposent d'arguments que les hommes n'ont pas. J'avais prévu de partir dès que j'aurais récupéré l'adresse. Ils ne m'ont pas laissé le temps.

– Qui ? »

Lilith agita les bras.

« Ben, les cafards ! Ils sont intervenus trop tôt. Ces gens-là ne respectent rien.

– Ils étaient censés respecter quelque chose ? »

Lilith vida son verre et se leva. Ses gestes étaient devenus brusques, nerveux, son regard fuyant.

« Il faut que j'y aille. Je suppose qu'on ne se verra plus. Alors adieu, Chaperon Rouge, et bonne chance. »

Elle sortit de la brasserie et se perdit dans la tempête de neige, laissant Clara seule aux prises avec les regards sournois des hommes échauffés par l'alcool. Elle se leva, paya la somme réclamée par l'une des serveuses, un franc royal les deux vins chauds, fendit les rangs des clients et affronta à son tour les flocons.

L'attitude de Lilith tracassait Clara.

Pour une fois, il n'y avait pas grand monde dans le wagon. Elle avait pratiquement une banquette pour elle seule. Des grilles métalliques disséminées sur le plancher montaient une chaleur bienfaisante, émolliente. Le contrôleur avait précisé que la neige ne stoppait que rarement les trains.

« Peut-être demain matin, si elle se transformait en glace pendant la nuit. Vaudrait alors mieux rester chez vous, mademoiselle. »

Clara se demandait pourquoi Lilith, qui avait toujours été une compagne adorable, s'était montrée si sèche, si pressée. Était-ce parce que, avec l'arrestation de Portarius et la fermeture de son local, elle perdait tout espoir de revoir sa fille ?

Elle flâna dans les rues de Versailles, renouant avec le plaisir enfantin de jouer avec la neige fraîche. Aucune voiture, aucun bus ne circulait, abandonnant tout l'espace aux enfants, et à leurs mères ou à leurs gouvernantes. Le drapeau du royaume, dont la couleur était le blanc, semblait s'être déployé sur l'ensemble du pays. La neige était pour les courtisans le signe incontestable que la nature soutenait la Couronne et un gage de prospérité. Rien de bleu ou de rouge n'était jamais tombé du ciel ; c'était bien la preuve que ni la Révolution de 1789 ni ses horribles couleurs n'avaient trouvé grâce auprès du Très-Haut.

Il était presque midi lorsque Clara poussa la porte de service de l'hôtel particulier de la famille Barrot. Elle ne prenait jamais l'entrée principale. D'abord elle détestait son aspect monumental, écrasant ; ensuite elle craignait toujours de croiser sa mère, qui, telle une sentinelle, surveillait sans relâche les allées et venues dans la cour. Clara préférait emprunter le chemin des domestiques, traverser les buanderies et les cuisines, puis regagner sa chambre par l'escalier tournant en principe réservé aux caméristes. Elle passait d'habitude un peu de temps avec Thérèse et les autres cuisinières, mais, cette fois, après les avoir saluées, elle fila sans attendre dans sa chambre.

On l'y attendait. Deux hommes aux mines sinistres qu'elle identifia immédiatement comme des cafards. Et son père, l'air grave. Ils s'affairaient sur son clavier et sur son écran.

Son père fondit sur elle avec une férocité inhabituelle. Elle crut qu'il allait la frapper et se protégea le visage de son bras.

« Qu'as-tu fait, petite sotte ? Tu veux donc ruiner notre famille ? »

L'un des cafards s'approcha d'elle et la fixa d'un air inquisiteur.

« Vous êtes convaincue, mademoiselle Barrot, d'avoir fréquenté le réseau clandestin du dénommé Portarius au 6, rue Vaugirard, à Paris. »

Les jambes de Clara se dérobèrent. Elle se laissa tomber sur son lit. Son père la saisit par le poignet, la releva avec rudesse et la contraignit à se tenir debout face à son accusateur.

« Vous êtes convaincue d'avoir vous-même utilisé le réseau et donc d'avoir enfreint la loi. La punition pour ce genre de délit est de dix années de prison. Au minimum. Souhaitez-vous donc passer les dix prochaines années de votre vie derrière les barreaux ? »

Clara ne répondit pas. Les larmes coulèrent silencieusement sur ses joues. Elle était perdue. Elle ne reverrait jamais Jean.

« Nous n'ignorons rien de ce qui se passe dans le royaume, reprit le cafard – il méritait bien son surnom celui-là, avec sa tête tout en arêtes et en creux, avec ses cheveux bruns et clairsemés, avec ses yeux renfoncés sous ses arcades saillantes ; l'autre, en comparaison, était nettement plus agréable à regarder, cheveux blonds, yeux bleu marine, tête encore enfouie dans les rondeurs de l'enfance. Vous croyiez peut-être que nous n'avons pas accès au réseau clandestin ? Nous avons des yeux et des oreilles partout. Nous avions aussi nos yeux et nos oreilles chez le dénommé Portarius. Au fait, savez-vous qu'il était le rejeton d'une noble famille, parmi les plus grandes de France, et qu'il a été chassé de chez lui à cause de ses idées subversives ? Il a cherché à se venger des siens, il a adopté les thèses terroristes avant de s'intéresser à ce réseau pirate qui promeut une fraternité factice. »

Lilith.

Le lien parut tout à coup évident à Clara. L'attitude de Lilith, le fait qu'elle ait obtenu aussi facilement un permis de voyager, sa sécheresse, sa nervosité. Elle avait regretté l'intervention trop rapide des cafards, comme s'ils n'avaient pas respecté le marché conclu entre eux. Lilith, si aimable pourtant, toujours un mot de consolation pour les petites misères de ses frères de virtualité. Sa souffrance de mère était-elle si terrible qu'elle la poussât à trahir l'homme qui lui avait accordé sa confiance, qui avait mis son matériel et ses connaissances à son service ?

« Vous allez devoir nous parler, mademoiselle, poursuivit le cafard. Si vous vous montrez coopérative, vous pourrez sans doute éviter l'humiliation pour vous et votre famille. Si vous refusez, alors nous n'aurons pas le choix, nous vous traduirons en justice quels que soient la position occupée par votre père et le prestige de votre famille.

– Vous avez bien entendu, Clara ? (La voix de son père était dure, tranchante.) Je compte sur votre compréhension. Vous nous avez trahis, votre mère et moi, et la seule façon de réparer est de vous mettre à l'entière disposition de ces messieurs. Jusqu'à ce qu'ils aient recueilli tous les renseignements qu'ils jugeront utiles. Il y va non seulement de notre honneur et de votre avenir, mais également de la sûreté du royaume. Je suppose que c'est par le précepteur de la famille que vous avez connu ce Portarius ?

Elle hocha la tête, incapable de prononcer le moindre mot. Son père se tourna vers le cafard.

« Dire que nous avons confié nos filles à cet homme ! Nous n'avions jamais eu à nous plaindre de lui jusqu'alors.

– Un grand principe des séditieux, monsieur, répondit le policier. Ils montrent patte blanche partout où ils s'infiltrent. Mais, comme le loup du conte, ils trempent leurs pattes dans la farine avant de sonner. Vous connaissez bien cette histoire, n'est-ce pas, Chaperon Rouge ? »

Le cafard ponctua sa question d'un sourire hideux.

« Vous allez venir avec nous, mademoiselle, intervint l'autre. Nous vous ramènerons chez vous ce soir si nous jugeons vos réponses satisfaisantes. Monsieur, si vous permettez... »

Le chevalier Barrot quitta la pièce sans dire un mot ni accorder un dernier regard à sa fille. L'un des cafards prit Clara par le bras et la conduisit, par les couloirs et l'escalier monumental, à la voiture noire qui stationnait dans la cour de l'hôtel particulier. Elle entrevit le visage de sa mère derrière le voilage d'une fenêtre. Il n'affichait aucune tendresse, aucune complicité, seulement une froideur qui s'accordait avec la température extérieure. Elle se demanda si ses petites sœurs étaient informées de sa disgrâce, et, si elles l'étaient, comment elles réagissaient. Le cafard la poussa sur la banquette arrière de la voiture et prit place à ses côtés tandis que le second s'installait au volant.

Elle rassembla ses pensées éparpillées pendant le trajet. Les policiers affirmaient être au courant de tout, mais ils ne savaient pas grand-chose du deuxième monde, et surtout, ils n'avaient pas la possibilité d'y mettre un terme. Rien ne pourrait arrêter le mouvement, à moins de confisquer tous les computeurs et d'arracher tous les fils électriques, ce qu'aucun royaume ou empire ne se résoudrait à faire. Ils n'avaient pas d'autre solution que d'arrêter les Virtuels. Mais la fraternité, de plus en plus ramifiée, de plus en plus complexe, finirait par les déborder, tôt ou tard. Ils essayaient seulement de retarder l'échéance pour se donner le temps de préparer la riposte.

Le bureau des policiers sentait le tabac froid et le parfum singulier de l'insomnie. Il se trouvait au premier étage d'un immeuble XVIIIe situé à quelques dizaines de mètres du château de Versailles. Une tristesse infinie suintait par les murs et le plafond ternes. Le mobilier semblait avoir deux mille ans d'âge. Des cris perçants déchiraient le silence morne. Clara voyait les flocons danser derrière les vitres de la fenêtre.

Les cafards la firent asseoir face à un bureau de bois noirci par la poussière des siècles. L'un d'eux se plaça en face d'elle ; l'autre, le blond au visage poupin, resta debout.

« Expliquez-nous les circonstances qui vous ont poussée à vous rendre chez le dénommé Portarius. Y a-t-il un lien quelconque avec votre claustration ? »

Clara leur débita le scénario qu'elle avait répété dans la voiture. Après son enlèvement, elle avait souhaité reprendre des cours. Comme ses parents avaient refusé sa requête, elle avait demandé au précepteur s'il connaissait un autre moyen de parfaire ses connaissances. Il lui avait répondu qu'on pouvait se servir du réseau et lui avait donné l'adresse d'un certain Portarius. Elle s'y était rendue, elle y avait rencontré d'autres élèves, qui, comme elle, désiraient apprendre.

Le cafard brun avait écouté ses explications avec une moue dubitative.

« Pourquoi avoir caché tout cela à vos parents ? Pourquoi avoir inventé toutes ces histoires ?

– Parce qu'ils ne m'auraient jamais laissée aller seule à Paris.

– Qu'est-ce que vous recherchiez exactement ? »

Elle réfléchit un instant, les yeux rivés sur les arabesques blanches et gracieuses des flocons.

« Je désirais mieux connaître mon monde. Qu'y a-t-il de mal à cela ?

– Disons qu'il y a une bonne et une mauvaise façon de le connaître.

– La mauvaise n'est pas celle que vous croyez.

– Prenez garde, mademoiselle : si vous êtes contaminée par les idées subversives, vous risquez de passer le reste de votre vie en prison.

– En prison ? » Clara se redressa. « J'y suis déjà en prison. La maison de mes parents est une prison. Et la maison de mon futur mari sera également une prison. Je n'ai pas d'autre choix que de passer d'une prison à l'autre.

– Ça porte un autre nom, mademoiselle : la tradition.

– La tradition, c'est ce qui fige. J'ai envie d'apprendre, de découvrir, d'évoluer.

– Chaque fois qu'on a voulu renverser ses traditions, le royaume a connu ses heures les plus noires. Nous sommes justement les gardiens de la tradition.

– Oh vous, vous êtes seulement les chiens enragés du royaume ! »

La gifle partit à une telle vitesse que Clara ne put l'esquiver, ni même l'amortir. Elle resta un long moment sonnée, incapable de penser, la joue en feu, aux prises avec un terrible mal de crâne. Elle crut que du sang s'échappait des commissures de ses lèvres et s'essuya machinalement du revers de la main.

« Tiens ta langue, petite vipère ! Ce n'est pas parce que ton père est grand argentier du roi qu'il faut te croire autorisée à nous insulter. »

Elle se mit à trembler de façon tellement désordonnée qu'elle faillit perdre l'équilibre et qu'il fallut l'intervention du second cafard pour la maintenir sur sa chaise.

Ils attendirent qu'elle se calme pour lui poser une nouvelle série de questions. Elle répondait sans réfléchir. Elle n'avait plus aucun contrôle sur les mots qui sortaient de sa bouche endolorie par la gifle. Elle se rendait compte, aux mines exaspérées de ses interrogateurs, qu'il n'y avait pas de cohérence dans ses propos, mais elle flottait dans un état second et demeurait incapable de se corriger. En arrière-plan, les flocons poursuivaient leur ballet hypnotique.

Comprenant qu'ils n'en tireraient rien pour l'instant, les deux cafards lui proposèrent de l'emmener voir quelqu'un qu'elle connaissait. Elle crut qu'ils parlaient de Jean et recouvra instantanément sa lucidité. Elle les suivit, le cœur battant, dans les sous-sols de l'immeuble. Ils longèrent un large couloir mal éclairé où se succédaient les portes métalliques percées d'un judas grillagé.

Ils s'arrêtèrent devant une cellule. Le cafard blond écarta le volet du judas et fit signe à Clara d'approcher.

« On nous l'a amené ce matin... »

Elle eut un choc lorsque, après avoir collé son œil au judas, elle reconnut le captif recroquevillé dans un coin de la cellule.

CHAPITRE 22

La maison se dressait au milieu des arbres. C'était une construction des années 1950, de style néoclassique avec ses colonnades et son toit plat en terrasse. Elle semblait abandonnée depuis longtemps, volets écaillés, façade décrépie, jardin en friche. Des rideaux éphémères de neige tombaient régulièrement des branches.

Jules avait tiré son pistolet de son étui. Aucun bruit ne troublait le silence de l'île, hormis les sifflements et les grondements assourdis des trains.

Ils avaient dû traverser le large bras de la Marne agité d'un courant violent. Jules avait choisi la plus légère parmi la dizaine de barques amarrées au quai. Il avait ouvert le gros cadenas de la chaîne en quelques secondes à l'aide d'une pointe métallique, puis avait manœuvré l'embarcation avec une sûreté et une adresse qui avaient étonné Jean.

« J'ai passé une bonne partie de mon enfance dans un marais, avait-il expliqué. Alors tout ce qu'est eau, ça me connaît. »

Il avait joué avec le courant pour amener la barque contre un ponton de bois. Ils l'avaient ensuite tirée sur la grève enneigée et boueuse avant de parcourir un chemin d'une centaine de mètres. Bien que squelettiques, les branches formaient au-dessus de leur tête un toit qui empêchait les flocons de parvenir jusqu'au sol.

Jules se tourna vers Jean et montra son pistolet.

« Tu ferais bien de sortir le tien.

– Dis-moi d'abord ce qu'on est venus faire là. »

Jules désigna la maison.

« Y a deux types, là-dedans, qui ont manqué de respect à l'Anguille.

– Comment tu sais qu'ils sont dans cette maison ?

– On a eu le tuyau par un informateur fiable. Y a pas que le réseau virtuel. On a tout un tas de mouchards qui nous refilent des renseignements pour quelques francs royaux.

– Ça veut dire quoi, manquer de respect ? »

Jules passa ses doigts écartés dans ses cheveux pour en déloger les flocons en partie fondus.

« Dans leur cas, ça veut dire ne pas tenir ses promesses. À vrai dire, je suis pas vraiment au courant de ce qu'ils ont fait. Tout ce que je sais, c'est que le Désosseur m'a demandé de m'occuper d'eux. Je suis un membre du clan, j'obéis sans me poser de questions. On y va : on passe par-derrière. »

Jean tira son pistolet et suivit Jules dans l'étroit sentier qui longeait le jardin de la maison. La végétation était par endroits si serrée qu'ils durent briser des branches pour se frayer un passage. Les flocons continuaient de tomber, toujours aussi denses.

« Elle nous arrange drôlement, cette sacrée neige, murmura Jules. Elle réduit la visibilité. »

Ils atteignirent sans encombre l'arrière de la maison. L'espace était étroit entre la clôture, un grillage habillé de lierre, et la façade. Une dizaine de mètres à franchir. Ils observèrent les lieux un moment. Un épais manteau blanc escamotait les buissons et les massifs. Un panache de fumée montait de la cheminée en briques et se perdait dans le gris du ciel.

« Ils sont là », souffla Jules.

Des silhouettes s'agitaient derrière les vitres et les voilages d'une baie vitrée qui donnait sur une petite terrasse surélevée.

« Faut pas qu'ils nous voient… »

Jules proposa d'escalader la grille à l'endroit le plus éloigné de la baie vitrée, puis de rester collé contre la haie du jardin avant de piquer vers l'angle de la maison. Ils guettèrent le moment propice. Le froid qui s'emparait des pieds, des mains et des oreilles de Jean n'était pas le seul responsable de ses tremblements.

« Maintenant », dit Jules.

Cela faisait un petit moment qu'ils n'avaient pas entrevu les silhouettes par la baie vitrée. Jules escalada le grillage avec la souplesse d'un chat, sauta de l'autre côté et s'accroupit contre la haie en attendant son compagnon. Jean franchit l'obstacle avec moins de grâce. Son manteau s'accrocha dans les pointes du grillage. Il se dégagea comme il le put, craignant que ses gesticulations ne donnent l'alerte. Il atterrit lourdement dans le jardin, faillit lâcher son pistolet, roula dans la neige, rejoignit Jules au pied de la haie.

Ils restèrent quelques instants aux aguets. Leur intrusion n'avait pas déclenché l'alerte. Ils se relevèrent, longèrent la haie, foncèrent vers l'angle de la construction, progressèrent contre le mur. Jean se demandait comment ils allaient entrer dans la maison et ce qui se passerait ensuite ; il se demandait également si Jules éprouvait les mêmes sensations que lui, cette angoisse qui lui tenaillait le cœur, cette impression de s'enfoncer dans une caverne obscure et glacée.

Ils gravirent les trois marches qui menaient à la terrasse et se rapprochèrent avec précaution de la baie vitrée. Jules essaya de la pousser, mais elle était fermée. Il fallait fracasser le verre pour pouvoir entrer, ce qui donnerait l'alerte aux occupants et annihilerait l'effet de surprise.

Jean avisa, à l'autre extrémité de la terrasse, une porte basse dont la peinture écaillée se confondait avec la couleur du mur. Il la montra de l'index à Jules, qui hocha la tête. Ils passèrent de l'autre côté de la baie vitrée. Jules tourna la poignée de la porte, qui s'ouvrit sans résistance en émettant un léger grincement. De l'entrebâillement s'exhala une odeur de renfermé et de bois brûlé. Le métal du pistolet était glacé dans la main de Jean.

Ils franchirent un premier couloir qui débouchait dans une petite pièce meublée d'étagères et d'un large bassin en pierre surmonté d'une pompe à eau. Une voix intérieure suppliait Jean de rebrousser chemin. Il la bâillonna : il était allé trop loin sur la voie de Jules.

Ils se glissèrent dans une arrière-cuisine, contournèrent une immense table jonchée de reliefs de repas, passèrent devant un évier de fer où s'entassaient des assiettes, des verres, des casseroles, des poêles et d'autres ustensiles, puis s'engagèrent dans un deuxième couloir tapissé d'un papier à motifs fleuris qui desservait les autres pièces du rez-de-chaussée. Un rire éclata, tout près.

L'index de Jean se crispa sur la détente de son arme. Jules lui fit signe de s'immobiliser. Une conversation s'éleva de l'autre côté de la cloison. Jean recensa d'abord deux hommes, puis un troisième, à la voix plus aiguë. Jules se remit en mouvement. Il marchait comme un loup, courbé, silencieux, maître de ses gestes et de ses nerfs.

Les voix provenaient de l'entrebâillement d'une porte. Ils restèrent un moment tapis près du chambranle. Jean avait l'impression que les battements de son cœur ébranlaient toute la maison. Quand Jules se retourna, la main levée, et l'interrogea du regard, il acquiesça d'un clignement de cils.

Jules abaissa la main. Ils s'engouffrèrent dans la pièce.

« Personne ne bouge ! » glapit Jules.

La première chose que distingua Jean, ce fut la cheminée de marbre où dansaient de hautes flammes crépitantes. Puis une large fenêtre dont les voilages atténuaient la blancheur aveuglante du jardin ; une table basse, jonchée d'une cafetière, de tasses fumantes, de morceaux de pain, de couverts et de serviettes tachées ; un canapé en cuir fauve où se prélassait un homme brun et frisé emmitouflé dans une ample robe de chambre pourpre ; un écran du réseau qui, visiblement, n'avait pas servi depuis des lustres ; un fauteuil en tissu clair d'où dépassait la tête blonde et ahurie d'un deuxième homme. Des bougeoirs répartis en divers endroits de la pièce montraient que, bien qu'elle fût équipée d'interrupteurs et d'ampoules, la maison n'était plus alimentée par l'électricité.

Jean balaya le salon du regard. Aucune trace du troisième homme dont il avait cru entendre la voix.

L'homme en robe de chambre fixa les deux intrus avec des yeux agrandis par la surprise et l'effroi.

« Vous... vous voulez quoi ? Du fric ?

– C'est M. Bernier qui nous envoie, dit Jules, qui s'efforçait de ne rien montrer de sa nervosité trahie par les fêlures de sa voix.

– M. Bernier ?

– Peut-être que son surnom, l'Anguille, vous dira quelque chose ? » Jules tourna le canon de son pistolet vers l'homme blond assis dans le fauteuil. « Hé, toi, lève bien haut les mains, qu'on voie ce qu'elles font ! »

Le blond obtempéra après avoir consulté son acolyte du regard.

« Je ne sais pas ce qu'a pu te raconter l'Anguille, mon gars, mais ce serait bien que tu connaisses le fond de l'histoire avant de commettre l'irréparable, tu crois pas ? reprit l'homme à la robe de chambre.

– Rien à fiche, répliqua Jules. J'appartiens à un clan, je fais ce que mes chefs me disent de faire.

– Et qu'est-ce qu'ils t'ont dit de faire ?

– Vous éliminer. »

Les yeux de l'homme à la robe de chambre s'envolèrent vers un angle de la pièce avant de revenir se percher sur Jules.

« L'Anguille envoie des gosses faire son sale boulot, maintenant ? Vous avez quel âge, vous deux ?

– Qu'est-ce que ça peut bien faire, l'âge ? » Jules désigna son pistolet d'un coup de menton. « Faut juste apprendre à se servir de ça.

– Tu vas tout de même pas flinguer deux êtres humains de sang-froid ?

– Qu'est-ce qui m'en empêcherait ? »

Les voilages de la fenêtre bougèrent légèrement, soufflés par un courant d'air. Jean aperçut, dans un reflet de la vitre découverte, une silhouette sombre dans le coin que l'homme à la robe de chambre avait furtivement regardé quelques secondes plus tôt, dissimulée par un pan de mur.

« Y en a un autre, là ! » cria-t-il.

À peine avait-il prononcé ces mots que la silhouette surgit de sa cachette et ouvrit le feu sur les intrus. Jules se plia en deux, touché au niveau du ventre, et lâcha son pistolet, qui glissa sur le parquet et alla percuter la plinthe du mur.

« Bouge pas, toi ! »

Jean vit, comme dans un rêve, l'œil noir d'un pistolet se braquer sur lui. Le blond sauta par-dessus le fauteuil, s'approcha de lui et le désarma. Tétanisé, il n'eut à aucun moment l'idée de se défendre. L'autre le fixa d'un air sarcastique. Ses yeux bleus étaient empreints de cruauté et injectés de sang. Il portait une veste de pyjama rayée par-dessus un pantalon de ville noir et tire-bouchonné.

L'homme à la robe de chambre se leva à son tour et s'avança vers Jules, recroquevillé sur le plancher.

« L'Anguille devrait mieux choisir ses exécuteurs, grogna-t-il en le frappant d'un coup de pied. Quand on est envoyé pour régler un compte, on ne répond pas aux questions, on tire.

– Qu'est-ce qu'on fait d'eux ? On les descend ? »

La voix du troisième homme se perchait un mot sur deux dans les aigus. Il ressemblait à un nourrisson avec sa tête ronde, entièrement glabre, ses yeux globuleux et ses mains potelées. Son costume noir, légèrement trop petit, accentuait cette impression de poupon grandi trop vite. Il répandait une écœurante odeur d'eau de Cologne.

« Bien joué, Thur. T'as mis un peu de temps à intervenir, mais tu l'as eu, ce petit salopard. »

Jules gémit. Une flaque de sang s'étendait sous ses bras repliés.

« On va les garder bien au chaud, ils pourront nous servir de monnaie d'échange.

– Il a pas l'air en bon état, glousa le dénommé Thur.

– Tu l'as visé au ventre, intervint le blond. Il en a pour trois ou quatre heures avant de caner. »

Jean retroussa la veste et la chemise de Jules. La balle était entrée sur le côté droit du nombril. Le sang s'était remis à couler en abondance depuis que les trois hommes avaient enfermé les deux intrus dans une minuscule pièce dépourvue de fenêtre et qu'ils s'étaient retirés en fermant la porte à clef.

La pâleur de Jules alarma Jean. Il regretta de ne pas avoir eu le réflexe de riposter à l'offensive de Thur. Il aurait peut-être pu neutraliser les trois hommes et emmener son compagnon blessé dans un hôpital ou chez un docteur. Maintenant, il n'avait pas d'autre choix que d'assister, impuissant, à son agonie. Trois ou quatre heures, avait dit le blond. Il lui fallait trouver le moyen de sortir de là. Il tenta d'ouvrir la porte à coups d'épaule, elle ne bougea pas d'un millimètre. La voix de Thur traversa le bois après sa troisième tentative.

« Pas la peine, mon gars, elle est solide. »

Jean retourna s'asseoir, découragé. Un nouveau gémissement de Jules le poussa à agir. Il se défit de son manteau, de sa veste, et commença à découper des bandes de tissu de sa chemise en incisant l'étoffe avec ses dents. Après avoir obtenu plusieurs bandes, il les noua ensemble, puis les enroula autour du ventre de Jules en veillant à bien comprimer la plaie. Il ne savait pas si son pansement de fortune servirait à quelque chose, mais, au moins, il avait jugulé l'écoulement du sang. Il installa Jules par-dessus son manteau étalé sur le carrelage et le recouvrit de sa propre veste. Vêtu de ses seuls lambeaux de chemise et de son maillot de corps, il se recroquevilla sur lui-même pour offrir le moins de prise possible au froid.

Le temps s'égrena, rythmé par les gémissements de plus en plus sourds de Jules. De temps à autre, des bruits traversaient les cloisons, claquements de portes, craquements d'un escalier, disputes. Une certaine tension semblait régner entre les trois hommes, qui, visiblement, n'étaient pas d'accord sur la conduite à suivre. Jean se leva à plusieurs reprises et fit des mouvements pour se réchauffer.

« Jean... Jean... »

Jules avait ouvert les yeux. Sa voix n'était plus qu'un souffle. Jean se pencha sur lui, alarmé par la pâleur de son visage, qui offrait un contraste saisissant avec l'obscurité de la pièce.

« Je vais... mourir...

– Dis pas ça, Jules, c'est pas encore fait ! Les autres vont nous tirer de là.

– Les autres ne viendront pas... c'était à nous... à nous de nous débrouiller... Écoute-moi... Si tu... »

Jules grimaça. Sa vie ne tenait plus qu'à un fil. Jean se souvenait de lui dans le fourgon des asticots, de ses cheveux noirs en désordre, de ses dents pointues dévoilées par son sourire chaleureux, du scorpion tatoué sur son torse, de son arrogance, de sa formidable vitalité.

« Si tu t'en sors... va... va voir ma mère... et dis-lui... dis-lui que son fils...

– Dis pas n'importe quoi, tu vas t'en sortir. »

Les larmes brouillaient les yeux de Jean.

« Elle habite dans le Marais... poitevin... la Venise verte... J'me suis sauvé de chez moi à l'âge de dix ans... J'l'ai jamais revue... M. Bernier, c'est lui qui... m'a recueilli... Dis à ma mère que j'l'ai jamais oubliée... J'suis parti parce que j'voulais pas... être un cou noir, j'voulais pas vivre courbé toute ma vie comme mon père... Il en a eu assez d'être humilié par les maîtres des domaines... Il s'est jeté dans un puits... Ma mère vit toujours... À Saint-Sigismond... Tu te rappelleras ? Saint... Saint-Sigismond... »

La main de Jules agrippa l'avant-bras de Jean. Il fut secoué par un soubresaut. Il tenta d'ajouter quelque chose, mais aucun son ne sortit de sa bouche entrouverte, seulement une longue exhalaison, puis sa tête se renversa en arrière et il cessa de respirer.

« Jules ! Jules ! » hurla Jean.

Il secoua un long moment le corps inerte dans l'espoir de le ranimer, mais, brisé par la fatigue et le chagrin, il finit par se résigner. Alors il s'allongea au côté du garçon qui l'avait sauvé des griffes des charognards et laissa couler ses larmes.

Un crissement le tira de sa torpeur. Il se redressa. Quelqu'un ouvrait la porte. Le dénommé Thur s'introduisit dans le réduit en braquant son pistolet sur les deux prisonniers. Il portait toujours le même costume étriqué noir. Ses yeux saillaient de leurs orbites comme des boules de billard.

« Il est mort, balbutia Jean. Vous l'avez tué. »

Thur passa sa main libre sur le haut de son crâne lisse.

« C'était lui ou nous. Il nous aurait pas ratés. C'est le jeu. Les autres sont partis négocier avec l'Anguille. Tu f'rais mieux de te couvrir si tu veux pas attraper la mort à ton tour. Lui, il en a plus besoin. »

Thur avait raison. Jean récupéra sa veste sur le corps de Jules et l'enfila.

« Prends l'manteau aussi. Faut qu'y en ait au moins un de vous deux qui reste vivant pour qu'on puisse passer un marché équitable avec l'Anguille. »

Joignant le geste à la parole, Thur se pencha, saisit un coin du manteau et le tira d'un coup sec, envoyant le cadavre percuter le bas du mur. Légèrement déséquilibré, il fut entraîné vers l'avant, trébucha et fit deux ou trois pas pour se rétablir. Jean vit qu'un espace s'était dégagé entre Thur et la porte. Oubliant sa fatigue et son chagrin, il bondit sur ses jambes et fonça vers l'ouverture. Il ne perdit pas de temps à se retourner, il franchit l'espace en trois foulées et se précipita dans le couloir. Il en atteignit l'extrémité au moment où l'autre sortait à son tour du réduit.

« Bouge plus ! »

Jean prit un deuxième passage à angle droit sans tenir compte des sommations de son poursuivant. Au bout, une lumière intense se déversait par une porte vitrée et éclaboussait les lattes noircies du plancher.

La porte principale.

De l'autre côté il y avait le jardin, la grille, et plus loin encore, le ponton et la Marne à franchir. Jean n'avait jamais appris à nager. Il lui faudrait utiliser une barque. Et Thur, dont il entendait les vociférations derrière lui, ne lui en laisserait sans doute pas le temps.

CHAPITRE 23

Barnabé leva sur Clara un regard de bête traquée. Son visage, plus cabossé que d'habitude, était couvert d'ecchymoses. Son uniforme vert sombre présentait de nombreuses taches et déchirures. Il se tenait recroquevillé dans un coin du cachot meublé d'une couchette dure et d'une cuvette de toilette nue. Un rayon de lumière tombait d'une minuscule lucarne équipée de barreaux.

« C'est bien l'homme qui vous a enlevée ? » demanda l'un des deux cafards dans le dos de Clara.

Elle hésita avant de hocher la tête.

« Il ne m'a jamais fait de mal », précisa-t-elle à voix basse.

Elle occultait le violent coup de poing que Barnabé lui avait assené et qu'il avait sincèrement regretté ensuite. Elle était à la fois déçue et soulagée ; déçue de ne pas avoir découvert Jean dans la cellule, soulagée de le savoir toujours en liberté.

Elle avait hâte maintenant de sortir de ces sous-sols envahis d'un froid humide et imprégnés d'une odeur désagréable.

« Il ne nuira pas de sitôt, dit le cafard blond. Il tirera au moins vingt ans de bagne dans une colonie.

– Dire que ce demeuré venait d'être recruté par les unités spéciales d'intervention de l'armée, ajouta l'autre. Il a même participé à l'attaque d'un camp de terroristes dans la forêt de l'Ouest parisien. Il a déserté le jour même.

– C'est l'armée qui s'est chargée des recherches. On l'a retrouvé dans une masure en plein cœur de la forêt. Il serrait dans ses bras le cadavre à moitié décomposé d'une vieille femme, sa mère sans doute. Les soldats ont fouillé la maison. Ils ont découvert une cave qui semblait avoir servi de cachot. Ils ont transmis le signalement de Barnabé Vasqueur à la gendarmerie. Après, ç'a été un jeu d'enfant de faire le rapprochement avec votre affaire.

– On aura d'ailleurs besoin de votre déposition.

– Rapidement, parce qu'il passe en jugement dans deux jours.

– Vous ne serez pas obligée de témoigner, votre déposition suffira. »

Barnabé gémit. Clara éprouva pour lui de la compassion, même s'il avait participé au massacre des terroristes de la forêt. Elle regretta d'avoir confirmé son identité quelques instants plus tôt. Il ne sortirait plus de sa cage. Jamais personne n'avait survécu à vingt années de bagne dans une colonie.

« Ce n'est pas sa faute, dit-elle. Il n'a pas toute sa tête. Il n'a pas supporté la mort de sa mère. Il voulait seulement la remplacer.

– Le royaume devrait se débarrasser de tous les simples d'esprit, grogna le cafard brun.

– On a essayé de les enfermer dans des camps dans les années 1940, lança le blond. Mais des âmes sensibles se sont élevées contre cette décision et, comme la reine de l'époque en faisait partie, le projet a été abandonné.

– Je crois bien qu'elle avait elle-même un enfant débile.

– Ouais, c'était l'aîné, l'héritier légitime. La Couronne s'est contentée de l'écarter du trône. »

Clara adressa un dernier regard à Barnabé avant de se détourner, incapable de supporter son air de chien battu et sa propre culpabilité. Le cafard blond referma le judas. Alors qu'ils s'éloignaient dans le couloir, un fracas assourdissant retentit derrière eux, suivi d'un hurlement.

« Ce dingue est en train de se jeter contre la porte ! s'exclama le cafard brun. S'il croit qu'il va réussir à la défoncer...

– Il cédera bien avant elle ! » renchérit l'autre.

Ils éclatèrent de rire.

Ils utilisèrent, pour prendre la déposition de Clara, un appareil qu'elle ne connaissait pas, un boîtier de la largeur d'une main qui enregistrait sa voix et la restituait simultanément sous forme de texte sur l'écran mobile posé sur le bureau. Elle répondait d'une voix morne à leurs questions, l'enlèvement, les conditions de détention, l'attitude de son ravisseur, les circonstances de son évasion... Elle occulta autant que faire se peut la brutalité de Barnabé et totalement l'intervention de Jean. Elle affirma qu'elle s'était enfuie quand la tempête avait arraché la serrure en mauvais état de la porte de la cave. Elle s'était réfugiée dans la forêt, y avait passé la nuit et avait gagné un village à l'aube. Après elle ne se souvenait plus, elle avait perdu en partie la mémoire, elle avait erré sur la route jusqu'à ce qu'un chauffeur la recueille dans son camion.

« Vous étiez en compagnie de deux hommes, enfin d'un homme et d'un garçon, quand les gendarmes vous ont retrouvée...

– Je crois que le plus jeune était un journalier qui rentrait chez lui après avoir travaillé dans un domaine.

– Les gendarmes qui ont déjeuné dans la même auberge que vous soutiennent pourtant que vous sembliez très familière avec ce garçon.

– Que vaut leur témoignage ? rétorqua Clara avec vivacité. Ils avaient bu. Et leur capitaine a refusé de régler la totalité de l'addition à l'aubergiste.

– Attention à ne pas insulter les fonctionnaires du royaume, mademoiselle ! » La voix du cafard brun était devenue tranchante. « C'est un délit. Les gendarmes sont assermentés, comme nous d'ailleurs. »

Clara n'insista pas. Il lui tardait de quitter ce bâtiment lugubre et la compagnie tout aussi sinistre de ses interlocuteurs. Ils la garderaient plus longtemps si elle se montrait rétive. Ils se comportaient comme des chats avec les souris, jouant avec leurs proies, feignant de les relâcher pour mieux les reprendre entre leurs griffes.

« Rien d'autre à ajouter, mademoiselle ?

– Je vous ai tout dit.

– Je ne le crois pas, mais cela suffira largement pour mettre Barnabé Vasqueur à l'ombre pour un bon bout de temps.

– J'espère que les juges feront preuve de clémence envers lui.

– Vous n'êtes vraiment pas rancunière, vous !

– Encore une fois, il ne m'a pas fait le moindre mal.

– Enlever les gens, ça ne se fait pas.

– Pourquoi... pourquoi alors... »

Clara eut envie de crier que les jeunes filles étaient elles aussi enlevées à leurs familles à l'âge de quatorze ou quinze ans pour épouser un inconnu, et personne ne s'en formalisait. Elle se mordit la lèvre inférieure. Elle se rappela sa résolution : ne pas leur donner la moindre occasion de prolonger l'interrogatoire.

« Eh bien quoi, mademoiselle ?

– Non, rien... rien... »

Elle n'en fut pas quitte pour autant. Ils la harcelèrent de questions pendant encore deux heures. Ils voulaient savoir les noms et les adresses des personnes qui fréquentaient l'appartement de Portarius. Elle se dit qu'ils ne risqueraient pas grand-chose si elle leur révélait leurs pseudonymes. Elle ne mentait pas en affirmant qu'elle ne les connaissait que par leurs faux noms : Orphée, Spartacus, Lilith... Portarius avait vraiment été avisé d'exiger l'anonymat de chacun de ses disciples.

Le jour s'avançait vers le soir. La neige avait cessé de tomber. Clara voyait, par la fenêtre grillagée, des éclairs bleu sombre dans la grisaille. Malgré ses vêtements chauds, elle était glacée jusqu'aux os. Lorsqu'ils lui demandèrent de leur montrer comment on s'introduisait dans le réseau clandestin, elle répondit que Portarius exécutait toutes les manœuvres et qu'ensuite elle n'avait plus qu'à se promener de site en site au gré de ses envies. Oui, elle avait eu quelques échanges avec des correspondants d'autres royaumes, mais, comme les disciples de Portarius, elle ne les connaissait que par leurs pseudonymes. Le secret était la règle première dans la fraternité virtuelle.

Les cafards décidèrent de mettre fin à l'interrogatoire à la tombée de la nuit.

« Vous allez pouvoir rentrer chez vous. Vous y demeurerez jusqu'à nouvel ordre. Nous aurons encore besoin de vous. Est-ce bien compris ? »

Elle s'empressa d'acquiescer, soulagée. Le cafard blond pressa une succession de touches sur un clavier, disparut quelques instants dans une autre pièce et en revint avec une liasse de feuilles imprimées à la main.

« Avant de partir, vous devez signer votre déposition. »

Portarius disposait, comme eux, d'une imprimeuse, une grosse machine capable de reproduire automatiquement sur papier le texte et les images apparaissant à l'écran. Fascinée, Clara l'avait observée en train de cracher les feuilles avec un bourdonnement d'insecte. Son père en possédait également une, mais il était strictement interdit à ses filles de se rendre dans la petite pièce où elle était installée.

Le cafard posa les feuilles devant Clara, lui tendit un crayon et pointa l'index sur le bas de la première page.

« Tu signes ici. »

Elle parcourut rapidement les lignes des yeux, ne reconnut pas certaines de ses déclarations, apposa sa signature sans protester sur toutes les pages, lasse, pressée de partir. Ils l'accompagnèrent à la sortie du bâtiment. Les voitures avaient creusé de profonds sillons dans la neige qui recouvrait la cour intérieure éclairée par des lampadaires. Le vent jouait avec les flocons épars.

« On se reverra très bientôt, mademoiselle, dit le cafard brun en lui ouvrant la porte.

– Nos amitiés à votre père », ajouta le blond en la refermant derrière elle.

Lorsqu'elle sortit de la cour intérieure et s'engagea dans la rue, Clara eut l'impression de plonger dans un océan de ténèbres et de frayeur. Elle ne jeta pas un regard vers le château de Versailles illuminé, pourtant tout proche. Elle avait rêvé de s'y installer un jour, de partager l'intimité de la reine et de ses dames de compagnie, de s'étourdir dans l'agitation incessante de la cour, elle n'en avait plus la moindre envie désormais, les portes de ce monde s'étaient refermées derrière elle.

Le froid descendait dans les replis de la nuit. Les phares des voitures et des bus à gaz, qui circulaient au ralenti, balayaient le bas des façades et des réverbères. Clara marcha d'un bon pas dans la neige durcie, mais ne parvint pas à se réchauffer. Elle en avait au moins pour une demi-heure à regagner le domicile familial.

La tête ronde et rouge de Thérèse, la cuisinière, s'immisça dans l'entrebâillement de la porte. Elle fixa Clara d'un air désolé. Elle semblait sur le point d'éclater en sanglots.

« Ma pauvre petite fille, bredouilla-t-elle. Ma pauvre petite fille...

– Écarte-toi et laisse-moi entrer, Thérèse, je meurs de froid.

– Ma pauvre petite fille... » Les larmes roulèrent sur les joues rondes de la cuisinière. « Votre père...

– Quoi, mon père ?

– Il a interdit... interdit... à tous les domestiques de vous laisser entrer. Il vous chasse de la maison. Ma pauvre petite fille... »

Clara resta un long moment pétrifiée, incapable de réagir.

« Ce n'est pas possible ! finit-elle par bredouiller. Il fait trop froid, et je ne sais pas où aller.

– Dieu... Dieu sait avec quelle force nous avons plaidé votre cause, mademoiselle Clara, nous lui avons dit qu'il n'avait pas le droit d'abandonner sa fille, il n'a rien voulu savoir... » Thérèse lança un regard inquiet par-dessus son épaule. Clara huma les odeurs et la chaleur familières de la maison. « Et votre mère... votre mère n'est pas intervenue en votre faveur. » La cuisinière secouait la tête d'un air indigné, les mèches détachées de ses cheveux rassemblés en chignon tremblaient le long de ses joues. « Votre mère, c'est elle qui a demandé à votre père de prendre cette décision, j'en mettrais ma main au feu. Attendez-moi là. Je reviens. »

La porte se ferma. Abasourdie, Clara se demanda si elle n'était pas en train de rêver, ou si Thérèse ne lui jouait pas une mauvaise farce. Les pensées se bousculaient en elle. Elle avait toujours vécu dans le cocon familial, un cocon rassurant, protecteur, étouffant parfois, et jamais elle n'avait pensé qu'elle en serait un jour expulsée, sauf pour entrer dans la famille de son futur mari, dans un autre cocon.

La porte se rouvrit et le visage de Thérèse apparut de nouveau dans l'entrebâillement.

« Prenez ça, ma pauvre petite. »

Elle lui tendit un panier d'osier dans lequel elle avait entassé pêle-mêle des victuailles sous une couverture pliée.

« Votre père nous a ordonné de ne rien vous donner, mais, dame, je n'ai pas le cœur à vous laisser dans la rue sans manger ! Si vous ne savez pas où aller, je connais un endroit où se rassemblent les miséreux pour la nuit. J'y vais de temps en temps pour leur distribuer les restes de nourriture. C'est à l'entrée de Bougival. Je ne crois pas qu'il y ait encore des trains à cette heure-ci. Vous en avez bien pour une heure et demie à pied, surtout avec cette neige, mais au moins vous y serez à l'abri. Votre cadette, Christa, elle est revenue dans la journée. Tout le monde semble pressé de la marier. On parle du mois d'avril ou de mai. Il faut que je retourne à mes fourneaux, on va s'inquiéter de mon absence. Je n'aime pas vous savoir dehors, non, je n'aime pas ça... Ma pauvre petite ! »

La main forte de Thérèse effleura la joue de Clara, puis, la mort dans l'âme, la cuisinière referma la porte.

Un vent de plus en plus violent soulevait des tourbillons de neige qui filaient dans la rue comme des danseurs fantomatiques.

Clara, prise de panique, tambourina sur le bois de la porte. Personne ne vint ouvrir. Elle dut se rendre à l'évidence : elle n'avait pas rêvé, elle se retrouvait bel et bien seule dans la rue au début d'un hiver qui s'annonçait particulièrement rigoureux. Elle resta un long moment devant l'entrée des serviteurs, puis, comme le froid se faisait de plus en plus mordant, elle décida de se mettre en chemin, au moins pour se réchauffer.

Elle erra dans les rues de Versailles, apercevant, par les fenêtres dont les volets n'avaient pas été tirés, des scènes qui lui rappelaient cruellement sa disgrâce. Des familles autour d'une table bien garnie ; des enfants en train de regarder un programme du réseau officiel ; des hommes et des femmes en tenue de soirée dans une réception ; un homme assis dans un fauteuil confortable en train de lire tout en sirotant un alcool. Elle était désormais privée de la chaleur du foyer. La décision de ses parents la sidérait. Sa mère, oui, aucun doute, sa mère était à l'origine de sa disgrâce. Sa mère lui avait toujours préféré Christa, la brillante Christa, Christa la peste, et elle avait sauté sur le premier prétexte pour renier une fille honnie, encombrante. Ce n'était pas la première fois dans l'histoire du royaume qu'une famille bannissait l'un de ses enfants. Portarius en était un bel exemple. Clara ne comprenait pas cependant pourquoi on ne s'était pas débarrassé d'elle en la mariant, même avec un parti sans intérêt. Elle ne savait pas ce qui lui valait ainsi la haine de sa mère.

Elle se souvint des conseils de Thérèse. Bougival était situé à six kilomètres de Versailles, soit à une heure et demie de marche. Elle ne se voyait pas passer toute la nuit dans le froid. D'autant que la neige se remettait à tomber. Elle choisit dans le panier un morceau de pain et une cuisse de poulet qu'elle grignota sans cesser de marcher. Quelques véhicules la dépassèrent. De grandes et luxueuses voitures qui conduisaient sans doute leurs passagers au château de Versailles pour l'une de ces somptueuses fêtes fréquentées par les courtisans et les plus grandes fortunes du royaume. La rencontre de la tradition et de l'argent, l'une n'allant pas sans l'autre.

Clara gagna la sortie de Versailles et prit la route de Bougival. La nuit étendait ses ténèbres sur la blancheur, les flocons surgissaient de l'obscurité comme des nuées d'insectes piquants. Elle marchait sur le bas-côté, bien que les voitures se fissent de plus en plus rares.

Au bout de deux kilomètres, elle mangea un autre bout de pain et un morceau de fromage. Elle était maintenant en rase campagne. On ne voyait plus la route, bordée de deux haies d'arbres blêmis par la neige. Aucun autre bruit ne retentissait que sa propre respiration et le crissement de ses semelles. Elle refusait de s'abandonner à la peur et à la détresse qui peu à peu la gagnaient. Sa mère avait sans doute espéré qu'elle ne reviendrait pas vivante de son séjour dans la cave de Barnabé, et cette pensée lui tirait des larmes. Elle essaya de s'en consoler en pensant à Jean. Lui n'avait pas vécu dans un agréable cocon, il avait déjà connu la solitude, la peur, le désespoir. Elle le rejoignait sur le chemin qu'il avait déjà parcouru.

Un grondement retentit dans le lointain et grossit peu à peu. Les faisceaux de phares vêtirent la neige d'or et débusquèrent les arbres de l'obscurité.

Une voiture la doubla et s'arrêta une vingtaine de mètres plus loin à l'issue d'un léger dérapage.

Clara s'immobilisa, inquiète. D'un seul coup lui revinrent en mémoire les circonstances de son enlèvement et de sa séquestration. La neige avait remplacé la tempête de pluie, mais la campagne était aussi désolée. Toujours cette impression de fin du monde.

La voiture était blanche et frappée d'armoiries qu'elle ne connaissait pas. La portière arrière s'ouvrit.

« Clara ! Clara ! »

Elle reconnut immédiatement cette voix et s'approcha de la voiture.

« Monte. »

Elle s'assit sur la banquette. Les senteurs capiteuses d'un parfum ne parvenaient pas à masquer la puissante et tenace odeur de cuir. Une lumière douce éclairait l'habitacle et se réfléchissait sur la vitre qui séparait les passagers du chauffeur. Il régnait à l'intérieur une chaleur revigorante.

« Comment m'as-tu retrouvée ? » demanda Clara.

Christa, vêtue d'une somptueuse robe de bal et d'une courte cape de zibeline, prit le temps de dévisager sa sœur aînée avant de répondre.

« Grâce à Thérèse, ma chère sœur. Elle m'a dit qu'elle t'avait conseillé de te rendre à Bougival.

– Pourquoi es-tu venue ? »

Un petit sourire effleura les lèvres de Christa. Incroyable ce qu'elle avait changé en si peu de temps, incroyable ce qu'elle ressemblait à leur mère avec sa peau diaphane, avec ses traits durs, son cou de cygne, ses cheveux blond vénitien tirés en arrière et coiffés d'un diadème.

« Je n'avais pas encore eu l'occasion de te dire au revoir. Je voulais seulement te faire part de mon mariage prochain, de mon bonheur. Et te proposer de te conduire en voiture à Bougival. »

Les mots de sa sœur firent l'effet d'une gifle à Clara.

« Je n'ai pas besoin de ta pitié.

– Tu n'es plus la même, Clara.

– Tu as changé aussi...

– Pourquoi nos chemins se sont-ils séparés ?

– Nous n'avons jamais marché sur le même. Je te souhaite sincèrement d'être heureuse. »

Clara cala son panier sous son bras, sortit de la voiture et s'éloigna sur la route éclairée par les phares.

« Clara ! Clara ! Reviens ! Je ne voulais pas... »

Clara ne se retourna pas. Le grondement du moteur couvrit la voix de Christa. La lumière des phares se déplaça sur sa gauche, éclaira les buissons et les arbustes environnants, puis les ténèbres retombèrent sur la campagne ensevelie sous la neige et le silence.

CHAPITRE 24

La nuit était tombée, et la veste de Jean ne suffisait pas à le protéger du froid glacial.

Ils étaient de nouveau trois. L'homme blond et l'homme frisé étaient revenus au milieu de l'après-midi. De sa cachette, qui donnait sur la Marne, Jean avait vu leur barque accoster le ponton de bois. Thur les avait rejoints sur le chemin entre les arbres et leur avait expliqué la situation. L'homme frisé, le chef du groupe sans doute, l'avait agoni d'injures : il leur fallait absolument retrouver le fugitif, ou ils n'auraient plus de monnaie d'échange, et le marché conclu avec l'Anguille ne tiendrait plus.

« Et tu sais ce qui nous attend si l'Anguille nous met un contrat sur la tête ? Il ne nous enverra pas des gamins la prochaine fois, mais des tueurs chevronnés comme le Désosseur. T'es sûr qu'il n'a pas traversé ?

– Sûr et certain, avait affirmé Thur. J'l'ai perdu de vue, mais j'ai couru tout de suite au ponton, et j'y suis resté un long moment.

– Il est peut-être passé par l'autre côté.

– Y a pas de ponton de l'autre côté de l'île. Il aurait fallu qu'il traverse à la nage. Impossible, vu le courant et la température de l'eau.

– Nom de Dieu, Thur ! Comment t'as pu le laisser s'échapper ? Tu mériterais que je te corrige ! »

Thur s'était protégé le visage de son bras replié. Il ressemblait à un enfant grondé par son père.

« J'voulais voir comment allait le blessé. J'l'entendais plus gémir. Il était mort. Quand j'ai ouvert la porte, l'autre s'est rué dehors comme un chat sauvage.

– J'ai dit à l'Anguille qu'on détenait deux de ses gars. On n'en a plus un seul. Et faut absolument le retrouver. Ou j'donne pas cher de notre peau. »

Depuis, deux d'entre eux fouillaient l'île tandis que le troisième gardait le ponton. La nuit l'avait escamoté, mais Jean voyait régulièrement rougeoyer les cigarettes qu'il fumait sans interruption. Ils n'avaient pas encore trouvé sa cachette, pourtant évidente. Tellement évidente, sans doute, qu'il ne leur venait pas à l'esprit de chercher de ce côté-là.

Un arbre creux. Un chêne plusieurs fois centenaire dont le tronc présentait une ouverture haute d'environ deux mètres et large d'une trentaine de centimètres. Jean avait réussi à s'y glisser en déchirant sa veste, son maillot de corps, et en s'écorchant la peau. L'odeur de bois pourri avait failli l'expulser de son abri ; le bruit des pas de Thur lancé à ses trousses l'y avait maintenu.

Jamais il n'avait couru aussi vite au sortir de la maison. Il avait perdu du temps à débloquer la serrure récalcitrante de la porte du jardin. Thur avait hurlé, mais n'avait pas tiré. Jean avait compris qu'il n'aurait pas le temps de se jeter dans une barque, encore moins de la libérer de sa chaîne. Il avait avisé le grand chêne aux branches et au tronc tortueux situé à une vingtaine de mètres du ponton. Il avait résolu d'y grimper et de s'allonger sur une branche maîtresse, puis il avait remarqué l'ouverture, cette grande plaie béante qui semblait couper le tronc en deux. Elle tournait le dos au sentier et faisait face à la Marne. Il n'avait pas réfléchi, il s'était tortillé comme une anguille pour pouvoir s'y introduire. Il avait craint d'être trahi par les traces de ses pas sur la neige, mais les flocons, tombés en abondance, les avaient rapidement recouvertes.

Il se tenait debout dans l'étroit abri qui lui comprimait les épaules et les hanches. Il ne pouvait pas bouger. Le froid et l'immobilité lui engourdissaient les membres, la faim lui tenaillait le ventre. De minces fissures dans l'écorce lui permettaient d'entrevoir sur sa droite le ponton et sur sa gauche un tronçon du sentier. Il s'était peu à peu habitué à la puanteur du bois pourri. Il tentait parfois de se détendre, mais, à chacun de ses mouvements, des fibres humides se détachaient et se coulaient dans son cou, sous sa veste. Il avait parfois l'impression que le vieux chêne allait se briser sous les coups de boutoir du vent et le poids de la neige. Jamais il ne s'était senti si seul, si abandonné. Un désir féroce, lancinant, le taraudait de retrouver la chaleur du foyer, les cris et les rires de ses sœurs, le regard aimant de sa mère, la tiédeur d'un lit. Et puis il y avait Clara, Clara qui ne cessait de hanter ses pensées, Clara qu'il ne pouvait pas oublier même si elle l'avait effacé de sa vie. Il avait beau s'en défendre, se dire que les chances étaient minimes, pour ne pas dire nulles, que leurs chemins se croisent de nouveau, il cultivait l'espoir, un peu vain, un peu fou, de la revoir. Plus qu'un espoir, une certitude, une évidence, une flamme qui continuait de briller dans ses ténèbres intérieures.

C'était l'homme blond aux yeux bleus et cruels qui gardait le ponton. Les deux autres n'avaient pas reparu depuis un bon moment. L'île regorgeait d'abris. Ils en avaient pour un bon bout de temps à l'explorer. Jean décida de tenter quelque chose avant d'être transformé en bloc de glace. Ils avaient besoin de lui vivant. L'homme blond ne tirerait pas.

Il sortit de sa cachette avec les mêmes difficultés qu'il y était entré, arrachant un large pan d'écorce au passage. Le chêne craqua et gémit, comme s'il exprimait la douleur de la blessure. Vingt mètres plus loin, l'homme blond faisait les cent pas sur le ponton en fumant une cigarette. Jean longea la rivière en écartant les herbes durcies par le gel, les yeux rivés sur les formes claires des barques les plus proches. Il lui fallait monter à bord de l'une d'elles sans passer par le ponton. Le problème serait d'en trouver une dont la chaîne ne serait pas fermée par un cadenas. Il n'avait pas le choix. Traverser à la nage n'était même pas envisageable. Il progressa avec une lenteur crispante, étouffant autant que possible les crissements de ses semelles sur la neige craquante. Il entendait maintenant le souffle de l'homme blond, dont le regard, rivé sur la Marne, n'était pas tourné dans sa direction.

Jean parvint à passer sous le ponton sans attirer son attention. Accroupi entre les deux piliers plantés dans la terre de la rive, il maîtrisa les tremblements de ses membres et prit le temps d'observer les environs. Les barques alignées se tenaient à cinq ou six mètres. Il lui fallait entrer dans l'eau pour franchir la distance en espérant qu'il garderait pied.

Des voix retentirent, qu'il identifia sans hésitation : la voix grave de l'homme frisé et celle, éraillée, de Thur.

« T'as rien vu, Pierrot ?

– Rien de rien.

– Ce bon Dieu de gosse a disparu ! Tu t'rends compte dans quelle merde tu nous as mis, Thur !

– J'pouvais quand même pas tirer, tu m'avais bien dit qu'il fallait le garder à tout prix en vie.

– Fallait pas le laisser partir, c'est tout !

– Cette saloperie de neige arrange rien, grommela l'homme blond.

– Pas d'affolement. Il est obligé de passer par là, y a qu'un ponton. Faudra le surveiller en permanence.

– À ce propos, j'aimerais bien être relevé de mon tour de garde. J'commence à geler.

– Thur, tu prends la relève. J'viendrai t'remplacer dans trois heures. Pierrot et moi, on va continuer de fouiller l'île.

– Avec le froid et la faim, il finira bien par sortir de son trou.

– Faudrait surtout pas qu'il y crève, dans son trou ! Allons-y. Ouvre l'œil, Thur. Et j'te préviens, si tu déconnes une deuxième fois, moi, j'te raterai pas.

– T'en fais pas, le Normand, ça n'arrivera plus.

– J'espère bien. »

Les deux hommes s'éloignèrent, laissant Thur seul. Il tapa des pieds pour se réchauffer, le ponton tout entier vibra sous ses pas.

« Pas fait exprès, moi, marmonna-t-il. Ils avaient qu'à le garder eux-mêmes... Sont jamais contents, ceux-là... »

Jean résolut d'affronter l'eau. Le froid s'enroula autour de ses pieds et ses jambes comme un lierre vénéneux et tranchant. Il suffoqua. Serra les dents pour ne pas hurler. Attendit que le premier effet s'atténue avant de continuer. Il eut rapidement de l'eau jusqu'aux cuisses. Le froid accentua son emprise, le traqua jusqu'aux os. Il faillit renoncer, puis il puisa de la force et de la volonté dans le souvenir de Clara et il avança, peinant à arracher ses chaussures du fond de vase.

Thur chantonnait au-dessus de lui. Sa voix de fausset couvrait les menus clapotis soulevés par sa progression. Le vent ridait la surface de la Marne. Les flocons, de nouveau serrés et volumineux, occultaient les rares lumières de l'autre rive. L'intervalle grandissait sans cesse entre les pensées de Jean et les réactions de son corps, comme si une course de vitesse s'était engagée entre le froid et son cerveau. L'eau l'enlaçait par la taille et le serrait de plus en plus fort dans son étreinte glacée. Son pied droit se déroba sous lui. Il perdit l'équilibre, manqua de tomber, se rétablit avec les bras. Resta quelques instants à l'écoute. Thur fredonnait toujours au-dessus de sa tête. Il se remit en marche, luttant contre l'effroyable sensation de s'enfoncer dans la gueule de la mort. Il se retrouva tout à coup à l'air libre, hors de l'abri du ponton. Les flocons criblèrent son visage de piqûres acérées. Il n'était pas encore entré dans le champ de vision de Thur.

La première barque se balançait et grinçait doucement contre sa voisine. Jean agrippa le bord et commença à se hisser, centimètre après centimètre, dans l'embarcation. L'effort, intense, lui coupa le souffle. Ses muscles engourdis ne lui obéissaient pas. Il s'interdit de lâcher prise en pensant de nouveau à Clara, à sa mère et à ses sœurs. L'eau s'écoulait de ses vêtements détrempés. Thur cessa soudain de chanter. Jean crut que les bruits l'avaient alerté, mais l'homme à la tête de nourrisson se mit à marcher sur le ponton comme un fauve en cage en grommelant d'incompréhensibles mots.

Jean parvint enfin à passer par-dessus le bord de la barque et à s'y allonger, vidé de ses forces. Il ne sentait pratiquement plus ses jambes ni son bassin. Thur, là-haut, s'éloigna du ponton pour aller satisfaire un besoin naturel contre un arbre. Le moment était propice. Jean se redressa et rampa vers l'arrière de la barque, qui n'était pas équipée de banc. La chaîne était arrimée à un œillet métallique planté dans le bois. Impossible de la dégager, le dernier maillon étant soudé à l'œillet. Il se releva et, sans perdre de temps, passa dans la barque suivante, plus imposante et munie, elle, de deux bancs de nage. La neige recouvrait en partie les rames posées sur le plancher. La chaîne, là encore, était fixée au bois par un arceau. Jean en éprouva la solidité : il bougea franchement entre son index et son pouce, à la manière d'une dent déchaussée. L'arceau branla de plus en plus. Encouragé, Jean poursuivit son effort. La barque n'était pas très bien entretenue, et son bois n'avait plus sa solidité ni sa densité originelles.

Thur revint à sa place, tantôt chantonnant, tantôt marmottant. L'arrachement soudain de l'arceau surprit Jean, qui partit en arrière et buta contre le banc. Un tapage lui répondit en écho sur le ponton. Il n'y avait plus un instant à perdre. Il s'empara d'une des rames, se releva, écarta les embarcations voisines et plongea la pale dans l'eau.

« Qui est là ? » cria Thur.

La barque partit sur le côté et percuta un esquif placé à sa droite. Jean paniqua, donna un coup de rame de l'autre côté.

« Hé ! »

Un déclic retentit. Un faisceau lumineux emprisonna Jean. Thur disposait d'une torche équipée d'une batterie électrique.

« Le v'là, bon sang ! »

La barque s'ébranla enfin.

« Bouge plus, ou je tire ! »

Jean rama avec l'énergie du désespoir d'un bord, puis de l'autre. L'embarcation s'éloigna du ponton avec une lenteur exaspérante.

« Bon d'là de bon d'là ! »

Thur dévala l'échelle et sauta dans la barque la plus proche. Jean lança un coup d'œil par-dessus son épaule et le vit en train de tirer comme un damné sur la chaîne pour essayer d'arracher l'œillet. Il n'avait quasiment plus besoin de ramer. La barque, happée par le courant, voguait vers le milieu de la rivière. Il ne chercha pas à la diriger, comprenant que chacune de ses interventions ne réussirait qu'à la ralentir. Il sortit du faisceau de la lampe électrique qui éclairait la surface frissonnante de la Marne et un pan de la rive enneigée. Le vent emporta les jurons et les exclamations de Thur.

La barque prit de la vitesse. Jean s'assit sur le banc pour éviter de tomber. Et aussi pour se protéger du vent, qui transperçait ses vêtements mouillés. Le point lumineux de la lampe de Thur diminuait rapidement, estompé par les flocons. Jean essaya de boutonner les pans de sa veste, mais le contact avec l'étoffe imprégnée d'eau ne faisait qu'accentuer la sensation de froid. Il peinait à garder les doigts serrés sur le manche rugueux de la rame.

Il abandonna derrière lui la pointe de l'île et se retrouva au milieu du lit soudain élargi de la rivière. Les lumières éparses de Nogent brillaient sur les deux rives comme des pans de ciel effondrés. Un coup de feu éclata dans son dos. Il rentra la tête dans les épaules, puis il vit que la lumière de la lampe s'avançait à son tour vers le milieu de la Marne. Thur avait probablement brisé d'une balle le maillon de la chaîne et entamé la poursuite.

La barque filait maintenant à vive allure, et Jean se demanda s'il pourrait la manœuvrer pour rejoindre la terre ferme. Il ne se sentait pas très à l'aise sur cet élément instable et mystérieux qu'était l'eau. Il passa sous un pont éclairé par des réverbères. Aucune voiture, aucun bus ne circulait. La neige rendait les routes impraticables. Une rumeur sourde grondait dans le lointain. La rumeur de Paris.

Il crut constater que la distance avait diminué entre Thur et lui. Il se remit à ramer. Bouger lui permettait d'oublier le froid. La Marne formait un large méandre plus loin. Le courant perdait un peu de sa puissance et l'envoyait en direction de la rive gauche. Des branches mortes et des détritus s'étaient amoncelés dans la pointe de l'anse du méandre. La barque heurta un tronc et s'immobilisa quelques mètres plus loin. Le faisceau de la lampe de Thur lécha les branches dépassant de l'eau. Jean donna d'amples coups de rame pour amener la barque près du bord. Elle racla le fond de vase dans un crissement sinistre. Elle n'irait pas plus loin. Il lâcha la rame, bondit sur la pointe de l'embarcation et sauta dans l'eau. Elle lui arrivait aux genoux. Aiguillonné par la lumière de la lampe, il franchit les quelques mètres qui le séparaient du bord.

« Arrête-toi, bon d'là d'bon d'là ! »

Jean entendit le craquement de l'embarcation de Thur heurtant à son tour le tronc d'arbre en travers. Il atteignit enfin la terre ferme. Dérapa sur la neige. S'agrippa aux branches flexibles d'un buisson pour gravir la pente raide, traversa ensuite une sorte de quai planté d'arbres et bordé de pavillons qui, comme la maison dans l'île, étaient équipés de l'électricité. Il s'engagea dans une rue montante. Il ne croisa pas un piéton, pas une voiture dans la ville endormie. Son poursuivant avait mis pied à terre à son tour. Il n'eut pas besoin de se retourner pour se rendre compte que Thur était sur ses talons. Il continua de courir, oubliant sa fatigue, sa faim et le froid. Il tourna dans la première rue à droite, puis se jeta aussitôt dans une autre à gauche. Il essaya de choisir les passages les plus dégagés, là où les traces ne s'imprimaient pas.

La rue donnait sur une place circulaire. Il lui sembla reconnaître au loin le bâtiment de la gare où Jules et lui étaient descendus. Un sifflement déchira le silence de la nuit. Avec un peu de chance, il pourrait sauter dans un train en direction de Paris. Il fonça vers la gare, située à l'extrémité d'une artère rectiligne. Là-bas, il y avait de la lumière, de la chaleur, des gens peut-être, qui inciteraient Thur à renoncer. Galvanisé, il parcourut les deux cents mètres à vive allure.

Il poussa la porte vitrée et s'engouffra dans le hall. La lumière vive l'éblouit. La chaleur douce lui apparut comme une promesse de retour à la vie. Il se dirigea vers le guichet ouvert, semant des flaques d'eau derrière lui. Il trouva dans une poche de sa veste deux pièces d'un franc royal. Quelques voyageurs étaient assis dans la salle d'attente. Certains le fixaient d'un œil réprobateur. Un tableau mécanique indiquait le prochain et dernier départ pour Paris : vingt-deux heures vingt. La pendule, elle, marquait vingt-deux heures quinze. Il demanda un aller pour Paris au guichetier, qui lui réclama un franc royal et cinquante centimes. Il récupéra son billet et se rapprocha du quai.

Pâle, visiblement essoufflé, Thur entra à son tour dans la gare. À en croire les traces blanches à ses genoux et à ses coudes, il était tombé plusieurs fois dans la neige. Il gardait la main dans la poche de son manteau noir, sans doute refermée sur la crosse de son pistolet. Il fouilla des yeux le hall. Jean eut juste le temps de filer sur le quai et de se plaquer contre le mur. Des groupes de voyageurs se pressaient devant lui. Dont – et cette fois leur présence le réjouit – trois gendarmes royaux. Il s'approcha et resta dans leurs parages. L'un d'eux le toisa d'un regard mi-bienveillant mi-soupçonneux.

« T'es tout mouillé, mon garçon ! C'est pourtant pas un temps à se baigner.

– J'suis tombé dans la neige, répondit Jean avec un sourire penaud.

– Et ces morceaux de bois, ils viennent d'où ?

– Y avait des copeaux à l'endroit où j'me suis étalé. »

La réponse eut l'air de convenir au gendarme, qui se désintéressa de lui. Un coup de sifflet du chef de gare précéda de quelques secondes l'arrivée du train. Le convoi s'immobilisa le long du quai dans un long crissement de freins et une série d'expirations sifflantes typiques des locomotives à vapeur.

Jean s'arrangea pour ouvrir la porte et monter juste devant les gendarmes royaux. Il aperçut du coin de l'œil Thur qui venait de déboucher sur le quai après avoir exploré le hall et qui, visiblement, hésitait. Il avait pris du retard au cours de la poursuite et n'avait pas vu le fugitif acheter son billet ni monter dans le train. Un deuxième coup de sifflet du chef de gare annonça le départ imminent. Les contrôleurs refermèrent les portes et le train s'ébranla.

Jean, soulagé, épuisé, put enfin se laisser choir sur la banquette d'un compartiment vide. Il aperçut par la vitre la silhouette immobile et toujours indécise de Thur.

CHAPITRE 25

Le nombre de nécessiteux ne cessait de croître. Les grands froids avaient pris leurs quartiers plus tôt que d'habitude, et de façon durable. Des nouvelles chutes de neige étaient venues épaissir un manteau qui ne fondait pas. L'ancienne grange, pourtant immense, ne réussissait plus à contenir les hommes, les femmes et les enfants expulsés de leurs logements par les propriétaires inflexibles. On essayait de chauffer le bâtiment avec des braseros répartis tous les vingt mètres environ, mais la fumée noire qu'ils rejetaient rendait l'air parfois irrespirable et était probablement responsable du décès de deux nourrissons et d'un vieillard la nuit précédente.

Curieusement, ce n'était pas le désespoir qui dominait dans la grange, mais une joie de vivre exaltée par les difficultés et la proximité de la mort. Les enfants jouaient en riant entre les lits de fortune, les femmes mettaient en commun leurs victuailles pour préparer des soupes et des ragoûts dans de gigantesques récipients métalliques, les hommes chassaient, ramassaient le bois et fabriquaient des cloisons de fortune pour offrir un minimum d'intimité aux familles.

Clara logeait avec les autres jeunes filles de son âge dans l'une des salles annexes qui abritait une cinquantaine de couchettes. Il lui avait fallu quelques jours pour s'habituer à la promiscuité. Les corps serrés les uns contre les autres dégageaient une odeur parfois oppressante et une chaleur réconfortante.

Le soir, à la lueur d'une ou deux bougies, les filles racontaient leurs histoires avec un mélange de pudeur et d'audace qui étonnait et ravissait Clara. Elles entrecoupaient souvent leurs propos de fous rires, surtout lorsqu'elles évoquaient les garçons, ces lourdauds qui ne comprenaient rien aux affaires d'amour. La plupart d'entre elles venaient des campagnes environnantes.

Les récoltes désastreuses des années précédentes avaient jeté des centaines de familles sur les chemins et les routes. Les métayers préféraient laisser les terres en jachère plutôt que de nourrir des bouches inutiles. Concurrencés par les ouvriers des grandes banlieues, les journaliers erraient de ville en ville, de village en village, offrant leurs bras et leur vigueur aux propriétaires ou aux industriels pour une poignée de francs royaux. D'autres avaient quitté leurs banlieues où, à cause du déménagement des usines dans les lointaines colonies, le travail se faisait de plus en plus rare. Comme elles ne pouvaient plus payer leurs loyers, les familles avaient été expulsées. Elles n'avaient même pas la possibilité de s'offrir un billet de train à destination des régions où l'hiver était moins rude. Elles n'avaient pas d'autre choix que de grossir la multitude des sans-abri. Encore heureux qu'un propriétaire charitable eût mis cette grange vide à leur disposition.

Quand son tour était venu de raconter comment elle était arrivée là, Clara, embarrassée, avait improvisé une histoire. Pas question d'avouer qu'elle appartenait à la classe privilégiée. Domestique dans une grande famille de Versailles, elle en avait été chassée pour avoir osé contrarier la maîtresse de maison. Sans famille, elle avait marché au hasard jusqu'à ce que quelqu'un lui parle de cet endroit dans les environs de Bougival où se réfugiaient tous les miséreux. Les autres avaient semblé la croire. Elles lui avaient posé une foule de questions sur la vie à Versailles, sur le roi, la reine, les toilettes, les fêtes, les bals... Elle avait répondu tout en évitant d'entrer dans les détails pour ne pas trahir sa véritable condition. La fascination exercée par la Couronne sur les exclues du royaume l'avait étonnée. La cour était pour elles un monde merveilleux peuplé de fées et de gentils princes. Elles n'établissaient aucun lien entre le roi, ses ministres, ses conseillers, ses courtisans, ses argentiers, ses fastes, et leur propre situation, qu'elles mettaient sur le compte de la fatalité.

Clara ne souffrait plus d'avoir été chassée de chez elle, même si ses petites sœurs lui manquaient. Elle ne ressentait pas la nostalgie qui l'avait étreinte dans la cave de Barnabé. Son monde lui paraissait désormais aussi étranger que l'empire de Chine ou les royaumes d'Amérique.

Elle avait proposé ses services au petit groupe qui organisait la vie dans la grange. Comme elle ne savait pas faire grand-chose, on l'avait d'abord employée aux épluchures et au nettoyage des parties communes, entre autres la salle d'eau, une pièce fermée où les uns et les autres venaient se tremper dans de grandes bassines en fer réchauffées sur les braseros ; deux jours sur trois étaient réservés aux femmes et aux enfants, le troisième aux hommes. Le linge, lui, était lavé à l'extérieur dans des bacs en pierre qu'on remplissait d'eau tiède.

Il avait neigé presque sans discontinuer pendant presque une semaine, tenant enfermés les centaines de réfugiés à l'intérieur de la grange. Deux hommes, un jeune et un ancien, étaient passés dans les rangs et avaient demandé à ceux qui avaient appris à lire et à écrire de se réunir dans une soue de l'ancienne porcherie. Ils s'étaient retrouvés une trentaine dans la minuscule pièce, de tous âges, un tiers d'hommes et deux tiers de femmes.

« Nous sommes instituteurs, avait dit l'un des deux hommes. Nous pensons qu'il faut mettre à profit ces moments de rassemblement pour transmettre le savoir aux enfants. »

Clara avait donc été dispensée de corvées pour s'occuper d'une dizaine d'enfants deux à trois heures par jour. Les instituteurs avaient fourni les craies, les crayons et les feuilles de papier, les pères avaient fabriqué des tableaux avec des restes de planches peintes en noir. Les classes se répartissaient en divers recoins de la grange. Les élèves s'asseyaient par terre sur de vieux vêtements tassés dans des sacs de jute. Pendant les cours, les hommes et les femmes évitaient de faire du bruit. La grange bourdonnait des récitations collectives des enfants. Certains parents, assis à l'écart, suivaient discrètement l'enseignement, traçant leurs propres lettres sur des planches lisses à l'aide de tiges de bois noircies au feu.

Clara avait eu peur de ne pas être à la hauteur les premiers temps. Les deux ou trois conseils donnés par les instituteurs avant leur départ ne suffiraient certainement pas à faire d'elle une bonne enseignante. Elle qui n'avait pas été une élève très assidue, aurait-elle les qualités pour transmettre le peu de savoir qu'elle avait péniblement acquis ? Elle avait pensé à Jean : elle enseignerait comme s'il se tenait parmi ses élèves, elle s'adresserait à lui à travers eux.

Passé l'inquiétude des premiers jours, elle avait pris goût à initier les enfants aux rudiments de la lecture, de l'écriture et du calcul. Âgés de six à dix ans, ils assimilaient ses leçons à une vitesse qui la déconcertait. Avec leurs yeux émerveillés et leurs bouches entrouvertes, ils semblaient happer chaque lettre, chaque mot, chaque chiffre qu'elle écrivait sur le tableau, ils le recopiaient à la perfection sur leurs feuilles et le mémorisaient aussitôt. Elle se souvenait qu'il lui avait fallu des semaines pour assimiler les premières bribes de connaissance ; ils progressaient dix fois plus vite qu'elle.

À la fin des trois heures, les enfants restaient souvent près d'elle pour lui poser des questions. Leur curiosité n'était jamais satisfaite ; elle portait surtout sur l'Histoire, sur la façon dont le royaume s'était organisé, sur les grandes révoltes dont leur parlaient parfois leurs parents. Clara puisait dans ses souvenirs pour répondre en se limitant aux faits. Elle se promettait de consulter des livres d'histoire dès qu'elle en aurait l'occasion, enfin, d'autres livres que ceux qui trônaient dans la bibliothèque de son père. Les mères venaient récupérer leurs enfants en leur ordonnant de laisser la jeune maîtresse se reposer.

Maîtresse.

Clara ne méritait sans doute pas un tel titre, mais le mot lui plaisait. Le reste du temps, elle se mêlait aux gens, conversait avec eux, aidait les femmes à laver et coucher les enfants. La nourriture, toujours la même – une soupe de légumes, agrémentée de temps en temps d'un morceau de lard, accompagnée d'un bout de pain noir et dur –, n'assouvissait pas vraiment sa faim, mais elle s'en contentait, comme les autres. Son enfermement dans la cave de Barnabé l'avait habituée à la frugalité. Elle flottait de nouveau dans ses vêtements. Elle les avait lavés une fois, une femme reconnaissante lui ayant proposé une tenue de rechange en attendant qu'ils sèchent.

Une autre femme, au physique imposant, n'avait pas voulu qu'elle plonge les mains dans l'eau du lavoir.

« Elle est déjà toute froide ! Vous avez besoin de mains en bon état pour écrire sur le tableau. Laissez-moi donc faire. C'est mon boulot. Un vêtement de plus ou de moins, ça ne me dérange pas... »

Le soir, les chants montaient autour des braseros. Des hommes sortaient leurs instruments de musique, harmonicas, accordéons, guitares, violons, tambourins, et jouaient des airs entraînants, polkas, scottishs, gigues, gavottes... Des farandoles se formaient entre les cloisons autour des braseros. Clara n'avait jamais entendu ce genre de musique. À Versailles, la mode était à la musique inspirée du XVIIIe siècle. Ceux qu'on appelait les modernes, les compositeurs de la fin du XIXe, les Fauré, Ravel, Debussy, étaient tombés en disgrâce après avoir connu une grande vogue entre les années 1930 et 1980. D'autres formes de musique avaient connu des succès éphémères au long du XXe siècle : le fozz, venu des colonies d'Afrique, le old country, importé des royaumes d'Amérique, le marquis, une cacophonie électrique et bruyante inventée par le marquis d'Ambert, mais la cour finissait toujours par en revenir aux mêmes harmonies, aux mêmes orchestrations, aux mêmes musiciens, les descendants des Vivaldi, Bach, Mozart et Beethoven.

Des hommes invitaient parfois Clara à danser. Elle oubliait rapidement sa gaucherie pour s'abandonner au rythme endiablé. Essoufflée, étourdie, elle peinait à garder son équilibre à la fin de la danse. Elle s'asseyait alors parmi les autres et, tandis que montaient les notes mélancoliques d'une balade, elle pensait à Jean. Que devenait-il ? L'avait-il oubliée ? Elle ne prêtait aucune attention aux garçons et aux hommes encore jeunes et célibataires qui rôdaient autour d'elle comme des loups. Ses voisines de dortoir lui disaient en riant qu'elle n'aurait que l'embarras du choix si elle désirait se marier. Elle ne répondait pas à leurs provocations. Elle s'allongeait sur son lit, deux pans de tissu superposés sur un matelas de paille, tirait sur elle la couverture de laine que lui avait donnée Thérèse et se plongeait dans le souvenir de Jean jusqu'à ce que le sommeil l'emporte.

La rumeur courait depuis l'aube que les provisions commençaient à manquer. Des hommes s'étaient égaillés dans les campagnes environnantes. Quelques-uns avaient réussi à ramener des légumes, de la farine, des morceaux de viande pour les plus chanceux, mais la plupart des fermiers avaient refusé d'ouvrir leurs caves et leurs greniers, disant que leurs réserves seraient à peine suffisantes pour eux-mêmes et leurs familles. Même en réduisant les rations, on ne pourrait pas nourrir tout le monde.

« Maîtresse, c'est vrai qu'on va mourir de faim ? »

Marie, la plus petite de la classe et aussi la plus douée, fixait Clara de ses yeux ronds et bleus. L'inquiétude se lisait dans le regard des autres.

« Rassurez-vous, on ne meurt pas de faim de nos jours », répondit-elle sans conviction.

Elle pensait en même temps aux excès qui caractérisaient la cour de Versailles. Le royaume regorgeait de richesses. Un roi n'était-il pas le père de tous ses sujets ? Le serment solennel prononcé lors de son couronnement n'affirmait-il pas qu'il prendrait soin de chacun d'eux comme de son propre enfant ?

« Où on va trouver de quoi manger ? insista Marie.

– Il y a certainement une solution. »

Clara elle-même ne mangeait plus à sa faim. Elle était parfois prise de vertige. Les enfants avaient les joues creuses et ne déployaient plus le même enthousiasme pour la classe. Certains d'entre eux s'endormaient au milieu du cours.

« Mon papa, il dit qu'on va être obligés de marcher sur Versailles. »

Le cœur de Clara se serra. Les marches de la faim s'étaient toujours terminées de la même façon : le massacre des émeutiers par les troupes royales. Les soldats tireraient dans la foule sans distinction. L'image des terroristes fusillés par le peloton d'exécution sur la place du village lui revint en mémoire. Ses élèves, auxquels elle s'était attachée, risquaient de subir le même sort, une perspective qui la révolta.

« On ne sera peut-être pas obligés d'en arriver là...

– Si ! » C'était Camille qui avait poussé cette exclamation. Camille, un garçon de neuf ans à la chevelure et au regard sombres, Camille qui ne souriait jamais, qui se fâchait à la moindre remarque, qui portait sa tristesse et sa gravité comme un étendard. « On pourra pas faire autrement. Les soldats nous tueront peut-être, mais, si on fait rien, on mourra de toute façon... »

Clara se garda d'acquiescer tout en admettant, en son for intérieur, qu'il avait raison. Les marches de la faim n'étaient que des tentatives désespérées d'échapper à une mort programmée. Perdus pour perdus, les cous noirs choisissaient de clamer leur existence, leur réalité, à la face de ceux qui les avaient oubliés. Ils avançaient comme un grand fleuve humain, majestueux, tumultueux, dont le courant emportait tout sur son passage. Alors les gardiens de l'ordre du royaume, les gens comme son père, s'affolaient et ordonnaient à la troupe de tirer.

« Vous n'avez pas peur ? demanda-t-elle aux enfants.

– On a trop faim pour avoir peur, répondit Timothée, un garçon de huit ans aux cheveux couleur de paille et dont la tempe et la pommette gauches étaient recouvertes d'une tache lie-de-vin.

– De toute façon, si on meurt, y en aura d'autres qui viendront derrière nous », ajouta Blanche, une fillette de sept ans, à la chevelure exubérante et aux joues criblées de taches de rousseur.

Leur détermination surprit et émut Clara. Il fallait que le royaume eût foulé aux pieds tous ses principes pour que des enfants acceptent de s'avancer vers la mort sans crainte ni regrets.

« Eh bien si vos parents décident de faire une marche sur Versailles, je serai parmi vous. »

Les enfants sourirent et recouvrèrent pendant quelques instants cette innocence enfantine chère au chevalier Barrot et à ses pairs.

La marche sur Versailles aurait lieu le 25 décembre 2008. Les deux instituteurs étaient revenus et, juchés sur une estrade improvisée, avaient déclaré que les milliers de sans-abri répartis dans les divers refuges de la région parisienne étaient tous convenus de cette date symbolique. Les deux hommes avaient parcouru à pied plus de cent kilomètres, et le plus âgé boitait bas. Ils étaient en liaison permanente avec des correspondants qui se chargeaient d'organiser le transfert des provinciaux à Paris, place Philippe-VII, d'où partirait la marche.

« Qu'est-ce que vous faites de la trêve de Noël ? avait objecté quelqu'un.

– Il n'y a pas de trêve de la faim, avait répondu l'un des deux instituteurs. Les évêques ont refusé de mettre leurs églises à notre disposition. Ils brisent la trêve chaque jour. Ils trahissent chaque jour l'enseignement de Celui qu'ils vénèrent. Nous serons plusieurs centaines de milliers.

– Qu'est-ce qu'on peut espérer ? avait alors crié une femme.

– Nous savons que le royaume abrite de gigantesques réserves de blé. Nous demanderons à ce qu'elles soient immédiatement distribuées.

– Ils ne voudront pas, ils ne veulent jamais !

– Alors nous nous arrangerons pour aller nous-mêmes les chercher.

– Ils ne nous laisseront pas faire !

– Nous avons tendance à oublier que nous avons pour nous la loi du nombre.

– On aura des armes ?

– Personne ne sera armé. Nous ne riposterons pas. Ils devront prendre la responsabilité de tirer sur une foule pacifique.

– Alors on ira comme des moutons à l'abattoir !

– Il est possible que quelques-uns d'entre nous meurent, mais, cette fois, nous ne reculerons pas, nous ne nous enfuirons pas et nous parviendrons à nos fins. »

Des clameurs ferventes avaient salué les propos du jeune instituteur.

« Prenez des forces, avait renchéri le plus âgé. Que les plus courageux nous rejoignent à Paris après-demain ! Les autres attendront que le cortège passe sur la route de Versailles. »

Prendre des forces signifiait se reposer pendant deux jours et préparer les repas les plus nourrissants possible avec les ultimes réserves de nourriture. Des jeunes gens réussirent à dérober de la farine, des pommes de terre, des noix, des œufs et des lapins dans les fermes voisines. D'autres, munis de fusils, tuèrent des corbeaux qu'on pluma, vida, nettoya de leurs plombs et jeta dans les différentes marmites où mijotait la soupe. On réquisitionna également une partie des couvertures pour confectionner des vêtements chauds avec lesquels on protégerait les plus fragiles, les petits et les anciens.

Il régnait dans la grange une atmosphère de veillée d'armes, à la fois grave et enfiévrée. Clara s'activait avec d'autres femmes dans la pièce où l'on taillait et recousait les couvertures. Même si les classes avaient été suspendues, Blanche et Marie demeuraient près d'elle. Les fillettes continuaient leurs exercices sur leurs feuilles de papier qu'elles lui tendaient régulièrement. Clara les encourageait d'un sourire, d'un commentaire, sans tenir compte des remarques des autres femmes, grognant qu'on n'avait plus de temps à perdre avec ces bêtises.

« C'est pas des bêtises, protestait Marie de sa voix suraiguë.

– C'est pas ton écriture et ta lecture qui nous caleront le ventre !

– On peut lire des livres avec !

– Et alors, on n'a jamais vu quelqu'un se nourrir avec du papier !

– La maîtresse, elle dit qu'il faut voir plus loin que son bout du nez, hein, maîtresse ?

– C'est bon pour ceux qu'ont pas besoin de courir après l'argent. Pas vrai, Clara ? »

Sommée d'arbitrer, Clara s'en sortait en disant qu'elles avaient raison les unes et les autres. Les unes paraient au plus pressé, le nez collé sur les nécessités du présent, les fillettes, parce qu'elles n'étaient pas encore investies de la responsabilité d'une famille, avaient de la vie une vision plus ludique, plus lointaine, plus ambitieuse également. Les unes représentaient le passé, les bases solides sur lesquelles les autres pouvaient grimper et bâtir l'avenir.

La veille de la marche, allongée sur sa couchette, Clara flotta dans un état indéfinissable, entre frayeur et exaltation, un mélange de révolte et de résignation. Elle espérait que la troupe, pour une fois, ne pilonnerait pas l'immense cortège à coups de canon, mais, pour avoir entendu son père parler du peuple, elle savait que le roi et ses conseillers ne feraient preuve d'aucune mansuétude. Ce jour serait peut-être son dernier sur terre, et l'effroi lui serrait la poitrine, lui coupait le souffle. Elle ne craignait pas de mourir, et moins encore maintenant que sa famille l'avait rejetée. Elle appartenait désormais à la multitude anonyme des réprouvés, elle acceptait de partager leur sort, mais elle aurait voulu revoir Jean avant de partir. Accomplir cette ultime marche en sa compagnie. Avec lui à ses côtés, elle trouverait la force, la sérénité, elle ne regretterait pas de quitter cette terre avant d'avoir commencé à vivre.

CHAPITRE 26

« Tu es sûr que tu tiendras le coup ? »

Les yeux noirs d'Athanase pétillèrent sous la broussaille de ses sourcils.

« Tu parles ! Avec une telle foule, je serais prêt à marcher jusqu'au fin fond de la Chine ! Ce sera le plus beau Noël de ma vie. »

Athanase s'était apprêté pour la circonstance. Il avait sorti de ses cartons une chemise, un costume et un manteau chiffonnés auxquels, à l'aide d'un antique fer à braises, il avait réussi à redonner une allure acceptable. Il avait complété le tout avec un chapeau aux bords élimés, une écharpe noire et une canne au bois noueux. Il avait également taillé sa barbe et ses cheveux.

« C'est plutôt à toi que je devrais demander si tu tiendras le coup, reprit le vieil homme. Tu as quand même été bien malade.

– Ça ira, je suis remis. Et puis tu t'imagines quand même pas que je vais rester là pendant que les autres marcheront sur Versailles.

– Tu as raison : ça donne de la force, tout ce monde ! »

La place Philippe-VII, pourtant immense, se révélait trop petite pour accueillir la multitude qui se déversait par les grandes avenues. Ils étaient arrivés de toutes les provinces de France en train, en bus à gaz, en charrette, à cheval, à vélo ou à pied. On dénombrait autant de femmes et d'enfants que d'hommes.

Les organisateurs de la marche, reconnaissables à leurs brassards noirs, avaient tiré les leçons des émeutes précédentes : comme les armes ne servaient qu'à exciter la fureur des soldats et des gendarmes, on les avait proscrites. On pensait que les troupes royales n'oseraient pas tirer sur les enfants, encore moins le jour de Noël. On voulait seulement affirmer la force et la solidarité des cous noirs, montrer au roi la souffrance et la détermination du peuple de France. Son peuple. Ni le froid ni la peur ni les festivités ne parviendraient à juguler le fleuve humain qui s'écoulerait avec une lenteur majestueuse devant les grilles du palais de Versailles. La consigne était de n'esquisser aucun geste provocant, de ne proférer aucune menace ni de hurler la moindre insulte, on marcherait en silence, à la façon d'une procession funèbre.

« Il me semble qu'il y en a qui sont armés, murmura Jean en désignant la foule d'un geste large.

– Des écervelés, dit Athanase avec une grimace qui creusa ses rides. Ils ne rêvent que d'en découdre avec les armées royales. Ils perdront, c'est certain. Mais quand on tient un fusil, on se sent invincible. »

Jean refusait désormais de se servir des armes. Elles avaient causé la mort de Jules, elles avaient tué son père, elles avaient fauché les trois gendarmes qui escortaient le fourgon cellulaire, elles avaient massacré des milliers et des milliers de gens. Il n'était pas retourné dans l'immeuble de M. Bernier, l'Anguille, il avait pris machinalement le chemin de la cave romaine d'Athanase. Il était arrivé en plein milieu de la nuit, grelottant, épuisé, affamé. Le vieil homme l'avait accueilli les bras ouverts avec un large sourire.

« J'savais bien que tu reviendrais un jour ou l'autre... »

Une fièvre intense avait cloué Jean au lit pendant une semaine. Athanase l'avait soigné avec les rudiments de médecine qu'il possédait : des compresses d'eau froide, des bouillons de légumes et quelques gouttes d'un alcool fort destinées selon lui à éliminer les microbes. Jean avait alterné les états de veille fiévreux, les périodes de sommeil agité et les réveils en sursaut. Des spectres grinçants étaient venus le hanter, son père, les terroristes, le patron du Tregomeur, Jules, tous les hommes qui étaient morts sous ses yeux. Sa mère et ses sœurs s'étaient penchées sur lui avec des mines désolées. Clara l'avait constamment veillé. Son visage était resté suspendu au-dessus de son lit, nuage unique et vaporeux dans un ciel bleu pâle. Il avait maintenant la certitude qu'elle ne l'avait pas oublié, qu'ils allaient bientôt se revoir. Il ne savait pas quand ni comment, mais la vie les poussait l'un vers l'autre.

« Va y avoir une grande marche de la faim en direction de Versailles le 25 décembre, avait annoncé Athanase un soir en revenant de ce qu'il appelait les courses – la mendicité auprès des commerçants des Halles. Je crois bien que je vais y aller. C'est pas parce que j'ai une vie relativement confortable que je dois pas me sentir solidaire des cous noirs. »

Jean lui avait dit qu'il l'accompagnerait. Il avait raconté au vieil homme le guet-apens tendu par les charognards munis de goulots de bouteille, l'intervention salvatrice du clan de l'Anguille, ses profondes blessures, sa convalescence, puis ses aventures avec Jules, la mort du cafetier, leur mission sur une île de la Marne, la mort de Jules, son évasion, la poursuite sur la Marne et dans les rues de Nogent.

« On fait pas souvent de vieux os dans un clan, avait conclu Athanase à la fin du récit de Jean. Celui qui vit par l'épée meurt par l'épée. C'est pas de moi, hein, c'est du Christ. Tu as bien fait de ne pas retourner chez l'Anguille. La spirale fatale aurait fini par te happer, comme Jules, comme d'autres.

– Tu connais l'Anguille ?

– Ça fait tellement longtemps que j'traîne ma bosse dans Paris que je connais à peu près tout le monde, l'Anguille comme les autres.

– Il m'a semblé... enfin, que les clans étaient plutôt du côté des gendarmes et des cafards que des cous noirs.

– Les clans, ils n'en ont rien à faire, des gens du peuple ! Au contraire, la misère les arrange. Elle leur permet de recruter des hommes de main et des filles. Ces gens-là prospèrent sur la misère et ne rêvent que de vivre comme les bourgeois. Leurs codes d'honneur sont aussi stupides que l'étiquette des courtisans.

– Tu sembles en connaître un rayon. Tu n'as pas toujours été clochard, hein ? »

Athanase s'était replongé pendant quelques instants dans son passé, l'air grave tout à coup.

« J'ai tué moi aussi. Et je ne l'ai pas supporté. Alors j'ai tout plaqué pour errer dans les rues.

– Tu as tué qui ?

– Ma femme m'avait trompé avec un autre gars du clan. À mon nez et à ma barbe. Je l'ai pas supporté. Je les ai tués tous les deux.

– Tu étais dans un clan ?

– Le clan des Bretons, qu'il s'appelait. J'ai appris par la suite que c'était le premier nom du club des Jacobins pendant la Révolution. Drôle de coïncidence, hein ! Mais nous, on ne voulait pas l'égalité ni la fraternité, on voulait seulement prendre le contrôle de tous les clandés de Paris. On a fait la guerre aux Lyonnais, aux Corses, aux Alsaciens et aux Auvergnats. Des fois on avait les flics avec nous, des fois on les avait contre.

– Les clandés ?

– T'es trop jeune pour que je te parle de ça.

– Tu n'avais tué personne avant ?

– Non, j'avais toujours réussi à y échapper. Puis, quand cette histoire est arrivée, j'étais tellement horrifié que j'ai jeté mon arme et juré de ne jamais plus m'en servir. Comme toi. Et je suis peu à peu devenu clochard.

– Les autres du clan, ils n'ont jamais cherché à se venger ?

– Si, bien sûr ! Mais ils m'ont toujours manqué. Un jour, le clan des Bretons a été liquidé à son tour. Et j'ai eu enfin la paix. J'ai vécu tranquillement dans cette cave. J'ai appris à lire et j'ai passé une bonne partie de mon temps dans les livres. C'est que, tu vois, je l'ai jamais oubliée, ma Francine. Il se passe pas un jour sans que je pense à elle. Dire que c'est moi qui l'ai butée. J'ai été l'artisan de mon propre malheur. Je ne me le pardonnerai jamais.

– Et cette marche, tu n'as pas peur d'y aller ? Si les soldats font comme d'habitude, ils tireront sur la foule.

– J'y suis pas allé la dernière fois, lors de la grande crise de 1982. Je l'ai regretté : j'aurais pu rejoindre ma Francine vingt-six ans plus tôt. J'irai au moins pour une chose : j'pourrai peut-être éviter à quelqu'un de prendre une balle perdue. »

Le cortège imposant s'ébranla aux alentours de huit heures. Il avait cessé de neiger et un soleil radieux se levait dans le ciel mauve encore teinté d'obscurité. Les mines étaient chiffonnées : bon nombre de participants s'étaient rendus dans les diverses églises de Paris pour assister à la messe de minuit. Beaucoup n'avaient pas trouvé d'endroit où dormir.

Paris s'était paré de guirlandes électriques pour célébrer Noël. La première fois qu'il avait aperçu les lumières clignotantes posées sur les arbres nus ou sur les façades des immeubles, Jean en avait été émerveillé. Aujourd'hui, elles avaient perdu leur caractère magique, il les voyait comme elles étaient en réalité : illusoires, mensongères.

Il marchait au côté d'Athanase dans le premier tiers de l'interminable colonne. Encadrant la foule se tenaient les hommes aux brassards noirs, qui allaient et venaient comme des chiens de berger. On craignait de tomber sur un premier bataillon des troupes royales à la porte de Saint-Cloud, mais la tête du cortège la franchit sans difficulté. On remarqua seulement quelques uniformes blanc et doré demeurant à bonne distance. On passa le pont qui enjambait la Seine et donnait sur Boulogne. On avait décidé de prendre la route de Vaucresson plutôt que celle de Sèvres afin de faciliter la jonction des cortèges venant des banlieues nord. Un homme au brassard noir avait crié dans un porte-voix qu'ils étaient déjà plus de huit cent mille ; une clameur immense lui avait répondu. Leur nombre monterait sans doute à plus d'un million à Versailles. Un million de cous noirs, peut-être encore plus, défiant calmement le palais royal. La seule question était de savoir si les troupes les laisseraient arriver à Versailles. Elles pouvaient fort bien installer leurs batteries en rase campagne, entre Garches et Vaucresson, et disperser la multitude à coups de canon. Ou encore envoyer, au-dessus de la colonne, les avions de combat dont les chapelets de bombes provoqueraient de terribles dégâts. La consigne était de continuer à marcher quoi qu'il arrive, de ne pas céder à la panique, de ne pas chercher à ramasser les morts ni les blessés. La neige tassée se transformait par endroits en verglas et provoquait de nombreuses chutes saluées par des rires et des quolibets.

Jean aperçut, du haut du pont, l'étendue blanche de l'île Seguin. Les grands bâtiments aux toits arrondis abritaient les usines du groupe Deudion-Bouton, les fabricants officiels des voitures de la famille royale et des grands courtisans. Athanase marchait d'un bon pas malgré une allure légèrement claudicante. Il semblait vivre une nouvelle jeunesse. Jamais depuis quarante ans il n'était sorti du cœur sombre de Paris. Sans doute était-il l'un des plus anciens du cortège, et il bénéficiait à ce titre de la sympathie immédiate de ses voisins.

Un couple d'une trentaine d'années et ses trois enfants, échelonnés de quatre à huit ans, marchaient aux côtés de Jean et du vieil homme. Ils venaient de Picardie. L'homme, Albert, avait travaillé douze ans dans une usine de chaussures avant de perdre son travail. La femme, Sidonie, avait dû s'engager comme bonne à tout faire à la cure de leur village pour leur éviter l'expulsion de leur maison. Le curé avait tenté d'abuser d'elle, elle avait résisté, elle avait été renvoyée, et ils avaient fini dans la rue un mois plus tard, juste avant les premières chutes de neige. Albert se promettait de revenir s'occuper du curé après la grande marche sur Versailles.

« La vengeance ne te mènera pas loin, dit Athanase.

– S'agit pas de vengeance, marmonna Albert, les mâchoires serrées. C'est juste pour éviter à d'autres femmes de subir une pareille humiliation.

– Tu risques d'être fusillé. Tu crois que ce serait mieux pour les tiens ?

– Oh, j'ai pas l'intention de le tuer ! » Albert eut un petit rire espiègle. « Je veux seulement faire savoir à tout le monde qui il est et comment il se comporte. On édite un journal clandestin, par chez nous. Il est distribué dans les maisons.

– À quoi il sert si les gens savent pas lire ?

– Ils sont de moins en moins nombreux, ceux qui savent pas lire. Les classes clandestines se multiplient. Le R2I se développe aussi. Bientôt, pratiquement toutes les maisons en seront équipées.

– Il leur faut de l'électricité pour ça.

– Y a plein de façons d'avoir l'électricité. C'est plus facile à la campagne que dans les villes. Ils le savent bien, là-haut, à Versailles : ils peuvent pas arrêter ni contrôler le mouvement. C'est la raison pour laquelle ils nous affament. Quand on ne pense qu'à manger, on ne songe pas à combler d'autres besoins.

– Allons, je ne peux pas croire qu'un roi et des gouvernants dignes de ce nom aient volontairement affamé leur peuple.

– Ça fait plus de cent vingt ans qu'ils gèlent le progrès, qu'ils se le réservent pour eux-mêmes. Chaque émeute s'est achevée en massacre. Pourquoi ne nous affameraient-ils pas ?

– Parce que c'est absurde ! Aucun roi n'a intérêt à régner sur un pays vidé de ses sujets.

– Ils ont de moins en moins besoin de nous, lâcha Albert avec un pli amer au coin des lèvres. Les colonies leur fournissent une main-d'œuvre presque gratuite.

– Les bateaux sont à la merci des tempêtes, les avions manquent de carburant depuis que le Califat a fermé ses frontières. Le travail reviendra bientôt dans le royaume.

– C'est toi qui dis ça, Athanase ? intervint Jean avec un petit sourire en coin. Toi qui n'as jamais travaillé ? »

Ils sortaient de Boulogne et se dirigeaient vers Saint-Cloud et Garches. Au moindre grondement, des frissons d'inquiétude parcouraient l'immense colonne. Les yeux se levaient sur le ciel, guettant les ombres noires des avions dans le bleu de plus en plus lumineux. Le froid était vif, mais supportable. Les enfants d'Albert et Sidonie gambadaient comme des cabris avec d'autres garçons et filles de leur âge. De temps à autre, leur père en juchait un sur ses épaules et le reposait quelques centaines de mètres plus loin. Ils formaient une famille unie, belle, et Jean eut une pensée nostalgique pour sa propre famille, unie et belle elle aussi, qui ne serait plus jamais reconstituée. Il ne s'était pas encore demandé si sa mère et ses sœurs participaient à la marche. Mais, si elles s'étaient jointes au cortège, comment les retrouver dans une telle multitude ?

Les choses se compliquèrent entre Garches et Vaucresson. Un premier avion de chasse fit son apparition dans le ciel et survola la foule en rase-mottes, arrachant des cris d'effroi aux enfants. Cinq minutes plus tard, il en vint un deuxième, dont l'impressionnant piqué laissa croire un moment qu'il allait s'écraser sur les marcheurs. Pris de panique, certains se plaquèrent sur le sol gelé.

Le silence était maintenant assourdi par la peur, et Jean craignit que la multitude ne se disperse comme une volée de moineaux à la prochaine alerte.

« Dis, Albert, ils ne tireront pas sur les petits, hein ? »

Sidonie serrait contre ses jambes ses enfants effrayés.

« J'espère pas...

– Ils ont faim, et je n'ai plus rien à leur donner. »

Albert baissa la tête, les mâchoires serrées.

« On en est tous là... »

Jean sortit de la poche de son manteau les bouts de pain et les morceaux de viande séchée qu'il avait dérobés la veille dans un entrepôt proche de la cave d'Athanase.

« Ça les aidera à tenir.

– La journée sera longue, protesta Albert. Tu risques d'en avoir besoin.

– Ils en ont davantage besoin que moi. Prenez. »

Sidonie récupéra les offrandes de Jean et les distribua à ses enfants.

« Ils sont si petits, balbutia-t-elle. On les oblige à faire des choses qui ne sont pas de leur âge.

– On n'a nulle part où les mettre à l'abri. On n'a pas d'autre choix que de les emmener avec nous. »

La voix d'Albert vibrait de colère rentrée.

Un cri retentit.

Des silhouettes avaient surgi sur les sommets enneigés des collines environnantes. Des uniformes blancs, une ligne de casques lançant des éclats lumineux, des centaines de soldats armés de fusils d'assaut. Des grondements de moteurs précédèrent de quelques instants l'apparition de véhicules tout-terrain équipés de canons. Des marcheurs affolés par la présence soudaine et massive des troupes s'immobilisèrent, bloquant le cortège. Des organisateurs pourvus de brassards accoururent et leur demandèrent de se remettre en mouvement. Aucun autre bruit ne retentissait que le battement sourd des semelles sur la route par endroits enneigée. Tous avaient maintenant les yeux levés sur les collines couvertes de soldats.

Jean entrevit des reflets métalliques par l'entrebâillement des vestes de certains hommes. Ceux-là semblaient attendre un signal. À la moindre anicroche, un déluge de fer et de feu s'abattrait sur la colonne, et, comme l'avait dit Athanase, les cous noirs n'auraient aucune chance contre les armées du royaume. Il ne fallait pas provoquer les soldats. Leur laisser l'initiative du premier coup de feu. Le résultat serait le même de toute façon, mais ni le roi ni ses conseillers ne pourraient s'abriter derrière l'argument habituel de la légitime défense. Ils auraient sur la conscience la mort de centaines de milliers de sujets du royaume de France.

Athanase, pâle, les traits tirés, commençait à donner des signes de fatigue.

« Tu veux te reposer un peu ? lui demanda Jean.

– T'occupe pas de moi. Quoi qu'il arrive, Jean, je suis content de t'avoir connu. Tu es le fils que je n'ai pas eu.

– Et toi le grand-père que je n'ai pas connu. »

Le vieil homme s'épongea le front avec un mouchoir en tissu.

« Eh, j'suis pas si vieux que ça ! Bah, quoi qu'on fasse dans la vie, on s'avance toujours vers sa propre mort, pas vrai ?

– Pourquoi tu dis ça ?

– Parce que je crois bien que certains de ceux qui ont emmené des armes sont des provocateurs, des gens payés par la Couronne. »

À peine avait-il prononcé ces mots qu'un premier coup de feu éclata comme un coup de tonnerre. Il n'était pas tombé des collines, mais parti de la colonne. Des hurlements de protestation s'élevèrent, précédant de quelques secondes le roulement fracassant des canons.

CHAPITRE 27

Ça ressemblait à un roulement d'orage, mais le ciel était toujours aussi bleu et le soleil brillait de tous ses feux.

Le cortège de cinq mille personnes, parti de la grange à l'aube sous la conduite de deux hommes portant un brassard noir, était arrivé quelques minutes plus tôt au point de jonction entre Vaucresson et Marnes-la-Coquette. Ils avaient marché d'un bon pas sur les routes enneigées. Des véhicules militaires roulant à vive allure les avaient dépassés sans ralentir, renversant une femme qui ne s'était pas écartée assez rapidement. Grièvement blessée, elle avait été transportée par deux hommes dans une ferme voisine.

« C'est quoi ce bruit ? demanda quelqu'un.

– On dirait... des coups de canon, murmura un autre.

– Ça veut dire qu'ils tirent sur les marcheurs ? »

Un frémissement de peur se répandit dans le groupe comme une ondulation. Marie leva ses grands yeux clairs sur Clara.

« Un canon, c'est comme un grand fusil ? »

De la sortie de la grange jusqu'au point de jonction, la fillette était restée près de Clara, tandis que sa mère, qui marchait quelques mètres devant, s'occupait de ses deux autres enfants – son père avait fait partie de ceux qui s'étaient rendus à Paris pour rejoindre le cortège principal.

« On peut dire ça...

– Alors, ça veut dire qu'on va mourir. »

Clara serra la main de Marie.

« On mourra tous un jour ou l'autre.

– Non, je voulais dire aujourd'hui.

– Je ne sais pas, Marie, j'espère que non. »

Le soleil ne parvenait pas à réchauffer l'air, et le froid revenait s'emparer d'elles maintenant qu'elles avaient cessé de marcher. Une nuée de corneilles fila en craillant au-dessus des arbres décharnés et des champs immaculés. La campagne était déserte, figée. Le grondement lointain continuait de résonner. En tendant l'oreille, on pouvait discerner d'autres bruits, plus aigus, un peu comme les pépiements lointains d'une volière. La mère de Marie lançait de fréquents coups d'œil en direction de sa fille et de Clara. Son regard était fou d'inquiétude. Elle serrait contre son sein son plus jeune enfant, un garçon de deux ans emmitouflé dans des vêtements taillés dans une épaisse couverture de laine. Marie, elle, portait une ample cape par-dessus ses effets habituels. Clara fut saisie de l'un de ces vertiges qui la visitaient régulièrement depuis trois jours. Elle ne mangeait pas suffisamment pour reconstituer ses forces, et la marche matinale n'avait sans doute pas arrangé son état.

« Ça va, maîtresse, tu es toute pâle ? demanda Marie.

– Juste un petit étourdissement, ça va passer. »

Les cinq mille membres du cortège s'étaient répartis sur les bas-côtés. Pas une voiture ni un camion ne circulait sur la route de Versailles, habituellement très fréquentée.

« Les voilà ! » cria une femme.

Des silhouettes avaient fait leur apparition à l'extrémité de la longue ligne droite. Clara se hissa sur la pointe des pieds pour les observer par-dessus les têtes. Marie la tira par la manche.

« Qu'est-ce que tu vois ?

– Des gens. Ils viennent vers nous en courant. »

Les roulements des canons ne s'interrompaient pas. Clara se rendit compte que les bruits aigus et confus étaient des hurlements. Les silhouettes grossissaient dans son champ de vision. Des hommes, des femmes, des enfants, échevelés, affolés. Ils arrivèrent à hauteur du groupe. On les pressa de questions. Certains ne purent pas articuler le moindre son, choqués par ce qui venait de se passer. D'autres dirent, avec des mots hachés, que des hommes avaient tiré sur la troupe déployée sur les hauteurs et que celle-ci avait riposté à coups de canon. C'était maintenant la débandade. Les appels au calme des organisateurs n'avaient servi à rien, la panique avait gagné la colonne comme une traînée de poudre, les marcheurs s'étaient égaillés dans les environs pour échapper aux terribles obus.

En entendant leurs tragiques récits, Clara pensa immédiatement à Jean. Elle avait désormais la certitude qu'il s'était joint à la marche, qu'il se trouvait tout près d'elle sur cette route qui vomissait une quantité grandissante de fuyards. Son cœur se serra. Échapperait-il à la pluie de feu qui s'était abattue sur l'immense colonne (les hommes aux brassards noirs avaient affirmé à l'aube que la marche rassemblerait sans doute plus d'un million de personnes) ?

La vague incessante submergeait à présent la route. Certains rescapés avaient les joues noircies, les cheveux roussis, les vêtements brûlés ou ensanglantés. Leurs yeux exprimaient l'épouvante, comme s'ils s'étaient échappés de l'enfer. L'enfer, justement, était le mot qui revenait sans cesse dans les bouches pour décrire les explosions des obus, le vacarme, la chaleur soudaine, insupportable, irrespirable, les corps projetés dans les airs comme de vulgaires brindilles.

Clara chercha Jean du regard. Mais la multitude grandissait sans cesse et ses chances de le distinguer au milieu des innombrables visages s'amenuisaient rapidement.

« Hé, serre pas ma main si fort, tu me fais mal !

– Pardon, Marie. Je cherche quelqu'un qui m'est très cher.

– Un garçon ? »

Clara ne put s'empêcher de sourire malgré son inquiétude, malgré les sanglots et les cris de colère qui montaient autour d'elle.

« Tu es bien curieuse ! »

La colonne se reformait, longue déjà de plus d'un kilomètre. Des hommes et des femmes aux brassards noirs couraient d'un groupe à l'autre pour transmettre les nouvelles consignes.

« On continue sur Versailles ! Il faut aller jusqu'au bout !

– Vous aviez dit que la troupe ne tirerait pas !

– Des provocateurs se sont glissés dans le cortège. Ce sont eux qui ont tiré les premiers, eux qui ont entraîné l'armée à riposter. On en a neutralisé quelques-uns.

– Ça sera pareil plus loin !

– Ils ne pourront pas utiliser les canons ni les avions à Versailles. Si on reste là, à découvert, on risque le pire. Notre seule chance, c'est de reformer le cortège et de continuer.

– Moi je dis qu'on doit faire demi-tour, y a eu assez de dégâts comme ça !

– On n'a plus le choix. »

Les canons se turent. Sur les huit cent mille personnes parties de Paris, il en restait environ cinq cent mille, auxquels viendraient s'ajouter les groupes en provenance des autres banlieues. Les premières rumeurs faisaient état de cinquante mille morts et blessés ; hommes, femmes, enfants, les obus ne savaient pas faire la différence. Les deux cent cinquante mille marcheurs manquants s'étaient dispersés dans les collines. Des familles étaient restées sur place pour pleurer leurs morts ou secourir leurs blessés. On reverrait sans doute une bonne partie d'entre eux au cours de la journée. On devait maintenant se réorganiser et avancer. On installa un barrage filtrant cinq cents mètres plus loin en direction de Versailles, chargé de contrôler chaque homme, de le désarmer au besoin. Puis la colonne se remit en marche en direction de Marnes.

Clara aurait voulu rester immobile sur le bord de la route dans l'espoir de repérer Jean, mais Marie ne lui en laissa pas le loisir : la fillette la tira impatiemment par la manche et la contraignit à lui emboîter le pas.

Heureusement pour les marcheurs, la route entre Marnes et Versailles était bordée des deux côtés d'habitations parfois très cossues. Les grandes manœuvres et les bombardements y étaient donc impossibles. Seuls les barrages de soldats auraient pu arrêter le fleuve humain, mais, dans un espace aussi étroit, le nombre aurait fini par les déborder. Le cortège parvint à entrer dans Versailles sans opposition. Bon nombre d'habitants de Marnes s'étaient accoudés à leurs fenêtres pour voir passer l'interminable procession. Sur la plupart des visages se lisaient la désapprobation ou la peur. Rares étaient ceux qui soutenaient ouvertement les cous noirs.

Clara reconnut les premiers quartiers de Versailles. Elle se retournait fréquemment dans l'espoir de distinguer Jean au milieu des visages graves qui la suivaient. Elle devinait les silhouettes immobiles et terrorisées des Versaillais derrière les voilages de leurs fenêtres des étages supérieurs. La capitale du royaume étant la cible privilégiée des émeutes, ils ne voyaient pas d'un bon œil ces milliers de cous noirs se répandre dans leurs rues. Les grands soulèvements précédents s'étaient tous terminés de la même façon : les trottoirs et les places jonchés de cadavres, l'insupportable odeur du sang, de la décomposition, de la mort et de la poudre. La ville était en état d'alerte : les volets des rez-de-chaussée étaient tirés, pas une voiture ne circulait, aucune ne stationnait dans les rues, on ne croisait aucun piéton.

L'horloge d'une petite église indiquait treize heures. La messe solennelle de Noël s'était achevée et les gens étaient rentrés chez eux pour le banquet. Les repas de Noël avaient toujours été copieux chez les Barrot, mais rarement joyeux. On y recevait du monde, et la mère de Clara était tellement soucieuse de l'étiquette que les filles déjeunaient à part, dans la petite salle à manger attenante à la cuisine, avec l'interdiction formelle de parler et de rire trop fort. Les fêtes de Noël s'étaient souvent résumées pour Clara à un ennui que rien ne parvenait à distraire, ni les jeux avec ses sœurs, ni les programmes lénifiants du réseau. De même la famille Barrot refusait catégoriquement de céder à la mode des cadeaux, une habitude héritée des coutumes païennes.

La tête du cortège s'engagea dans l'avenue de Saint-Cloud et s'avança vers les grilles monumentales du château.

Les premiers rangs, constitués d'hommes et de femmes aux brassards noirs, ralentirent machinalement l'allure. Pas un uniforme n'était en vue, mais une menace sourde semblait planer au-dessus du silence qui enserrait la ville.

« Je vois rien ! »

Clara se pencha et, malgré sa fatigue, hissa Marie à hauteur de sa tête.

« Si elle vous embête, intervint la mère de la fillette, renvoyez-la-moi.

– Elle ne m'embête pas du tout. Avez-vous des nouvelles de votre mari ? »

La mère de Marie baissa la tête et se mordit la lèvre inférieure pour contenir ses larmes.

« Je l'ai pas vu... J'espère... j'espère qu'il est en queue de colonne. »

Marie contempla la façade du château, illuminée à toute heure du jour et de la nuit.

« C'est là que le roi habite ?

– Et la reine, et certains grands courtisans, et tous les domestiques.

– Elle est grande, sa maison !

– Très grande. Et très belle. C'était le palais du Roi-Soleil.

– Ça existe pas, les soleils qui sont rois.

– C'est une expression pour dire que son règne a été particulièrement brillant. Brillant comme le soleil. »

La fillette hocha la tête d'un air pensif avant de se pencher vers Clara et de lui murmurer, à l'oreille :

« Faut pas le dire à ma maman, mais mon papa est mort.

– Comment... comment peux-tu raconter une chose pareille ? chuchota Clara, interdite.

– Je sais toujours quand les gens sont morts. »

Elle avait prononcé ces mots avec la force de l'évidence.

« Et... ça ne te ferait pas de peine s'il était vraiment mort ?

– Il est vraiment mort, et je serai bientôt avec lui. »

Clara plongea dans le regard limpide de la fillette. Elle n'y vit rien d'autre que la vérité, enfin, une vérité que Marie élevait au rang de réalité.

« Tu ne devrais pas dire de bêtises.

– C'est pas des bêtises, je te dis ! »

La procession continuait de s'avancer en direction du château. L'allure était de plus en plus lente, au point que ceux de devant étaient bousculés par ceux qui venaient derrière. Clara reposa Marie sur les pavés. La main de la fillette tremblait dans la sienne comme un oisillon tombé du nid.

« Tu as peur, Marie ?

– Non, mais j'ai faim et je suis fatiguée. »

L'avenue de Saint-Cloud donnait sur la place Jean-III, une vaste esplanade fermée au fond par les grilles dorées et le portail monumental du château et, sur les côtés, par des bâtiments construits en 1936 dans le style Mansart. Le roi ne verrait pas son peuple affamé se rassembler silencieusement devant son palais : les fenêtres étaient toutes occultées par les volets blindés escamotables et d'habitude invisibles. Les hélicoptères avaient sans doute emmené la famille royale dans un abri secret. Jean IV laissait le gouverneur militaire de Versailles, un colosse aviné et brutal que Clara avait aperçu à plusieurs reprises dans l'hôtel particulier de son père, résoudre à sa façon le problème des émeutiers. Elle lança un nouveau regard par-dessus son épaule. Jean n'était pas parmi les visages environnants.

« Le garçon que tu cherches, il est pas là, dit Marie.

– Ah ? Et comment tu sais ça ?

– Je le sais, c'est tout.

– Il n'est pas... il n'est pas... »

Clara n'eut pas le courage d'aller au bout de sa question.

« Mort ? »

Un murmure parcourut la multitude. Des crépitements de bottes sur les pavés ébranlèrent le silence retombé sur la place. Des portes s'étaient ouvertes sur les bâtiments qui bordaient la place. Elles livraient passage à des centaines de soldats casqués et armés de fusils d'assaut. Ils se répartissaient tout autour de la place. Des mouvements contradictoires agitèrent le cortège. Tous voulaient maintenant battre en retraite, sortir de la nasse avant qu'elle ne se referme définitivement sur eux. On se ruait vers l'avenue de Saint-Cloud, on se bousculait, on se renversait, on se piétinait, sans tenir compte des appels au calme lancés par les hommes aux brassards noirs. Clara serra Marie contre elle pour la protéger de la cohue.

Il n'y avait pas d'issue au piège. Les soldats avaient laissé l'immense colonne s'engager dans les avenues de Saint-Cloud et de Sceaux, dans les rues environnantes, puis avaient bouclé le quartier. Les ordres fusèrent, secs, stridents. Les premières rafales éclatèrent, suivies presque aussitôt de hurlements.

« Nous ne sommes pas armés ! cria une femme.

– Notre marche est pacifique ! » renchérit un homme.

Des corps s'effondrèrent autour de Clara. Son sang se glaça. Elle ne sortirait pas vivante de cette place, elle partirait sans avoir revu Jean. Elle eut envie de pleurer, reprit courage dans le regard clair de Marie, que ne troublait aucune peur, aucun regret. La mère de la fillette se précipita vers elles, l'arracha des bras de Clara et retourna près de ses deux autres enfants.

Les soldats tiraient sans interruption. Une fumée dense, piquante, commençait à recouvrir la place. La panique était maintenant à son comble. Percutée violemment, Clara tomba de tout son long sur les pavés. Étourdie, tremblante, elle rampa sur le sol. On hurlait, on gémissait, on agonisait autour d'elle.

Elle heurta un corps inerte. Poussa un cri d'horreur lorsqu'elle reconnut le visage de Marie. La fillette paraissait dormir, les yeux clos, le visage paisible. Elle avait reçu une balle en plein cœur.

CHAPITRE 28

Jean s'était jeté sans hésitation dans la fournaise, profitant de la première accalmie pour traverser les rangs des soldats. La fumée était d'une telle densité qu'il ne voyait pas à plus de deux pas devant lui. Il évoluait au milieu d'un océan de corps, dont les uns remuaient encore. L'odeur de la poudre, âcre, irrespirable, dominait celle, doucereuse, du sang.

Il était arrivé quelques minutes après le début de la fusillade. Les marcheurs s'étaient montrés imprudents en reformant le cortège après la canonnade et en se jetant dans le piège de Versailles. Avaient-ils eu vraiment le choix ? Les organisateurs avaient espéré que la marche connaîtrait une autre issue que les précédentes, mais la Couronne n'avait pas montré davantage de mansuétude en 2008 qu'en 1982 ou en 1955. Sans doute fallait-il s'y prendre autrement, créer, comme Portarius, un monde parallèle qui viderait le royaume de sa substance et provoquerait son effondrement ?

Il pensa à Athanase, resté là-bas sur la route entre Garches et Vaucresson. Le vieil homme avait eu l'air content de partir, de rejoindre la femme qu'il avait tuée quarante ans plus tôt. Il avait accompli sa dernière volonté : lorsque l'obus avait explosé non loin d'eux, il s'était jeté devant Jean et avait pris les éclats en pleine poitrine. Grâce à lui, Jean s'en était tiré indemne. Le souffle incendiaire de la déflagration lui avait laissé un goût de cendres et de poudre dans la gorge. Il était resté près du vieil homme jusqu'à ce que celui-ci rende son dernier souffle.

Allongé sur la neige, Athanase n'avait prononcé que ces seuls mots :

« Fonce là-bas, à Versailles, elle t'attend, elle a besoin de toi. Moi... je... je vais rejoindre... Francine. »

Il lui avait pris la main et avait souri. Il s'en était allé paisiblement, comme s'il ne ressentait aucune souffrance, comme s'il avait attendu ce moment depuis toujours. Jean l'avait pleuré un long moment avant de se relever. La procession s'était dispersée et les canons avaient cessé de tirer. Les paroles d'Athanase avaient de nouveau retenti en lui : *Fonce à Versailles, elle t'attend, elle a besoin de toi...* Il s'était demandé si le vieil homme parlait de Clara, et, si oui, comment il connaissait son existence. Il ne se souvenait pas de lui en avoir parlé un jour. Comment avait-il pu deviner qu'elle habitait Versailles ?

Il s'était lancé sur les traces du cortège. Plus d'une heure s'était écoulée depuis que l'obus avait fauché Athanase et, même s'il avait couru tout au long du trajet, les autres étaient déjà enfermés dans la nasse lorsqu'il avait atteint le centre de Versailles.

Jean ne comprenait pas comment Clara s'était retrouvée dans le cortège, mais il ressentait sa présence. Elle était là, quelque part au milieu des milliers de corps étendus. La neige tassée avait fondu par endroits. Les flaques étaient rouges de sang. Des survivants erraient dans la fumée comme des spectres. Les soldats attendaient qu'elle se disperse pour avancer à la façon d'un filet aux mailles serrées et achever les survivants.

Par chance pour Jean, il n'y avait pratiquement pas de vent. Enjambant les corps, il s'approchait des grilles du château. Les soldats ne tiraient toujours pas. Ils n'étaient pas pressés, ils avaient tout leur temps. De vrais chrétiens n'auraient pas levé leurs fusils sur les cous noirs un jour de Noël. Les organisateurs de la marche, qui avaient compté sur la générosité et le pardon traditionnellement associés à la naissance du Christ, avaient sous-estimé la férocité des chiens de garde du royaume.

La fumée se dispersait peu à peu. Des ombres rôdaient entre les corps, en quête des êtres aimés. Des lamentations et des geignements montaient dans le silence funèbre. Un ordre claqua, les soldats se mirent en mouvement, achevant les blessés d'une balle dans la tête. Il ne restait plus beaucoup de temps à Jean. Il avisa une bonde d'égout sur le trottoir qui bordait les grilles dorées du château, s'accroupit, agrippa l'arceau et tenta de la soulever. Elle ne bougea pas d'un millimètre les premiers temps, puis elle s'éleva légèrement avec un grincement. Il la relâcha. Juste avant de se faufiler sur la place Jean-III, il s'était souvenu du récit d'Amédée, le garde-chasse du comte de la Roussière, de la façon dont sa femme et lui étaient sortis indemnes de la grande émeute de 1982.

« Clara ! Clara ! »

Personne ne répondit à son appel. Les doutes l'assaillirent soudain. Il aurait fallu un invraisemblable concours de circonstances pour que Clara, une fille de grande famille de Versailles, ait participé à une marche de la faim en compagnie des cous noirs. Il avait pris ses désirs pour la réalité. Les paroles d'Athanase n'avaient été qu'une divagation de vieil homme happé par la mort. Les soldats poursuivaient méthodiquement leur œuvre de mort. Ils se rapprochaient. Il devait fuir maintenant. Dans quelques minutes, il serait trop tard.

« Jean... Jean... »

Il tressaillit. Cette voix. Il ne l'avait pas entendue très longtemps, mais il l'aurait reconnue entre mille.

« Clara ? »

Un coup de feu claqua non loin de lui. Personne ne lui répondit. Il crut avoir été victime d'une illusion sensorielle.

« Jean... »

Il repéra cette fois l'endroit d'où le murmure s'était élevé. Il se précipita en trois bonds devant un enchevêtrement de corps inextricable.

« Clara... Où es-tu ?

– Je suis coincée... »

Jean commença à écarter les corps. Il peina à bouger les plus lourds d'entre eux. Il n'avait rien mangé depuis l'aube, et il manquait de forces. Il surveillait en même temps la progression des soldats. Ils ne lui prêtaient pas attention pour l'instant, concentrés sur leur tâche.

Il parvint à dégager le dernier corps, un homme corpulent d'une cinquantaine d'années. Il faillit pousser un cri de joie lorsqu'il aperçut enfin Clara, allongée sur les pavés. Elle avait maigri depuis leur dernière rencontre, mais il la trouva encore plus émouvante et belle que dans le ventre du château en ruine. Pâle, elle le fixait de ses yeux aussi bleus que le ciel.

« Jean, tu es venu...

– On n'a pas beaucoup de temps, Clara. Les soldats approchent. Est-ce que tu peux te lever ? »

Elle hocha la tête.

« Je crois... je crois que oui. »

Il la prit par la main et l'aida à se mettre debout. Elle chancela. Il la rattrapa par la taille. Ses jambes avaient du mal à la porter.

« Tu peux marcher ?

– J'ai une cheville en mauvais état, mais ça devrait aller. »

Jean l'entraîna vers la bonde d'égout située à une douzaine de mètres. Une supplique retentit un peu plus loin. Un coup de feu l'interrompit net. Clara s'arrêta, figée par l'épouvante.

« Vite, on n'a presque plus de temps ! »

Jean la tira par la main jusqu'à la bonde. Il empoigna l'arceau. Comme lors de sa première tentative, la lourde plaque métallique ne bougea pas tout de suite. Il insista, arc-bouté sur ses jambes, les paumes cisaillées par le fer de l'anneau. Il ne prêta pas attention aux cris et aux coups de feu qui retentissaient derrière lui. La bonde se souleva enfin, rouillée, lourde. Les muscles de Jean se tétanisèrent, mais il ne relâcha pas son effort.

« Ils approchent ! »

Galvanisé par la voix de Clara, il parvint à arracher la bonde dans un ultime coup de reins. Ses yeux se voilèrent de rouge. Il eut un étourdissement.

Pendant deux ou trois secondes, il se demanda ce qu'il fichait là au bord de ce puits nauséabond dont la paroi était équipée de barreaux métalliques.

« Descends, Clara.

– Je ne peux pas... je ne peux pas aller là-dedans...

– Il le faut. Ou les soldats nous tueront. Je t'ai retrouvée, je ne veux plus te perdre. Descends, s'il te plaît. »

Elle acquiesça, s'engagea dans le puits et dévala les barreaux avec un murmure d'effroi. Jean descendit à son tour. Il tira la bonde derrière lui, par une excroissance placée en dessous, jusqu'à ce qu'elle referme l'orifice dans un tintement prolongé. L'égout fut tout à coup plongé dans l'obscurité. Un bruit continu d'écoulement estompait les coups de feu et les cris en provenance de la place.

« Jean, on ne voit rien...

– Ne t'inquiète pas. Nos yeux vont s'habituer. »

Il atteignit le fond du puits. La main de Clara vint chercher la sienne. Elle était glacée. Ils se tenaient au bord d'un conduit d'où montait une odeur pestilentielle. Des couinements et des grattements trahissaient la présence de petits animaux dans les environs.

« Il faut avancer en se tenant le plus près possible du mur », murmura Jean.

Il commençait à discerner des formes dans les ténèbres, les murs, la voûte arrondie, les lignes fuyantes du conduit, la surface frissonnante de l'eau, les objets qui flottaient à la surface, emportés par le courant.

Ils parcoururent lentement la galerie en gardant une main posée sur les pierres luisantes et humides du mur. Des formes furtives se dispersèrent devant eux. Ils traversaient le royaume des entrailles de la terre, le royaume des ténèbres, du silence, de la puanteur et des rats. La respiration de Clara était de plus en plus saccadée.

« Jean, je veux sortir de là...

– Patience, Clara, il faut qu'on trouve une autre bonde d'égout qui veuille bien s'ouvrir. »

Aucun autre bruit ne retentissait désormais qu'un clapotis régulier, les couinements aigus des rongeurs et des grondements prolongés dans le lointain. Le plafond s'abaissait par endroits et les contraignait à marcher courbés. Des rayons de lumière se glissaient de temps à autre par les anfractuosités et tombaient en colonnes pâles sur le conduit.

Des barreaux métalliques leur indiquèrent l'emplacement d'une bonde à l'extrémité de la galerie. Jean les gravit. Là-haut, juste sous la plaque métallique, il perçut des cris et des coups de feu. Ils n'étaient pas encore sortis du secteur bouclé par les troupes royales.

Il redescendit.

« Il faut qu'on aille plus loin, c'est plein de soldats, ici. »

Clara poussa un hurlement. Un gros rat venait de filer entre ses jambes en lui frôlant la jambe.

« Je ne peux pas, Jean, je dois sortir ! »

Elle éprouvait des difficultés grandissantes à respirer, à contrôler sa voix. Jean la prit par les épaules.

« Calme-toi. Si on sort maintenant, ils nous tueront. Il faut juste qu'on aille un peu plus loin. On ne risque rien, ici. »

Elle avait supporté sans proférer un seul cri la fusillade sur la place, l'effondrement des cous noirs, la mort de la petite Marie, l'enchevêtrement des corps au-dessus d'elle, elle en subissait maintenant le contrecoup, elle était rattrapée par l'horreur. Jean la serra doucement contre lui.

« On ne risque rien ici, répéta-t-il. On s'en sortira tous les deux. Je te ramènerai chez toi si tu veux... »

Elle secoua la tête sur l'épaule de Jean.

« Et si tu veux rester avec moi, je connais un endroit à Paris où on pourra s'installer. C'est pas un endroit aussi beau que la maison de tes parents, mais on pourra en faire un logement agréable. »

Clara leva les yeux sur Jean. Elle lui sourit malgré les larmes épaisses qui roulaient sur ses joues. Ils se remirent en chemin. Franchirent une succession de galeries en longeant les conduits au courant plus ou moins puissant. Dans certains passages, les immondices formaient de véritables barrages qui entraînaient des débordements sur les côtés, et ils devaient patauger dans l'eau noire pour continuer. Parfois également, il leur fallait fendre une multitude de rats qui poussaient des cris rageurs avant de céder le passage.

Clara s'efforçait de recouvrer la maîtrise de sa respiration et de ses gestes. Elle gardait le regard rivé sur les épaules et la nuque de Jean. La faim et la fièvre l'affaiblissaient. L'odeur et la proximité des rats lui vrillaient les nerfs. Il lui tardait de respirer un air pur. Elle avait l'impression d'évoluer à la fois dans un rêve et dans un cauchemar.

Elle avait cru sa dernière heure arrivée lorsque les gens fauchés par les balles s'étaient effondrés sur elle. Elle avait tenté de se dégager, puis elle s'était résignée. Les roulements de la fusillade s'étaient tus. Elle mourrait étouffée si les soldats ne la tuaient pas. Et puis, parmi les gémissements des blessés qui montaient autour d'elle, elle avait cru reconnaître la voix de Jean. Une joie immense l'avait saisie, qui l'avait sortie de sa torpeur.

« Là ! »

Jean désignait le puits au-dessus de lui. On discernait, plus haut, le linéament circulaire légèrement éclairé de la bonde. Il gravit les barreaux scellés dans la paroi. Resta quelques instants à l'écoute. Ne discerna aucun bruit. Plaça ses deux mains de chaque côté de sa tête, cala ses pieds entre le barreau et le mur, et commença à pousser. La plaque métallique se souleva au bout d'une quinzaine de secondes. La lumière du jour aveugla Jean. Une rafale de vent lui projeta de la poussière neigeuse dans les yeux. Il parvint à dégager l'orifice et observa les environs.

Une rue devant lui. Bordée de chaque côté de grilles noir et doré. Un large ruban de ciel bleu entre les façades. Aucune voiture, aucun bus n'avait creusé de sillons dans l'épaisse couche de neige. Quelques traces de pas, en partie recouvertes par les chutes de la nuit. Il sortit de l'égout, saisit Clara par le poignet et l'aida à se hisser sur le sol.

Elle resta un temps éblouie. Elle prit une profonde inspiration, soulagée de quitter l'obscurité et la puanteur des égouts. Quand ses yeux se furent accoutumés à la luminosité, elle reconnut le quartier. Trente mètres plus loin se dressait la façade jaune, reconnaissable entre toutes, de la maison d'Ursule. Elle était souvent venue dans le coin.

« Tu sais où on est ? » demanda Jean.

Elle acquiesça d'un mouvement de tête. Elle ne savait pas ce qui dominait chez elle, la joie immense d'être vivante et en compagnie de Jean, le souvenir épouvantable, lancinant, de la fusillade sur la place et de son séjour dans les entrailles fétides de la ville.

« Qu'est-ce que tu comptes faire ?

– Je n'ai nulle part où aller. Mes parents m'ont bannie de chez moi.

– Pourquoi ?

– Je suis allée sur le réseau clandestin, le réseau interdit. J'ai été interrogée par les cafards. »

Elle crut voir bouger un voilage et une silhouette derrière l'une des fenêtres blanches de la maison d'Ursule.

« Ne restons pas là, on pourrait me reconnaître.

– Je t'invite chez moi, dit Jean. Il doit me rester de quoi payer deux billets de train. »

Ils se dirigèrent vers la gare. Aucune voiture, aucun piéton dans les rues. Les Versaillais respectaient les consignes. Des coups de feu épars résonnaient dans le lointain.

« C'était horrible… horrible », murmura Clara.

Les rues de Paris étaient aussi désertes que celles de Versailles. La nouvelle de l'extermination des marcheurs était parvenue jusqu'à l'ancienne capitale, qui semblait en deuil.

Le 25 décembre 2008 resterait dans les mémoires comme un Noël de sang.

Aucun commerçant, aucun étal sur les trottoirs. Jean marchait les poings et les mâchoires serrés. Dans quelques jours, il irait à Châtillon prendre des nouvelles de sa mère, de ses sœurs, de son oncle Michel et de tous ceux qu'il connaissait.

Il conduisit Clara dans la cave d'Athanase, près de la gare de l'Est.

« Elle date du temps des Romains, déclara-t-il avec fierté. On a de l'eau pour se laver et de quoi faire la cuisine.

– Il ne faudra pas grand-chose pour la transformer, dit-elle après avoir inspecté les lieux. Un peu de nettoyage, quelques décorations...

– C'est provisoire. Tu t'installeras en attendant dans la chambre d'Athanase. On trouvera mieux plus tard. Tu es sûre que tu veux rester ? Tu ne vas pas regretter ton monde ?

– Mon monde, maintenant, c'est le tien. Je n'en veux pas d'autre.

– Tu rêvais de voyager, de visiter les pays lointains, d'explorer les autres empires et royaumes...

– Les autres royaumes, ils sont là, tout près de nous, devant nous.

– Tu m'apprendras à aller sur le réseau clandestin ?

– Il ne sera pas toujours clandestin... »

Jean songeait à Magda et son regard de braise, à Athanase, gisant sur le bas-côté enneigé de la route, il pensait à ces milliers de corps étendus dans les rues de Versailles, et jamais il n'avait ressenti une telle détermination. Il y avait, dans ce début d'hiver sanglant, une promesse de printemps, de renouveau. C'était la peur qui avait entraîné le Parti de l'Ordre et les Orléans à renverser le gouvernement Gambetta en 1882. La peur qui avait poussé la Couronne, traumatisée par la Révolution de 1789 et la Commune de 1871, à maintenir le peuple de France dans l'ignorance et la misère.

Cette époque touchait à sa fin. Avec Clara à ses côtés, Jean se sentait plus grand et plus fort qu'un Titan de la mythologie, de taille à renverser le cours d'une histoire bloquée depuis plus de cent ans. Ils consacreraient le reste de leur vie à répandre le savoir, à étendre les fraternités virtuelle et réelle, à apprendre aux cous noirs à relever la tête. Ils ignoraient encore quand et comment, mais le mouvement était lancé dans leur tête et dans leur cœur, et rien ni personne ne pourrait l'arrêter.

FIN

Pierre Bordage, né en janvier 1955, vit en Loire-Atlantique, près de Nantes. Auteur reconnu de Science-Fiction, il a reçu de nombreux prix, dont celui de l'Imaginaire et de la Tour Eiffel. Chez L'Atalante, il est l'auteur de deux cycles romanesques : *Wang* et *Les Guerriers du Silence*. Chez J'ai Lu, il a publié en 1998 *Atlantis*, adaptation du célèbre jeu vidéo.

Chez Flammarion, il est l'auteur de la Trilogie *Ceux qui sauront*, *Ceux qui rêvent* et *Ceux qui osent*, parus en Grand Format.

Benjamin Carré est né en 1973 dans la région parisienne. Il est dessinateur et coloriste de bande dessinée. Il est également concept-designer dans des sociétés de jeux vidéo. Il travaille pour de nombreuses maisons d'édition.

Composition et mise en page

N° d'édition : L.01EJEN000653.C003
Dépôt légal : août 2012
Loi n° 49-956 du 16 juillet 1949 sur les publications destinées à la jeunesse
Imprimé en Espagne par Novoprint (Barcelone)